CW00429131

Maxim Gorki

Das Werk der Artamonows

Roman

Übersetzt von Klara Brauner

Maxim Gorki: Das Werk der Artamonows. Roman

Übersetzt von Klara Brauner.

Erstdruck: 1925. Hier in der Übersetzung von Klara Brauner, Berlin, Malik-Verlag, 1927.

Neuausgabe
Herausgegeben von Karl-Maria Guth
Berlin 2021

Der Text dieser Ausgabe wurde behutsam an die neue deutsche Rechtschreibung angepasst.

Umschlaggestaltung von Thomas Schultz-Overhage unter Verwendung des Bildes: Bohumil Kubista, Zementfabrik in Branik, 1911

Gesetzt aus der Minion Pro, 11 pt

Die Sammlung Hofenberg erscheint im Verlag
Henricus - Edition Deutsche Klassik GmbH, Berlin
Herstellung: Books on Demand, Norderstedt

ISBN 978-3-7437-4146-1

Bibliografische Information der Deutschen Nationalbibliothek:
Die Deutsche Nationalbibliothek verzeichnet diese Publikation in der Deutschen Nationalbibliografie; detaillierte bibliografische Daten sind im Internet über www.dnb.de abrufbar.

Erster Teil

Etwa zwei Jahre nach der Aufhebung der Leibeigenschaft, am Tage der Verklärung Christi, fiel den Pfarrkindern der Kirche zum heiligen Nikolaus »auf den Pfählen« während der Messe ein Fremder auf. Er drängte sich durch die Menschenmenge, stieß alle unhöflich an und stellte vor den in der Stadt Driomow am meisten geachteten Heiligenbildern kostbare Kerzen auf. Er war ein kraftstrotzender Mann mit einem großen, geringelten, stark angegrauten Bart, mit einer dichten Kappe dunkler, auf Zigeunerart krauser Haare; die Nase war groß; unter den höckerigen, dichten Brauen blickten verwegen graue, bläulich schimmernde Augen, und man sah, dass die breiten Handflächen bis an die Knie reichten, wenn er die Arme herabhängen ließ. Er trat in der Reihe der angesehenen Stadtbürger zum Kreuz. Das missfiel den Leuten vor allem, und als die Messe vorüber war, blieben die Honoratioren von Driomow am Kircheneingang stehen, um ihre Gedanken über den Fremden auszutauschen. Die einen meinten, er wäre ein Händler, die andern – ein Dorfvogt, der Stadtälteste, Jewsej Bajmakow, ein friedlicher Mensch von schwacher Gesundheit, aber mit einem guten Herzen, sagte indessen, leicht hüstelnd: »Vermutlich gehört er zum Hofgesinde und ist Leibjäger oder irgendwas anderes auf dem Gebiet herrschaftlichen Zeitvertreibs.«

Der Tuchhändler Pomialow, mit dem Spitznamen »die verwitwete Küchenschabe«, ein geschäftiger Lüstling und Liebhaber böser Worte, ein hässlicher, pockennarbiger Mensch, sagte übelwollend: »Habt ihr gesehen, was für lange Tatzen er hat? Und wie er daherschreitet, als ob man seinetwegen auf allen Glockentürmen läutete.«

Der breitschultrige, großnasige Mensch ging mit festen Schritten über die Straße, wie über seinen eigenen Grund und Boden. Er trug ein blaues Wams aus haltbarem Tuch und gute Schaftstiefel aus Juchtenleder, hielt die Hände in den Taschen und presste die Ellbogen fest gegen die Seiten. Die Bürger beauftragten die Hostienbäckerin Jerdanskaja, herauszubringen, wer dieser Mensch sei, und begaben sich dann beim Glockengeläute in Pomialows Himbeergarten, wohin sie zu Abendtee und Pirogen geladen waren.

Am Nachmittag sahen andere Einwohner von Driomow den Unbekannten jenseits des Flusses auf der »Kuhzunge«, einer Landzunge aus dem Besitz der Fürsten Ratski. Der Mann ging durch das Weidengebüsch, durchmaß die sandige Landzunge mit gleichmäßigen, großen Schritten, blickte unter der vorgehaltenen Handfläche nach der Stadt, auf die Oka und auf deren knotig verschlungenen Nebenfluss, die sumpfige Watarakscha. In Driomow leben vorsichtige Leute, und niemand entschloss sich, ihn anzurufen und zu fragen, wer er sei und was er tue? Man schickte aber doch den Wächter Maschka Stupa, einen Saufbold und Stadtnarren, zu ihm; der zog schamlos, vor allen Leuten und ohne sich vor den Frauen zu genieren, seine Diensthosen aus, behielt aber den zerdrückten Tschako auf dem Kopf. Er durchwatete die schlammige Watarakscha, blies seinen großen Trinkerbauch auf, trat in komischem Gänseschritt auf den Fremden zu und fragte, um sich Mut zu machen, absichtlich laut:

»Wer bist du?«

Man hörte die Antwort des Fremden nicht, Stupa kehrte aber sogleich zu den Seinigen zurück und erzählte:

»Er hat mich gefragt: Warum bist du bloß so scheußlich? Er hat große, böse Augen und sieht wie ein Räuber aus.«

Des Abends berichtete in Pomialows Himbeergarten die Hostienbäckerin Jerdanskaja, eine bekannte Wahrsagerin und »weise Frau« mit einem Kropf, den Honoratioren, indem sie ihre furchtbaren Augen rollte:

»Er heißt Ilja, sein Familiennamen ist Artamonow; er sagte, er wolle wegen seiner Geschäfte ganz bei uns bleiben; ich konnte aber nicht herausbringen, was es für Geschäfte sind. Er ist auf dem Wege über Worgorod gekommen und ist auf demselben Wege nach drei Uhr wieder abgereist.«

Man erfuhr also nichts Besonderes von diesem Menschen, und das war unangenehm, – als hätte jemand des Nachts ans Fenster geklopft und wäre verschwunden, nachdem er wortlos ein kommendes Unheil angekündigt hatte.

Es waren etwa drei Wochen vergangen, und die Narbe im Gedächtnis der Bürger war beinahe verheilt, als plötzlich dieser Artamonow mit drei Begleitern direkt bei Bajmakow erschien und zu ihm sprach, als schlage er mit der Axt drein:

»Da hast du ein paar neue Einwohner, Jewsej Mitritsch. Nimm sie in deine kluge Hand. Bitte, hilf mir, an deiner Seite in einem guten Leben Fuß zu fassen.«

Er erzählte sachlich und kurz, er hätte zu dem Gesinde der Fürsten Ratski auf deren Erbgut im Gouvernement Kursk an dem Flusse Rat gehört; er war der Verwalter des Fürsten Georgi gewesen, kam nach Aufhebung der Leibeigenschaft frei, wurde reich beschenkt und beschloss nun sein eigenes Werk aufzubauen: eine Leinenweberei. Er sei Witwer, seine Söhne hießen: der älteste Pjotr, der Bucklige Nikita; der dritte, Alexej, war sein Neffe, den er aber adoptiert hatte.

»Unsere Bauern bauen wenig Flachs an«, bemerkte Bajmakow nachdenklich.

»Wir werden sie dazu bringen, mehr anzubauen.«

Artamonows Stimme war tief und rau; wenn er sprach, klang es, als schlage er auf eine große Trommel, während Bajmakow sein Leben lang vorsichtig auf der Erde einherging und leise sprach, als fürchte er jemand Schrecklichen zu wecken. Er betrachtete, mit seinen freundlichen, traurigen, fliederfarbenen Augen blinzelnd, die wie versteinert an der Tür stehenden Kinder Artamonows. Sie waren alle sehr verschieden: Der Älteste sah dem Vater ähnlich, er war breitschultrig, hatte zusammengewachsene Brauen und kleine Bärenaugen; Nikita hatte Mädchenaugen, die groß und blau wie sein Hemd waren. Der lockige, rotwangige, schöne Alexej hatte eine klare weiße Haut und blickte gerade und fröhlich drein.

»Kommt einer davon zum Militär?«, fragte Bajmakow.

»Nein, ich brauche die Kinder selber; ich habe für sie ein Dokument.«

Und Artamonow winkte den Kindern mit der Hand und befahl:

»Geht hinaus!«

Und als sie, unter Einhaltung der Altersreihenfolge, leise im Gänsemarsch hinausgegangen waren, sagte er, seine schwere Hand auf Bajmakows Knie legend:

»Jewsej Mitritsch, ich komme zugleich als Brautwerber zu dir. Gib deine Tochter meinem Ältesten zur Frau!«

Bajmakow erschrak geradezu, er sprang von der Bank auf und wehrte mit den Händen ab.

»Was fällt dir ein, Gott sei mit dir! Ich sehe dich zum ersten Mal, ich weiß nicht, wer du bist und du kommst gleich mit so etwas! Ich habe nur die eine Tochter; es ist für sie noch zu früh zum Heiraten. Du hast sie ja auch nicht gesehen und weißt nicht, wie sie ist … Was fällt dir ein?«

Aber Artamonow sprach, in seinen krausen Bart hinein lächelnd:

»Frage den Isprawnik[1] nach mir! Er ist meinem Fürsten sehr verpflichtet, und der Fürst hat ihm geschrieben, er soll mir in allen Dingen beistehen. Du wirst nichts Schlechtes hören, ich rufe die Heiligenbilder als Zeugen an. Ich kenne deine Tochter, ich weiß hier, in deiner Stadt, alles; ich war unbemerkt viermal da und habe mich nach allem erkundigt. Auch mein Ältester war wiederholt hier und hat deine Tochter gesehen. Also sei unbesorgt!«

Bajmakow hatte ein Gefühl, als wäre ein Bär über ihn hergefallen. Er bat den Gast:

»Warte doch ...«

»Eine Weile kann ich warten ... aber nicht lange. Meine Jahre sind nicht danach«, sprach der hartnäckige Mann und rief durch das Fenster in den Hof hinaus:

»Kommt, verbeugt euch vor dem Hausherrn.«

Als sie sich verabschiedet hatten und gegangen waren, bekreuzte sich Bajmakow dreimal mit einem erschrockenen Blick auf die Heiligenbilder und flüsterte:

»Der Herr erbarme sich! Was sind das für Menschen? Er bewahre mich vor einem Unglück.«

Er schleppte sich, mit dem Stock klopfend, in den Garten, wo seine Frau und Tochter unter einer Linde Beeren einkochten. Die hübsche, stattliche Frau fragte:

»Was waren das für Burschen auf dem Hof, Mitritsch?«

»Ich weiß nicht. Wo ist Natalia?«

»Sie ist in die Speisekammer gegangen, – Zucker holen.«

»Zucker holen?«, wiederholte Bajmakow düster und ließ sich auf die Rasenbank nieder. »Zucker! Nein es ist schon wahr, – diese Freiheit wird den Menschen große Unruhe bringen.«

Die Frau betrachtete ihn forschend und fragte besorgt:

»Was hast du? Ist dir wieder nicht wohl?«

»Ich habe schwere Sorge im Herzen. Ich glaube, dieser Mann ist gekommen, um mich auf Erden abzulösen.«

Die Frau suchte ihn zu beruhigen.

»Was fällt dir denn ein! Kommen jetzt etwa wenig Leute aus dem Dorf in die Stadt?«

1 Kreispolizeichef

»Das ist es ja gerade, dass solche Leute kommen! Ich will dir vorläufig noch nichts sagen, lass mich erst überlegen ...«

Nach fünf Tagen legte sich Bajmakow ins Bett. Nach weiteren zwölf Tagen starb er, und sein Tod hüllte Artamonow und dessen Söhne in noch tieferen Schatten. Während der Krankheit des Stadtältesten kam Artamonow zweimal zu ihm, und sie unterhielten sich lange, unter vier Augen; beim zweiten Mal rief Bajmakow seine Frau herein und sagte mit müde auf der Brust gefalteten Händen:

»Da, sprich mit ihr, ich glaub, ich hab an irdischen Dingen schon keinen Anteil mehr. Lasst mich ausruhen.«

»Komm mit, Uljana Iwanowna«, befahl Artamonow und verließ das Zimmer, ohne sich umzusehen, ob die Hausfrau ihm folge.

»Geh, Uljana; es ist wohl vom Schicksal so bestimmt«, riet der Älteste leise der Frau, da er sah, dass sie zögerte, dem Gast zu folgen. Sie war eine kluge, charaktervolle Frau und tat nichts ohne Überlegung; jetzt kam es aber so, dass sie nach einer Stunde zu ihrem Manne zurückkehrte, mit einer Bewegung der schönen, langen Wimpern die Tränen wegschüttelte und sagte:

»Nun, Mitritsch, es scheint wirklich unser Schicksal zu sein, – gib unserer Tochter deinen Segen.«

Am Abend führte sie die prunkvoll gekleidete Tochter zum Bette ihres Mannes; Artamonow schob seinen Sohn zu ihr hin, der Bursche und das Mädchen fassten sich, ohne einander anzusehen, bei den Händen, knieten mit gesenkten Köpfen nieder, und Bajmakow bedeckte sie, schwer atmend, mit einem uralten, perlenübersäten, vom Vater stammenden Heiligenbild:

»Im Namen des Vaters und des Sohnes ... Herr, versage deine Gnade nicht meinem einzigen Kinde!«

Und er sprach streng zu Artamonow:

»Merke dir, – du trägst vor Gott die Verantwortung für meine Tochter!«

Dieser verneigte sich vor ihm, indem er mit der Hand die Erde berührte.

»Das weiß ich.«

Und ohne seiner künftigen Schwiegertochter ein freundliches Wort zu sagen, sie und den Sohn kaum anblickend, wies er mit dem Kopf nach der Tür:

»Geht.«

Als das Paar nach dem Segen draußen war, setzte er sich zu dem Kranken aufs Bett und sagte mit Bestimmtheit:

»Sei ruhig, es wird alles geschehen, wie es sich gehört. Ich habe siebenunddreißig Jahre lang, ohne je bestraft zu werden, meinen Fürsten gedient. Der Mensch ist aber nicht Gott, der Mensch ist nicht gütig, es ist schwer, ihn zufriedenzustellen. Und auch dir, Gevatterin Uljana, soll es gut gehen, du wirst bei meinen Söhnen Mutterstelle übernehmen, und ich werde ihnen anbefehlen, dich zu achten.«

Bajmakow blickte schweigend in die Ecke auf die Heiligenbilder und weinte. Auch Uljana schluchzte, Artamonow sprach aber ärgerlich:

»Ach, Jewsej Mitritsch, du verlässt uns zu früh. Du hast dich nicht genug geschont. Und ich hätte dich noch so nötig, so dringend nötig!«

Er fuhr sich mit der Hand quer durch den Bart und seufzte geräuschvoll.

»Mir ist dein Wandel bekannt: Du bist so klug und ehrlich, du solltest wenigstens noch fünf Jahre mit mir leben. Was wir alles unternehmen würden! Nun, es ist wohl Gottes Wille!«

Uljana schrie klagend:

»Warum krächzst du wie ein Rabe, warum erschreckst du uns? Vielleicht wird es noch ...«

Artamonow erhob sich jedoch, verneigte sich vor Bajmakow tief, wie vor einem Toten:

»Ich danke für das Vertrauen. Lebt wohl, ich muss zur Oka hinunter, – eine Barke mit Wirtschaftssachen ist angekommen.«

Als er fort war, heulte die Bajmakowa gekränkt auf:

»Nicht ein einziges freundliches Wort hat der ungehobelte Bauer für die seinem Sohne angelobte Braut gehabt!«

Ihr Mann unterbrach sie:

»Gräme dich nicht, störe meine Ruhe nicht!« Und er fügte nach kurzem Überlegen hinzu:

»Halte dich an ihn: Dieser Mensch ist sicherlich besser als die hiesigen.«

Bajmakow wurde von der ganzen Stadt ehrenvoll zu Grabe getragen. Die Geistlichkeit aller fünf Kirchen war vertreten. Die Artamonows folgten gleich hinter der Frau und der Tochter des Verstorbenen dem Sarge. Das missfiel den Städtern; der bucklige Nikita, der hinter seinen Angehörigen ging, hörte, wie man in der Menge brummte:

»Man weiß gar nicht, wer er ist, und doch drängt er sich gleich an die erste Stelle.«

Pomialow rollte seine runden, eichelfarbenen Augen und flüsterte:

»Der verstorbene Jewsej und auch Uljana sind vorsichtige Menschen, sie haben nie etwas ohne Grund getan, folglich ist hier ein Geheimnis: Dieser Geier hat sie durch irgendetwas verführt. Würden sie ihn sonst so in die Familie nehmen?«

»Ja–a, es ist eine dunkle Sache.«

»Ich sage ja auch – eine dunkle Sache. Sicher handelt es sich um falsches Geld. Und was für ein heiliges Leben schien Bajmakow doch zu führen, nicht?«

Nikita hörte mit gesenktem Kopf und vorgestrecktem Buckel zu, als erwartete er Schläge. Es war ein stürmischer Tag, der Wind blies hinter der Menge her, der von Hunderten von Füßen aufgewirbelte Staub schwebte wie eine Rauchwolke hinter den Leuten und setzte sich dicht in die fettigen Haare der entblößten Köpfe. Jemand sagte:

»Sieh doch, wie Artamonow von unserem Staub eingepfeffert ist! Der Zigeuner ist ganz grau geworden ...«

Am zehnten Tage nach der Beerdigung ihres Mannes übergab Uljana Bajmakowa Artamonow ihr Haus und fuhr mit ihrer Tochter ins Kloster. Sowohl er, als seine Söhne schienen von einem Wirbelwind erfasst zu sein; sie tauchten von früh bis spät vor aller Augen auf, schritten eilig durch die Straßen und bekreuzten sich hastig vor den Kirchen; der Vater war laut und ungestüm, der älteste Sohn düster, schweigsam und sichtlich ängstlich oder schüchtern, der schöne Alexej war herausfordernd gegen die Burschen und zwinkerte frech den Mädchen zu, Nikita schleppte seinen spitzen Buckel bei Sonnenaufgang nach dem andern Ufer hinüber zur »Kuhzunge«, wo Schreiner und Maurer wie Krähen zusammenkamen und eine lang gestreckte Backsteinkaserne aufführten; abseits, an der Oka, wurde ein großes, zweistöckiges Haus aus zwölf Zoll dicken Balken gebaut; dieses Haus erinnerte an ein Gefängnis. Des Abends versammelten sich die Einwohner von Driomow am Ufer der Watarakscha, knabberten Kürbis- und Sonnenblumenkerne, lauschten dem Schnarchen und Kreischen der Sägen, dem Scharren der Hobel, den tief eindringenden Schlägen der scharfen Äxte und gedachten spöttisch der Fruchtlosigkeit des Turmbaues von Babel, während Pomialow den Fremden trostreich allerhand Unheil prophezeite.

»Im Frühjahr wird das Wasser diese scheußlichen Gebäude unterwaschen. Es kann auch Feuer ausbrechen: Die Schreiner rauchen Tabak, und überall liegen Holzspäne herum.«

Der schwindsüchtige Pope Wasili stimmte ihm zu:

»Sie bauen auf Sand.«

»Sie werden Fabrikarbeiter hertreiben, und dann fängt Saufen, Stehlen und Huren an.«

Der kolossale, vor Fett überquellende, nach allen Seiten aufgedunsene Müller und Schankwirt Luka Barski tröstete mit seiner heiseren Bassstimme:

»Wenn mehr Menschen da sind, findet man leichter sein Auskommen. Das macht nichts, die Leute sollen nur arbeiten.«

Nikita Artamonow belustigte die Stadtbewohner sehr; er rodete und hackte auf einem großen Viereck das Weidengesträuch aus, schöpfte tagelang den fetten Schlamm der Watarakscha, stach im Sumpfe Torf, den er, seinen Buckel himmelwärts hebend, in einem Karren wegbrachte und auf dem Sand in schwarzen Haufen ausbreitete.

»Er legt wohl einen Gemüsegarten an«, rieten die Bürger. »So ein Dummkopf! Kann man denn Sand düngen?«

Bei Sonnenuntergang, wenn die Artamonows im Gänsemarsch, der Vater voran, den Fluss durchwateten und ihren Schatten auf das grünliche Wasser warfen, zeigte Pomialow hin:

»Schaut, schaut, was für einen Schatten der Bucklige hat!«

Und alle sahen, dass der Schatten von Nikita, der als Dritter ging, seltsam schwankte und gewichtiger als der seiner Brüder zu sein schien. Einmal, nach einem reichlichen Regenfall, stieg das Wasser im Fluss, und der Bucklige, der über Algen gestolpert oder in eine Vertiefung geraten war, verschwand im Wasser. Alle Zuschauer auf dem Ufer lachten belustigt, nur Olguschka Orlowa, die dreizehnjährige Tochter des stets betrunkenen Uhrmachers, schrie kläglich:

»Oh, oh, er ertrinkt!«

Sie erhielt einen Stoß in den Nacken:

»Schrei' nicht ohne Grund.«

Alexej, der als Letzter marschierte, tauchte unter, packte Nikita, stellte ihn auf die Füße, und als sie beide nass und mit Schlamm beschmutzt auf das Ufer stiegen, ging Alexej geradeaus auf die Bürger los, sodass sie ihm Platz machten. Jemand sagte ängstlich:

»Sieh nur einer das wilde Tier an ...«

»Man liebt uns nicht«, bemerkte Pjotr. Der Vater blickte ihm im Gehen ins Gesicht:

»Lass ihnen Zeit – sie werden uns schon lieb gewinnen.«

Und er beschimpfte Nikita:

»Du Vogelscheuche! Pass auf deine Füße auf, und mache dich vor den Leuten nicht lächerlich! Wir sind nicht zur Belustigung da, du Plumpsack!«

Die Artamonows lebten, ohne mit jemand Bekanntschaft zu schließen. Die Wirtschaft besorgte ihnen eine dicke, schwarz gekleidete Alte. Sie band sich ihr Kopftuch so zusammen, dass dessen Enden wie Hörner in die Höhe standen und sprach mit schwerer Zunge so wenig und unverständlich, als wäre sie keine Russin; von ihr konnte man über die Artamonows gar nichts erfahren.

»Sie tun so, als ob sie Mönche wären, diese Räuber ...«

Man stellte fest, dass der Vater und der älteste Sohn oft in der Umgegend herumfuhren und den Bauern zuredeten, Flachs zu säen. Bei einer dieser Fahrten wurde Ilja Artamonow von flüchtigen Soldaten angefallen; er tötete einen davon mit einer Wurfkugel – einem an einen gegerbten Riemen gebundenen Zweipfundgewicht – und schlug dem zweiten den Schädel ein, der dritte entfloh. Der Isprawnik lobte Artamonow deswegen, während der junge Geistliche der armen Pfarre von Iljinskoje ihm für den Mord eine Buße auferlegte: Er musste vierzig Nächte im Gebet in der Kirche stehend verbringen.

An den Herbstabenden las Nikita dem Vater und den Brüdern aus den Heiligenlegenden und den Belehrungen der Kirchenväter vor, doch unterbrach der Vater ihn häufig:

»Diese Weisheit ist so erhaben, dass unser Verstand sie doch nicht erfassen kann. Wir sind einfache Arbeiter, es ist nicht unsere Sache, darüber nachzudenken, wir sind für ein einfaches Leben geboren. Der verstorbene Fürst Juri hat siebentausend Bücher gelesen und hat sich so in allerlei Gedanken vertieft, dass er auch den Glauben an Gott verloren hat. Er hat alle Länder bereist, wurde von allen Königen empfangen, ein berühmter Mann war er! Als er aber eine Tuchfabrik baute, ging die Sache nicht. Und was er auch anfangen mochte, er brachte es zu nichts. So war er sein ganzes Leben auf das Brot der Bauern angewiesen.«

Er sprach bei dieser Unterhaltung mit Nachdruck und belehrte von Neuem seine Kinder:

»Ihr werdet es im Leben schwer haben, ihr seid euch selbst Gesetz und Schutz. Ich habe aber nicht frei gelebt, sondern wie mir befohlen wurde, und ich sah oft: Es sollte so manches anders sein, ich konnte aber nichts dagegen tun; es war nicht meine Sache, sondern die der Herrschaft. Ich fürchtete mich nicht nur, etwas auf meine Art zu machen, sondern ich wagte nicht einmal daran zu denken, um meinen Verstand nicht mit dem der Herrschaft durcheinanderzubringen. Hörst du, Pjotr?«

»Jawohl.«

»Na also. Verstehe es recht. Man lebt also, und doch ist es so, als wäre man gar nicht da. Natürlich hat man dabei auch weniger Verantwortung zu tragen, – du gehst ja nicht selbst, sondern man lenkt dich. Es ist leichter, ohne Verantwortung zu leben, doch es kommt dabei wenig Rechtes heraus.«

Manchmal sprach er eine Stunde lang oder zwei und fragte dabei immerzu, ob die Kinder zuhörten. Er sitzt mit herabbaumelnden Beinen auf dem Ofen, gleitet mit den Fingern durch die Bartlöckchen und schmiedet bedächtig ein Glied seiner Wortkette nach dem anderen. In der großen, sauberen Küche herrscht warmes Dunkel, hinter dem Fenster pfeift der Sturm und streichelt mit seidigem Griff die Scheiben. Oder der Frost knistert in dem eisigen Blau. Pjotr sitzt vor einem Talglicht am Tisch, raschelt mit Papieren und klappert leise mit den Kügelchen des Rechenbretts, Alexej hilft ihm, und Nikita flicht kunstvolle Körbe aus Ruten.

»Jetzt hat uns der Zar und Herr die Freiheit gegeben. Das will verstanden sein: wie wurde die Freiheit eingeschätzt? Ohne Berechnung wird nicht einmal ein Schaf aus dem Stall herausgelassen, und hier hat man das ganze Volk, viele Tausende, freigelassen. Das bedeutet: Der Kaiser hat begriffen, dass bei den Herrschaften nicht viel zu holen ist, sie verleben alles selbst. Fürst Georgi ist noch vor der Freiheit selbst draufgekommen und hat zu mir gesagt: Unfreiwillige Arbeit ist unvorteilhaft. Und nun vertraut man uns die freie Arbeit an. Jetzt wird auch der Soldat nicht mehr fünfundzwanzig Jahre lang das Gewehr herumschleppen, sondern da heißt es, geh arbeiten! Jetzt muss jeder zeigen, wofür er taugt. Dem Adel steht das Ende bevor, jetzt seid ihr selber Edelleute, – hört ihr's?«

Uljana Bajmakowa hatte fast drei Monate im Kloster verbracht, und als sie nach Hause zurückkehrte, fragte Artamonow sie gleich am nächsten Tage:

»Werden wir bald Hochzeit feiern?«

Sie war empört und funkelte zornig mit den Augen. »Was fällt dir ein, besinne dich! Seit dem Tode des Vaters ist noch kein halbes Jahr vergangen, und du ... Weißt du nicht, was Sünde ist?«

Artamonow unterbrach sie aber streng:

»Ich sehe darin keine Sünde, Gevatterin. Die Herrschaften treiben noch ganz andere Dinge, und Gott erträgt es. Ich bin in Verlegenheit; Pjotr benötigt eine Hausfrau.«

Darauf fragte er, wie viel Geld sie besitze. Sie antwortete:

»Mehr als fünfhundert gebe ich meiner Tochter nicht mit!«

»Du wirst schon mehr geben«, sprach der großgewachsene Bauer sicher und gleichgültig, indem er sie unverwandt ansah. Sie saßen einander gegenüber am Tisch. Artamonow stützte sich auf die Ellbogen und versenkte die Finger beider Hände in das dichte Vlies des Bartes, während die Frau sich mit gerunzelten Brauen misstrauisch aufrichtete. Sie war weit über dreißig, erschien aber bedeutend jünger, und in ihrem satten, rotwangigen Gesicht leuchteten streng die klugen, grau schimmernden Augen. Artamonow erhob sich und stand in gerader Haltung da.

»Du bist schön, Uljana Iwanowna.«

»Und was sagst du mir noch?«, fragte sie zornig und spöttisch.

»Weiter nichts!«

Er ging unwillig, mit schwer stampfenden Schritten fort. Die Bajmakowa sah ihm nach und streifte bei der Gelegenheit mit den Augen die Spiegelfläche, indem sie ärgerlich flüsterte:

»Bärtiger Teufel! Was mengt er sich so ein ...«

Da sie sich vor diesem Menschen in Gefahr fühlte, ging sie zu ihrer Tochter hinauf, traf aber Natalia nicht an, und als sie durchs Fenster blickte, sah sie die Tochter auf dem Hof am Tor. Neben ihr stand Pjotr. Die Bajmakowa lief die Treppe hinunter und rief, am Hauseingang stehen bleibend:

»Natalia – komm nach Hause!«

Pjotr grüßte.

»Es gehört sich nicht, mein guter Junge, dass man sich mit einem Mädchen unterhält, wenn die Mutter nicht dabei ist! Das darf in Zukunft nicht mehr vorkommen.«

»Sie ist mit mir verlobt«, erinnerte Pjotr.

»Das bleibt sich gleich, – wir haben unsere eigenen Sitten«, sagte die Bajmakowa, fragte sich aber selbst dabei:

»Weswegen bin ich zornig? Sollen die jungen Leute sich denn nicht herzen? Das ist nicht recht. Es ist, als ob ich meine eigene Tochter beneidete.«

In der Stube riss sie dennoch die Tochter schmerzhaft am Zopf und verbot ihr, mit dem Bräutigam unter vier Augen zu sprechen.

»Wenn er dir auch angelobt ist, aber – es kommt Regen, es kommt Schnee, es gibt oder es gibt keine Eh'«, sagte sie streng.

Eine unbestimmte Unruhe trübte ihre Gedanken; nach einigen Tagen ging sie zur Jerdanskaja, um sich wahrsagen zu lassen. Zu der dicken, an eine Kirchenglocke erinnernden Wahrsagerin mit dem Kropf trugen alle Frauen der Stadt ihre Sünden, Ängste und Kränkungen.

»Da gibt es nichts weiter zu prophezeien«, sagte die Jerdanskaja. »Ich will dir geradeheraus sagen, mein Herz: Halte dich an diesen Mann. Meine Augen steigen mir nicht umsonst bis in die Stirn – ich kenne die Menschen, ich durchschaue sie wie mein Spiel Karten. Sieh doch, wie ihm alles gelingt, alle Geschäfte rollen bei ihm wie eine Kugel, unsere Leute lassen vor Zorn und Neid nur ihren Speichel rinnen. Nein, mein Herz, fürchte dich nicht vor ihm, er lebt nicht wie ein Fuchs, sondern wie ein Bär.«

»Ja, das ist es eben, – wie ein Bär«, stimmte die Witwe bei und erzählte seufzend der Wahrsagerin: »Ich fürchte mich, ich bin gleich beim ersten Mal, als er um meine Tochter freite, so erschrocken. Er ist plötzlich, von niemandem gekannt, wie aus einer Wolke heruntergefallen und wollte sich in die Familie eindrängen. Macht man es denn so? Ich weiß noch, – wie er sprach und ich ihm in die frechen Augen sah, musste ich zu allen seinen Worten Ja sagen und mit allem einverstanden sein, als hätte er mich an der Kehle gepackt.«

»Das bedeutet, dass er an seine Kraft glaubt«, erklärte die weise Hostienbäckerin.

Das alles beruhigte jedoch die Bajmakowa nicht, obwohl die Wahrsagerin, die sie aus ihrem dunklen, vom schwülen Heilkräutergeruch gesättigten Zimmer hinausbegleitete, ihr zum Abschied sagte:

»Merke dir: Die Dummen haben nur im Märchen Glück ...«

Sie lobte Artamonow verdächtig laut, so laut und oft, dass sie bestochen zu sein schien. Dagegen sprach die große, dunkle, und wie ein gesalzener Zander aussehende Matriona ganz anders:

»Die ganze Stadt seufzt und stöhnt deinetwegen, Uljana. Wieso fürchtest du dich vor den Fremden nicht? Oh, sei auf der Hut! Nicht umsonst ist der eine Bursche bucklig, – die Eltern haben wohl nicht wenig gesündigt, dass er als Krüppel geboren wurde ...«

Die Witwe Bajmakowa hatte es schwer, und sie schlug ihre Tochter immer öfter, obwohl sie selbst fühlte, dass sie ihr grundlos zürnte. Sie bemühte sich, ihre Mieter möglichst selten zu sehen. Diese Menschen standen ihr immer häufiger im Wege und verdüsterten durch Unruhe ihr Leben.

Unmerklich war der Winter herangeschlichen und überfiel die Stadt mit dröhnenden Schneestürmen und heftigen Frösten; er verschüttete Straßen und Häuser mit zuckrigen Schneehügeln, setzte den Starhäusern und Kirchturmspitzen Mützen aus Watte auf und schmiedete die Flüsse und das rostige Sumpfwasser in weißes Eisen. Auf dem Eise der Oka wurden Faustkämpfe der Bürger mit den Bauern der umliegenden Dörfer abgehalten. Alexej beteiligte sich an jedem Feiertag an den Kämpfen und kehrte immer zornig und verprügelt nach Hause zurück.

»Wie steht's, Alexej?«, fragte Artamonow. »Die Kämpfer hier sind wohl geschickter als die unsrigen?«

Alexej rieb sich die blutunterlaufenen Stellen mit einer Kupfermünze oder mit Eisstücken und schwieg düster, mit den Habichtsaugen funkelnd. Pjotr aber sagte einmal:

»Alexej kämpft geschickt; er wird aber von den eigenen Leuten, den Städtern, geschlagen.«

Ilja Artamonow legte die Faust auf den Tisch und fragte:

»Weswegen?«

»Man liebt uns nicht.«

»Wen? Den Jakow?«

»Uns allesamt liebt man nicht.«

Der Vater schlug mit der Faust auf den Tisch, dass das Licht aus dem Leuchter sprang und erlosch. Im Dunkel schrie er:

»Was sprichst du mir wie ein Mädel immer von Liebe? Ich will solche Worte nicht mehr hören!«

Nikita zündete das Licht wieder an und sagte leise:

»Alexej sollte lieber nicht zu diesen Kämpfen gehen.«

»Damit die Leute spotten: Artamonow hat Angst gekriegt! Schweig, du Mesner! Rotzjunge!«

Nachdem Ilja alle ausgeschimpft hatte, sagte er nach einigen Tagen beim Abendbrot mit freundlichem Brummen:

»Kinder, ihr solltet Bären jagen gehen, das ist ein schöner Zeitvertreib! Ich bin immer mit dem Fürsten Georgi in die Riasaner Wälder gegangen, – da haben wir dem Bärenvolk mit dem Baumspieß den Garaus gemacht. Das war interessant!«

Er kam in Stimmung und erzählte einige Fälle von glücklichen Jagdabenteuern. Nach einer Woche begab er sich mit Pjotr und Alexej in den Wald und tötete einen stämmigen alten Bären. Darauf gingen die Brüder allein hin und jagten die Bärin auf, sie zerriss Alexej die Pelzjoppe und zerkratzte ihm die Hüfte, die Brüder überwältigten sie aber und brachten ein paar Bärenjunge mit heim, das getötete Tier aber ließen sie den Wölfen zur Mahlzeit ...

»Nun, wie leben deine Artamonows?«, fragten die Städter die Bajmakowa.

»Es geht, ganz gut.«

»Ja, ja, – im Winter ist das Schwein ruhig«, bemerkte Pomialow.

Die Witwe wollte es nicht glauben, fühlte aber doch, dass das feindselige Verhalten gegen die Artamonows sie seit einiger Zeit kränkte, und dass dieses Übelwollen auch sie selbst frostig anwehte. Sie sah, dass die Artamonows sich nicht betranken und einig lebten, hartnäckig ihren Geschäften nachgingen und dass man ihnen nichts Schlechtes nachsagen konnte. Sie überwachte scharf ihre Tochter und Pjotr und überzeugte sich, dass der schweigsame, stämmige Bursche sich über sein Alter hinaus ernst benahm. Er bemühte sich nicht, Natalia in einer dunklen Ecke an sich zu pressen, sie zu kitzeln und ihr unanständige Worte ins Ohr zu flüstern, wie es alle Verlobten in der Stadt machten. Das ihr unverständliche zurückhaltende, aber besorgte und anscheinend sogar eifersüchtige Verhalten Pjotrs ihrer Tochter gegenüber beunruhigte sie aber etwas.

»Er wird kein zärtlicher Mann werden.«

Einmal, als sie die Treppe herunterkam, hörte sie unten im Flur die Stimme der Tochter:

»Geht ihr wieder auf Bärenjagd?«

»Wir haben die Absicht. Warum?«

»Es ist so gefährlich. Ein Bär hat doch mal Alexej verwundet!«

»Das ist seine eigene Schuld! Man darf eben nicht hitzig werden. – Sie denken also an mich?«

»Ich habe von Ihnen gar nichts gesagt.«

»So eine Schelmin!«, dachte die Mutter, lachend und seufzend. »Und er ist ein Einfaltspinsel.«

Ilja Artamonow sagte ihr immer beharrlicher: »Beeile dich mit der Hochzeit, sonst beeilen sie sich selbst.«

Sie sah, dass Eile nottat. Das Mädchen schlief des Nachts schlecht und konnte ihr körperliches Sehnen nicht mehr verbergen. Zu Ostern brachte sie sie wieder ins Kloster, und als sie einen Monat später heimkehrte, sah sie, dass ihr bis dahin vernachlässigter Garten schön gepflegt war: Die Wege waren gejätet, die Baumflechten entfernt, die Beerensträucher beschnitten und festgebunden, und alles war von einer erfahrenen Hand ausgeführt. Als sie den Weg zum Fluss hinunterging, bemerkte sie, dass Nikita, der Bucklige, den vom Frühlingshochwasser unterwaschenen Zaun ausbesserte. Unter dem langen, bis an die Knie reichenden Leinenhemd ragte kläglich der knochige Buckel in die Höhe, der den großen Kopf mit den schlichten hellen Haaren fast verbarg; Nikita hatte sie mit einem Birkenzweig festgebunden, damit sie ihm nicht ins Gesicht fielen. Er erschien inmitten des saftigen Grüns grau und erinnerte an einen alten Einsiedler, der sich bis zur Selbstvergessenheit von der Arbeit hinreißen lässt; er schwang die in der Sonne silbern schimmernde Axt, hieb geschickt einen Pfahl zurecht und sang leise, mit der dünnen Stimme eines Mädchens etwas Kirchliches. Hinter dem Zaun schimmerte grünlich das seidige Wasser, auf dem goldene Sonnenreflexe wie Karauschen spielten.

»Gott zum Gruß!«, sagte Uljana mit einer ihr selbst unerwarteten Rührung. Nikita strahlte sie mit dem sanften Leuchten seiner blauen Augen an und erwiderte freundlich:

»Gott zur Hilfe!«

»Hast du den Garten so hergerichtet?«

»Ja.«

»Das hast du aber schön gemacht. Liebst du Gärten?«

Er erzählte kniend in kurzen Worten, sein Herr habe ihn mit neun Jahren zum Gärtner in die Lehre gegeben, und jetzt sei er neunzehn.

»Er ist bucklig, scheint aber nicht böse zu sein«, dachte Uljana.

Als sie am Abend mit ihrer Tochter oben Tee trank, erschien Nikita mit einem Blumenstrauß in der Hand und mit einem Lächeln auf seinem gelblichen, hässlichen, unfrohen Gesicht.

»Belieben Sie diesen Strauß anzunehmen!«

»Wozu das?«, staunte die Bajmakowa und betrachtete misstrauisch die hübsch zusammengestellten Blumen und Gräser. Nikita erklärte ihr, er hätte bei seiner Herrschaft jeden Morgen der Fürstin Blumen bringen müssen.

»So?«, sagte die Bajmakowa und hob, leicht errötend, stolz den Kopf. »Sehe ich denn aus wie eine Fürstin? Sie war wohl sehr schön?«

»Sie sind es ja auch!«

Die Bajmakowa dachte, noch heftiger errötend:

»Am Ende hat der Vater es ihm beigebracht?« – »Nun, also ich danke für die Ehre«, sagte sie, lud Nikita aber nicht zum Tee ein, und als er fort war, dachte sie laut:

»Er hat schöne Augen, – die sind nicht vom Vater, sondern wohl von der Mutter.«

Und sie seufzte:

»Es scheint unser Schicksal zu sein, mit ihnen zu leben.«

Sie redete Artamonow nicht allzu sehr zu, mit der Hochzeit bis zum Herbst zu warten, damit das Jahr seit dem Sterbetag ihres Mannes um wäre, sondern erklärte mit Entschiedenheit dem Gevatter:

»Lass du aber dabei deine Hand aus dem Spiel, Ilja Wasiljewitsch! Ich will alles nach unserer schönen, alten Sitte machen. Das ist auch für dich gut: Du kommst dadurch mit einem Mal unter unsere angesehensten Leute und wirst von allen beachtet werden.«

»Nun«, brummte Artamonow stolz, »man sieht mich auch ohnehin von Weitem.«

Sein Hochmut verletzte sie, und sie sprach:

»Man liebt dich hier nicht.«

»Nun, dann wird man mich eben fürchten!«

Und er fügte lächelnd, mit Achselzucken, hinzu:

»Auch Pjotr kommt mir immer mit dieser – Liebe. Ihr seid wunderliche Leute ...«

»Ich werde auch schon merklich von dieser Abneigung berührt.«

»Beunruhige dich nicht, Gevatterin!«

Artamonow hob seine lange Pranke und presste die Finger so fest zur Faust zusammen, dass sie rot wurden.

»Ich verstehe es, die Menschen kleinzukriegen! Man wird nicht lange um mich herumspringen, – ich komme auch ohne Liebe aus ...«

Sie schwieg und dachte mit banger Unruhe:

»Was ist er für ein wildes Tier.«

Nun war ihr gemütliches Haus von den Freundinnen der Tochter, Mädchen aus den besten Familien der Stadt, bevölkert; sie trugen alle altertümliche Brokatsarafane, mit weißen, blasenförmigen Ärmeln aus Mull und dünnem Leinen, mit Einsätzen und mordwinischer Seidenstickerei, und mit Spitzen an den Handgelenken. Sie hatten ziegenlederne oder Saffianschuhe an und hatten sich Bänder in die langen Mädchenzöpfe geflochten. Die Braut erstickte schier in dem schweren Sarafan aus Silberbrokat mit vergoldeten, durchbrochenen Knöpfen vom Kragen bis zum unteren Saum und in dem Umhang aus Goldbrokat, mit weißen und blauen Bändern um die Schultern. Wie zu Eis erstarrt sitzt sie in der vorderen Ecke der Stube, wischt sich mit dem Spitzentuch das schweißige Gesicht und führt laut den Chor an:

»Über die Wiesen, die grü–ünen,
Über die Blumen, die blauen,
Strömt das Frühlingsgewässer,
Die kühle, ach, die trübe Flut ...«

Die Freundinnen fallen klangvoll und einig in das ersterbende Stöhnen der Mädchenklage ein:

»Mich, Jungfrau, schickt man
Wasser zu holen,
Barfuß und unbeschuht,
Ach, nackend und ohne Kleid ...«

Alexej lacht und schreit, unsichtbar in dem Haufen der Mädchen:

»Das ist ein komisches Lied! Man hat das Mädchen in Brokat gesteckt wie eine Pute in einen Blecheimer, und ihr schreit: nackend und ohne Kleid!«

Nikita sitzt in der Nähe der Braut; sein neues, blaues Wams ist ihm hässlich, lächerlich vom Buckel in den Nacken gerutscht, seine blauen Augen sind weit geöffnet und blicken Natalia so seltsam an, als fürchtete er, das Mädchen würde sich gleich in nichts auflösen und verschwinden.

In der Tür steht, den Rahmen ganz ausfüllend, Matriona Barskaja, rollt die Augen und lässt ihren tiefen Bass ertönen:

»Ihr jammert zu wenig beim Singen, Mädchen!«

Sie macht einen weiten Pferdeschritt und schärft streng ein, wie man nach altem Herkommen zu singen hat, und wie man mit Zittern und Zagen sich zur Trauung vorbereitet.

»Es heißt: ›Beim Manne sitzest du wie hinter einer steinernen Mauer.‹ Merkt es euch aber: Die Mauer ist stark, man kann sie nicht durchhauen, sie ist hoch, man kann nicht hinüberspringen!«

Doch die Mädchen hören ihr nicht recht zu; im Zimmer ist es eng und heiß, sie stoßen die Alte weg und laufen auf den Hof hinaus in den Garten. In ihrer Mitte erscheint, wie eine Biene unter Blumen, Alexej in einem goldfarbenen Seidenhemd und in Pluderhosen aus Plüsch; er ist lustig und lärmt wie ein Betrunkener.

Die Barskaja wirft gekränkt die dicken Lippen auf, glotzt ringsum und begibt sich, den Saum ihres Damastrockes vorn hochhebend, nach oben zu Uljana, der sie prophezeit:

»Deine Tochter ist fröhlich, das ist gegen Vorschrift und Sitte. Fröhlicher Anfang bedeutet ein böses Ende.«

Die Bajmakowa stöbert besorgt im großen, eisenbeschlagenen Koffer herum, vor dem sie kniet; neben ihr, auf der Erde und auf dem Bett ist, wie in einer Jahrmarktsbude, ein Durcheinander von Damast- und Taftstücken, von Moskauer Kattun, Kaschmirschals, Bändern und gestickten Handtüchern, ein breiter Sonnenstrahl fällt auf die grellen Stoffe, und sie leuchten in bunten Farben wie eine Wolke im Abendrot.

»Es gehört sich für den Bräutigam nicht, vor der Trauung im Hause der Braut zu wohnen. Die Artamonows sollten ausziehen ...«

»Das hättest du vorher sagen sollen, jetzt ist es zu spät«, brummt Uljana, über den Koffer geneigt, um ihr gekränktes Gesicht zu verbergen, und sie hört die Bassstimme:

»Es hieß von dir, du wärest klug, darum schwieg ich. Ich dachte, du kämst von selbst darauf. Was macht es mir? Für mich handelt es sich nur darum, die Wahrheit zu sagen; wenn die Menschen sie auch nicht annehmen wollen, rechnet der Herrgott es mir doch an.«

Die Barskaja steht wie ein Monument da, ohne den Kopf zu bewegen, als wäre er eine bis an den Rand mit Weisheit gefüllte Schale. Da sie keine Antwort erhält, schiebt sie sich zur Tür hinaus, während Uljana in dem farbigen Feuer der Gewebe kniet und sehnsüchtig und ängstlich flüstert:

»Herr – hilf! Nimm mir nicht den Verstand.«

Wieder ein Rascheln an der Tür, sie steckt eilig den Kopf in den Koffer, um die Tränen zu verbergen. Nikita erscheint:

»Natalia Jewsewna schickt mich, um nachzufragen, ob Sie nicht irgendwelche Hilfe benötigen.«

»Ich danke, mein Lieber ...«

»Olgunka Orlowa hat sich in der Küche mit Sirup begossen.«

»So, was du nicht sagst? Ein kluges Mädelchen, – das wäre eine Braut für dich ...«

»Wer würde mich denn nehmen ...?«

Und im Garten unter der Linde sitzen am runden Tisch beim Bier Ilja Artamonow, Gawrila Barski, der Taufpate der Braut, Pomialow, der Lederhändler Shitejkin, ein Mensch mit leeren Augen, und der Stellmacher Woroponow. An den Stamm der Linde gelehnt, steht Pjotr, seine dunklen Haare sind reichlich eingefettet, und der Kopf erscheint wie aus Eisen, – er lauscht ehrerbietig der Unterhaltung der Älteren.

»Ihr habt andere Sitten«, sagt der Vater nachdenklich, und Pomialow prahlt:

»Wir sind ja hier das erbeingesessene Volk, wir sind Großrussen!«

»Auch wir sind nicht von heute.«

»Wir haben uralte Gebräuche ...«

»Es sind viele Mordwinen und Tschuwaschen da ...«

Kreischend, lachend und sich drängend liefen die Mädchen in den Garten, umringten den Tisch als ein bunter Kranz von Sarafans und begannen das Preislied:

»Heil, Ilja Wasiljewitsch,
Verehrter Gevatter,
Auf der ersten Stufe brichst du dir ein Bein,
Auf der zweiten Stufe brichst du dir das zweite,
Aber auf der dritten brichst du dir den Kopf.«

»Das soll ein Preislied sein!«, rief Artamonow erstaunt, sich an seinen Sohn wendend. Pjotr lächelte vorsichtig, betrachtete die Mädchen und zupfte sich am Ohr.

»Hör nur zu!«, rief Barski lachend.

»Noch zu wenig ist's für ihn,
Für den Mädchenräuber ...«

»Noch zu wenig?«, rief Artamonow erregt und sichtlich verlegen und klopfte mit den Fingern auf den Tisch.

Und die Mädchen singen erregt:

»Man schleife dich mit der scharfen Egg'
Man stürze dich vom Berg auf Gestein,
Auf dass du uns nicht betrügst,
Und nicht lobst, nicht preist,
Die fernen, fremden Länder,
Die menschenleeren Dörfer, –
Sie sind mit Kummer besät
Und mit Tränen begossen ...«

»Das ist es also!«, rief Artamonow beleidigt. »Nun, Mädchen, seid nicht böse, ich werde aber doch mein Land preisen: Wir haben sanftere Sitten, und unser Volk ist freundlicher. Wir haben sogar einen Spruch: ›Die Swapa und Usosha fließen in den Sejm, Gott sei gepriesen, aber nicht in die Oka!‹«

»Na warte nur, du kennst uns noch nicht«, sagte Barski halb prahlend, halb drohend. »Nun, beschenke die Mädchen!«

»Wie viel soll ich ihnen geben?«

»So viel du ihnen im Herzen gönnst.«

Als Artamonow den Mädchen aber zwei Silberrubel gab, sagte Pomialow zornig:

»Du hast eine lockere Hand, du Protz!«

»Es ist schwer, es euch recht zu machen!«, schrie Ilja auch zornig, und Barski brach in ein dröhnendes Gelächter aus, während Shitejkins Lachen kurz und scharf die Luft durchdrang.

Der Polterabend endete beim Morgengrauen. Die Gäste waren gegangen, fast alle im Hause schliefen. Artamonow saß mit Pjotr und Nikita im Garten, glättete sich den Bart und sprach leise, während seine Augen durch den Garten schweiften und über die rosigen Wolken glitten:

»Ein herbes Volk! Ein unfreundliches Volk! Petrucha, du musst alles tun, was deine Schwiegermutter will; wenn es auch Weiberdummheiten sein sollten, es muss trotzdem geschehen! Begleitet Alexej die Mädchen?

Den Mädchen ist er angenehm, den Burschen aber nicht. Barskis Söhnchen wirft ihm böse Blicke zu … jawohl! Du musst freundlicher sein, Nikita, du verstehst das. Du musst deinem Vater als Kitt dienen; wenn durch mich irgendwo ein Sprung entsteht, musst du ihn verschmieren.«

Er blickte mit einem Auge in die große Holzkanne und fuhr mürrisch fort:

»Sie haben alles ausgesoffen; sie trinken wie Pferde. Was meinst du, Pjotr?«

Der Sohn ließ den seidnen Gürtel, ein Geschenk der Braut, durch die Hände gleiten und sagte leise:

»Im Dorf ist es einfacher und ruhiger zu leben.«

»Ja … es ist am einfachsten, wenn man den Tag durchschläft ...«

»Sie ziehen die Hochzeit so hinaus ...«

»Gedulde dich.«

Endlich brach der große und schwere Tag für Pjotr an. Pjotr sitzt in der Vorderecke der Stube und weiß, dass seine Stirne finster zusammengezogen und gerunzelt ist, er fühlt, dass ihn das in den Augen der Braut nicht verschönt; er kann aber die Brauen nicht voneinander trennen, als wären sie mit einem festen Faden zusammengenäht. Er blickt die Gäste unfreundlich an und schüttelt das Haar; Hopfen wird auf den Tisch und auf Natalias Brautschleier gestreut, auch sie lässt den Kopf hängen und schließt müde die Augen; sie ist sehr bleich, ängstlich wie ein Kind und zittert vor Scham.

»Bitter!«, brüllen zum zwanzigsten Male die roten, haarigen, grinsenden Fratzen.

Pjotr wendet sich mit steifem Hals wie ein Wolf um, hebt den Schleier und stößt die trockenen Lippen und die Nase gegen ihre Wange, wobei er die Atlaskühle ihrer Haut und das ängstliche Zittern der Schulter fühlt; Natalia tut ihm leid, und auch er schämt sich, während der dichte Ring der angeheiterten Menschen brüllt:

»Der Bursche versteht es nicht!«

»Richtig auf die Lippen!«

»Ach, ich würde schon richtig küssen ...«

Eine betrunkene Frauenstimme kreischt:

»Ich werde dich das Küssen schon lehren!«

»Bitter!«, brüllt Barski.

Pjotr beißt die Zähne zusammen und berührt die feuchten, zitternden Lippen des Mädchens. Sie ist ganz weiß und scheint wie eine Wolke in der Sonne hinzuschmelzen. Sie sind beide hungrig, man hat ihnen seit gestern nichts zu essen gegeben. Von der Aufregung, von dem scharfen Alkoholgeruch und von zwei Gläsern Donschaumwein fühlt Pjotr sich trunken und fürchtet, seine junge Frau könnte es merken. Alles ringsum wogt und verschwimmt zu einem bunten Haufen, um dann nach allen Seiten zurückzufluten und sich in die roten Blasen unangenehmer Fratzen zu verwandeln. Der Sohn betrachtet zornig und flehend den Vater, Ilja Artamonow ist zerzaust und feuerrot und schreit, in das rosige Gesicht der Bajmakowa blickend:

»Gevatterin, wir wollen mit Met anstoßen! Dein Met ist so süß wie die Hausfrau selbst ...«

Sie streckt den vollen weißen Arm aus, das goldene Armband mit den bunten Steinen funkelt in der Sonne, und auf der hohen Brust schillern wie Wassertropfen die Perlen. Auch sie hat getrunken, in ihren grauen Augen spielt ein schmachtendes Lächeln, und die halb geöffneten Lippen bewegen sich verführerisch. Nach dem Anstoßen trinkt sie und verneigt sich vor dem Gevatter, der entzückt den zottigen Kopf schüttelt und brüllt:

»Was du für eine Art hast, Gevatterin! Ein fürstliches Gehaben, Gott strafe mich!«

Pjotr begreift dunkel, dass der Vater sich ungehörig benimmt; er fängt wachsam im betrunkenen Brüllen der Gäste Pomialows höhnische Rufe, die vorwurfsvolle Bassstimme der Barskaja und Shitejkins dünnes Lachen auf.

»Das ist keine Hochzeit, sondern ein Gericht«, denkt er und hört:

»Schaut, wie dieser Teufel die Uljana betrachtet, ach, ach!«

»Es kommt noch zu einer Hochzeit, aber ohne Popen ...«

Diese Worte dringen ihm für einen Augenblick ins Ohr, er vergisst sie aber sogleich, wenn Natalia ihn mit dem Knie oder dem Ellbogen berührt und in seinem ganzen Körper ein unruhiges Sehnen hervorruft. Er bemüht sich, sie nicht anzublicken und hält den Kopf unbeweglich; er kann aber mit seinen Augen nicht fertig werden, die hartnäckig zu ihr hinüberschielen.

»Wird das bald ein Ende haben?«, flüstert er. Natalia antwortet ebenso:

»Ich weiß nicht.«

»Man muss sich ja schämen ...«

»Ja«, hört er und freut sich, dass seine junge Frau ebenso wie er fühlt.

Alexej ist bei den Mädchen, sie schmausen im Garten; Nikita sitzt neben dem langen Popen, der einen nassen Bart, und kupferfarbige Augen im pockennarbigen Gesicht hat. Vom Hof und von der Straße schauen die Stadtbewohner zu den offenen Fenstern herein, Dutzende von Köpfen bewegen sich in der blauen Luft und lösen einander jeden Augenblick ab; die geöffneten Mäuler flüstern, zischen, schreien; die Fenster scheinen Säcke zu sein, aus welchen diese lärmenden Köpfe sofort wie Melonen ins Zimmer rollen werden. Nikita fällt besonders der Kopf des Erdarbeiters Tichon Wialow auf; dessen Gesicht hatte breite Backenknochen, rote Flecken und war mit rötlichem, dichten Haar bewachsen. Die auf den ersten Blick farblos erscheinenden Augen flimmerten seltsam und zwinkerten, es bewegten sich aber nur die Pupillen, während die Wimpern regungslos blieben. Auch die dünnen, eigensinnig aufeinander gepressten Lippen des nicht zu großen, vom krausen Schnurrbart nur leicht verhüllten Mundes waren regungslos. Die Ohren lagen aber hässlich an dem Schädel an. Dieser Mensch stützte sich mit der Brust auf das Fensterbrett und lärmte und schimpfte nicht, wenn man ihn wegzustoßen versuchte, sondern er schob die andern mit einer leisen Bewegung der Achseln und Ellenbogen weg. Seine Schultern waren hoch gewölbt, der Hals verschwand in ihnen und der Kopf wuchs gleichsam aus der Brust heraus, sodass auch er bucklig erschien, und Nikita glaubte in seinem Gesicht etwas Einnehmendes und Gütiges zu sehen.

Ein krummbeiniger Bursche schlug unerwartet und laut ins Tamburin und strich mit dem Finger fest über das Leder; das Tamburin weinte und dröhnte, jemand pfiff und breitete eine zweireihige Harmonika auf den Knien aus, und sogleich drehte sich und stampfte mitten im Zimmer der kleine, rundliche und lockige Brautführer Stepascha Barski und schrie im Takt der Musik:

»He, ihr Mädchen, meine Gegnerinnen,
Schelminnen und Reigentänzerinnen!
Hört ihr meiner Münzen helles Klingen,
Tretet vor und stellt euch vor mich hin!«

Sein Vater richtete sich in seiner ganzen riesigen Größe auf und brüllte:

»Stepascha! Blamiere nicht die Stadt, zeig es jenen Hühnchen!«

Da sprang Ilja Artamonow auf, schüttelte den wie einen Besen zerzausten Kopf, das Blut strömte ihm ins Gesicht, die Nase war rot wie eine Kohle, und er brüllte Barski ins Gesicht:

»Wir sind keine Hühnchen, wir stammen aus Kursk! Wir wollen noch sehen, wer beim Tanzen den Kürzeren zieht! Aljoscha!«

Alexej strahlte, als wäre er lackiert, betrachtete lächelnd den Driomower Tänzer und ging, auf einmal erbleichend, unfassbar schnell und auf Mädchenart kreischend los.

»Er kennt keine Reime!«, schrien die Driomower, und sofort ertönte Artamonows verzweifeltes Brüllen:

»Aljoscha, ich bringe dich um!«

Ohne stehen zu bleiben und im Herumwirbeln innezuhalten, steckte Alexej zwei Finger in den Mund, pfiff gellend und sprach klangvoll:

»Bei dem Herren, bei Mokejen
Waren fünferlei Lakaien,
Aber jetzt ist Herr Mokej
Selber auch nur ein Lakai!«

»Da habt ihr's!«, brüllte Artamonow triumphierend.

»Oho!«, rief der Pope vielsagend und schüttelte mit erhobenem Finger den Kopf.

»Alexej wird euren Burschen in Grund und Boden tanzen«, sagte Pjotr zu Natalia. Sie antwortete schüchtern:

»Er ist so leichtfüßig.«

Die Väter hetzten die Söhne wie Kampfhähne aufeinander, sie standen halb betrunken Schulter an Schulter beieinander, der eine war groß und plump wie ein Mehlsack, und aus seinen schmalen, roten Ritzen unter den Brauen flossen reichlich die Tränen trunkenen Entzückens. Der andere hatte sich gestrafft, als wäre er im Begriff loszuspringen, bewegte die langen Arme, streichelte sich die Hüften und seine Augen blickten wie wahnsinnig. Pjotr sah, dass sich der Bart des Vaters auf den Backenknochen bewegte und sagte sich:

»Er knirscht mit den Zähnen. Gleich haut er auf jemanden los ...«

»Der Artamonow'sche tanzt hässlich!«, ertönte die Trompetenstimme der Matriona Barskaja. »Er tanzt kläglich! Ohne Figuren!«

Ilja Artamonow lacht ihr ins dunkle, wie eine Pfanne runde Gesicht und in die breite Nase hinein, – Alexej hat gesiegt, Barskis Sohn wankt zur Tür, während Ilja die Bajmakowa grob bei der Hand packt und befiehlt:

»Nun, Gevatterin, komm heraus!«

Sie wehrt bleich mit der freien Hand ab und versucht zornig und bestürzt sich loszureißen:

»Was hast du! Ziemt es sich denn für mich? Was fällt dir ein?«

Die Gäste verstummten schmunzelnd, Pomialow wechselte mit der Barskaja einen Blick, und seine Worte zischten schmalzig:

»Nun, das macht nichts! Erfreue uns, Uljana, tanze! Gott wird verzeihen ...«

»Ich nehme die Sünde auf mich!«, schrie Artamonow. Er schien nüchtern zu werden, zog die Stirne kraus, als hätte er einen Kampf zu bestehen, und bewegte sich gleichsam gegen seinen Willen. Die Bajmakowa wurde ihm entgegengeschoben, die angeheiterte Frau wankte, stolperte, richtete sich dann auf, warf den Kopf zurück und drehte sich im Kreise.

Pjotr hörte erstauntes Geflüster:

»Ach, du mein Gott! Der Mann liegt noch nicht einmal ein Jahr unter der Erde, sie hat aber schon die Tochter verheiratet und tanzt selber!«

Er sah seine Frau nicht an, fühlte aber, dass sie sich für die Mutter schämte und murmelte:

»Der Vater sollte nicht tanzen.«

»Auch die Mutter sollte das nicht tun«, erwiderte sie leise und traurig. Sie war auf die Bank gestiegen und blickte über die Köpfe der einen dichten Kreis bildenden Menschen hinweg, sie verlor das Gleichgewicht und hielt sich mit der Hand an Pjotrs Schulter fest.

»Vorsicht«, sagte er freundlich, ihren Ellbogen stützend.

Durch die offenen Fenster schwebte über den Häuptern der Zuschauer der Widerschein der Abendröte herein, und in diesem rötlichen Licht drehten sich der Mann und die Frau wie Blinde. Im Garten, im Hof und auf der Straße hörte man lachen und schreien, im schwülen Zimmer wurde es aber immer stiller. Das straff gespannte Leder des Tamburins erklang in seltsam dumpfen Tönen, die Harmonika dröhnte, und die beiden flogen noch immer, wie von Flammen erfasst, krampfhaft im engen Kreise der Burschen und Mädchen herum. Diese sahen dem Tanze schweigend und ernst zu, als handelte es sich um eine außerordentlich wichtige Angelegenheit, die gesetzten Leute waren teilweise in den Hof gegangen, und es blieben nur die Benebelten und die vor Trunkenheit gänzlich Unbeweglichen zurück.

Artamonow stampfte noch einmal auf und hielt inne:

»Nun, du hast mich ganz atemlos gemacht, Uljana Iwanowna!«

Die Frau zuckte zusammen, blieb auch plötzlich wie vor einer Mauer stehen und sagte, sich vor allen im Kreise verneigend:

»Nehmt es mir nicht übel.«

Sie fächelte sich mit dem Taschentuch und verließ sogleich das Zimmer, in das sich statt ihrer die Barskaja hineinschob:

»Das Paar muss jetzt getrennt werden! Nun, Pjotr, komm zu mir; Bräutigamsführer, fasst ihn bei den Händen!«

Der Vater stieß die Führer weg und umschlang die Schultern seines Sohnes mit den langen, schweren Armen:

»Nun geh, Gott gebe dir Glück! Wir wollen einander umarmen!«

Er schob ihn fort, die Führer fassten ihn unter den Armen, die Barskaja ging voran und murmelte, nach allen Seiten ausspuckend:

»Pfu, pfu! Keine Krankheit, kein Kummer, kein Neid, keine Unehre, pfu! Feuer, Wasser zur rechten Zeit, nicht zum Unheil, zum Glück!«

Als Pjotr ihr in Natalias Zimmer folgte, in dem ein prunkvolles Bett vorbereitet war, ließ sich die Alte schwer auf einen Stuhl mitten im Zimmer sinken.

»Höre und vergiss es nicht!«, sprach sie feierlich. »Da hast du zwei halbe Rubel, leg sie unter die Fersen, in die Stiefel; wenn Natalia kommt und dir die Stiefel ausziehen will, lass es sie nicht tun ...«

»Wozu ist das?«, fragte Pjotr finster.

»Das ist nicht deine Sache. Dreimal weigerst du dich, beim vierten Mal erlaubst du es ihr; sie wird dich dreimal küssen, dann gib ihr die Münzen und sprich: ›Ich schenke es dir, meine Sklavin, mein Schicksal!‹ Vergiss es nicht! Zieh dich dann aus und leg dich mit dem Rücken zu ihr hin, sie wird dich aber bitten: ›Lass mich zu Bett gehen!‹ Dann musst du schweigen und ihr erst beim dritten Mal die Hand hinstrecken. Hast du verstanden? Nun, und dann ...«

Pjotr blickte erstaunt in das breite, dunkle Gesicht seiner Lehrmeisterin. Sie leckte sich, mit geblähten Nüstern, die Lippen, wischte sich mit dem Tuch das fette Kinn und den Hals und sprach deutlich rohe, schamlose Worte, indem sie zum Abschied wiederholte: »Glaube ihrem Schreien und Weinen nicht«, dann wankte sie aus dem Zimmer und ließ einen Schnapsgeruch zurück, Pjotr bekam aber einen Zornanfall, – er riss sich die Stiefel von den Füßen, schleuderte sie unter das Bett, entkleidete sich rasch und sprang auf das Lager wie auf ein Pferd. Er biss die Zähne zusammen und fürchtete, infolge der allzu großen Kränkung, die an ihm würgte, in Tränen auszubrechen.

»Diese Teufel!«

Auf den Daunenbetten war es heiß; er sprang auf die Erde, trat ans Fenster und riss es auf, aus dem Garten klang ihm betrunkenes Schreien, Lachen und Mädchengekreisch entgegen; im bläulichen Dunkel, zwischen den Bäumen irrten schwarze menschliche Gestalten herum. Die dünne Spitze des Nikolausturmes stach wie ein Finger aus Messing in den Himmel; es war kein Kreuz darauf, man hatte es zum Vergolden abgenommen. Hinter den Häuserdächern schimmerte traurig die Oka, über der ein Stück des Mondes dahinschmolz – und in der Ferne lagen die schwarzen Massen endloser Wälder. Ihm fiel ein anderes Land ein, – die weite Erde goldener Äcker; er seufzte, auf der Treppe wurde gestampft und gekichert; er sprang wieder ins Bett, die Tür ging auf, es raschelten seidene Bänder, Schuhe knarrten, jemand weinte unter Aufschluchzen; es klappte der vorgelegte Türhaken. Pjotr hob behutsam den Kopf, im Dunkel stand eine weiße Gestalt an der Tür, bewegte gemessen die Hand und verneigte sich fast bis zur Erde.

»Sie betet. Und ich habe nicht gebetet.«

Er hatte aber nicht den Wunsch zu beten.

»Natalia Jewsejewna«, begann er leise, »fürchte dich nicht. Ich habe selbst Angst. Ich bin ganz matt.«

Er strich sich mit beiden Händen die Haare glatt, zupfte sich am Ohr und murmelte:

»Das ist alles nicht nötig, das Stiefelausziehen und all das. Das ist Unsinn. Mir tut das Herz weh, und sie kommt mit diesen Possen. Weine nicht!«

Sie schritt vorsichtig seitwärts zum Fenster hin und sagte leise:

»Sie feiern immer noch ...«

»Ja.«

Sie fürchteten sich vor etwas, wagten nicht einander nahezukommen, waren beide müde und wechselten lange überflüssige Worte. Beim

Morgengrauen knarrte die Treppe, jemand tastete mit der Hand die Wand entlang, Natalia ging zur Tür.

»Lass die Barskaja nicht herein«, flüsterte Pjotr.

»Das ist die Mutter«, sagte Natalia, die Tür öffnend.

Pjotr setzte sich auf dem Bett auf und ließ die Beine herabhängen. Er war mit sich unzufrieden und dachte voll Bangigkeit:

»Ich bin nichts wert, ich habe es nicht gewagt, ich werde noch erleben dass sie mich auslacht ...«

Die Tür ging auf, Natalia sagte leise:

»Die Mutter ruft dich.«

Sie lehnte sich an den Ofen und war von den weißen Kacheln kaum zu unterscheiden. Pjotr ging zur Tür hinaus, ihn empfing im Dunkel das gekränkte, erschrockene und leidenschaftliche Flüstern der Bajmakowa:

»Was fällt dir denn ein Pjotr Iljitsch? Was treibst du, willst du mich und meine Tochter dem Spott preisgeben? Es tagt ja schon, man wird euch bald wecken kommen, man muss den Leuten das jungfräuliche Hemd zeigen, damit sie sehen, dass meine Tochter ehrbar ist!«

Sie hielt im Sprechen Pjotr mit der einen Hand an der Schulter fest und stieß ihn mit der andern weg, indem sie entrüstet fragte:

»Was bedeutet das denn? Hast du keine Kraft oder keine Lust? Ängstige mich nicht, schweige nicht ...«

Pjotr sprach mit dumpfer Stimme:

»Sie tut mir so leid. Ich fürchte mich.«

Er sah das Gesicht der Schwiegermutter nicht, es kam ihm aber so vor, als hörte er die Frau kurz auflachen.

»Nein, geh nur, geh und erfülle deine Pflicht als Mann! Bete zum Märtyrer Christophor. Komm, ich will dir einen Kuss geben ...«

Sie umschlang fest seinen Hals und küsste ihn mit süßen, klebrigen Lippen, wobei ihm warmer Weingeruch entgegenwehte. Er kam nicht dazu, ihren Kuss zu erwidern, – sein lautes Schnalzen traf nur noch die Luft. Als er in die Kammer zurückkehrte, schloss er hinter sich die Tür und streckte entschlossen die Hände aus. Das Mädchen trat vor und geriet in den Ring seiner Arme, wobei sie mit zitternder Stimme sagte:

»Sie ist ein wenig angeheitert.«

Pjotr hatte andere Worte erwartet. Er murmelte, indem er sich rückwärts dem Bette näherte:

»Fürchte dich nicht. Ich bin nicht schön, aber gut ...«

Sie schmiegte sich immer fester an ihn und flüsterte:
»Die Füße wollen mich nicht mehr tragen ...«

... Man feierte in Driomow gern Feste. Die Hochzeit dauerte fünf Tage; man trieb sich vom Morgen bis zur Mitternacht herum, ging in Haufen über die Straßen und von einem Haus ins andere, vom Wirbel der Weindünste erfasst. Ein besonders reichlicher und protziger Schmaus fand bei Barskis statt, aber Alexej prügelte ihren Sohn dafür durch, dass er den Backfisch Olga Orlowa irgendwie beleidigt hatte. Als Vater und Mutter Barski sich bei Artamonow über Alexej beklagten, staunte dieser:

»Kommt es denn nicht überall vor, dass die Burschen miteinander raufen?«

Er beschenkte die Mädchen freigebig mit Bändern und Naschwerk und die Burschen mit Geld, bewirtete Väter und Mütter bis zur Bewusstlosigkeit mit Getränken und umarmte und zerrte alle herum:

»Ach, ihr Leute! Leben wir oder nicht?«

Er randalierte und trank viel, als löschte er ein innerliches Feuer, wurde aber vom Trinken nicht berauscht und magerte in diesen Tagen sichtlich ab. Er hielt sich abseits von Uljana Bajmakowa, seine Kinder bemerkten jedoch, dass er sie von Zeit zu Zeit zornig und herausfordernd betrachtete. Er prahlte sehr mit seiner Kraft: Er zog mit den Garnisonsoldaten um die Wette an einem Stock, überwand beim Ringen einen Feuerwehrmann und drei Maurer, worauf der Erdarbeiter Tichon Wialow zu ihm kam und nicht bat, sondern verlangte:

»Jetzt komme ich dran.«

Artamonow wunderte sich über seine Art und musterte den stämmigen Körper des Erdarbeiters.

»Was ist mit dir: Bist du stark oder bist du nur ein Prahlhans?«

»Ich weiß nicht«, erwiderte jener ernst.

Sie packten einander beim Gürtel und stampften lange auf einem Fleck herum. Ilja blickte über Wialows Schulter auf die Frauen und blinzelte ihnen schamlos zu. Er war größer, aber schmäler als der Erdarbeiter und etwas besser gebaut. Wialow stemmte die Schulter gegen des andern Brust und bemühte sich, den Gegner aufzuheben und über sich hinüberzuwerfen. Ilja erriet das und rief ihm zu:

»Du bist nicht schlau, Bruder, du bist nicht schlau!« Und auf einmal schrie er auf und schleuderte Tichon mit solcher Gewalt über seinen Kopf hinüber, dass er sich beim Sturz auf die Erde beide Beine verletzte.

Der Erdarbeiter sagte beschämt, als er im Grase saß und sich den Schweiß vom Gesicht wischte:

»Er ist stark.«

»Das sehen wir«, wurde ihm spöttisch erwidert.

»Er hat Kraft«, wiederholte Wialow.

Ilja streckte ihm die Hand hin:

»Steh auf!«

Der Erdarbeiter versuchte aufzustehen, ohne die Hand zu nehmen, er konnte es aber nicht und streckte wieder die Beine aus, indem er der Menge mit seltsamen, gleichsam hinschmelzenden Augen nachblickte. Nikita kam auf ihn zu und fragte teilnahmsvoll:

»Tut es weh? Soll ich helfen?«

Der Arbeiter lächelte:

»Die Knochen schmerzen. Ich bin ja stärker als dein Vater, aber nicht so geschickt. Nun, wollen wir ihnen folgen, Nikita Iljitsch, du bist ein schlichter Mensch!«

Er fasste den Buckligen freundschaftlich unter den Arm und schloss sich der Menge an, wobei er mit den Füßen aufstampfte und so den Schmerz zu beschwichtigen hoffte.

... Die durch schlaflose Nächte ermatteten Neuvermählten schoben sich willenlos, den Menschen zur Schau, inmitten der bunten, lärmenden, betrunkenen Menge durch die Straßen; sie aßen und tranken, gerieten bei den schamlosen Scherzen in Verlegenheit, bemühten sich krampfhaft, einander nicht anzusehen und schwiegen, als wären sie sich fremd, während sie Arm in Arm herumgingen oder, wie immer, nebeneinander saßen. Das gefiel Matriona Barskaja sehr, die Ilja und Uljana prahlerisch befragte:

»Ist dein Sohn nicht gut abgerichtet? Das will ich meinen! Sieh nur, Uljana, wie ich deine Tochter erzogen habe! Und dein Schwiegersohn? Er stolziert wie ein Pfau einher, als ginge ihn das ganze gar nichts an!«

Wenn Pjotr und Natalia aber heimgingen schlafen, warfen sie zugleich mit den Kleidern alles ab, was man ihnen aufgezwungen hatte und was sie demütig auf sich genommen hatten, und besprachen den verflossenen Tag:

»Wie bei euch aber getrunken wird!«, staunte Pjotr.

»Trinkt man denn bei euch weniger?«, fragte die junge Frau.

»Dürfen die Bauern denn so trinken?«

»Ihr seht gar nicht wie Bauern aus.«

»Wir gehörten zum Hofgesinde. Das ist schon beinahe so gut wie Edelleute.«

Manchmal umfassten sie einander und setzten sich ans Fenster. Sie atmeten die appetitlichen Gartengerüche ein und schwiegen:

»Warum schweigst du?«, fragte leise die junge Frau. Ihr Mann erwiderte ebenso leise:

»Ich habe keine Lust, gewöhnliche Worte zu sagen.«

Er wünschte ungewöhnliche Worte zu hören; doch kannte Natalia keine. Wenn er ihr aber von der grenzenlosen Weite und Freiheit der goldenen Steppen erzählte, fragte sie:

»Gibt es denn dort keine Wälder oder sonst irgendetwas? Oh, wie schrecklich muss das sein!«

»Der Schrecken lebt in den Wäldern«, sagte Pjotr etwas gelangweilt. »Was findest du denn an der Steppe schrecklich? Dort ist die Erde, dort ist der Himmel, dort bin ich ...«

Als sie einmal so am Fenster saßen und schweigend die Sternennacht bewunderten, hörten sie im Garten, beim Badehaus ein Rumoren, – jemand lief da, streifte und zerbrach die Ruten der Himbeersträucher, darauf ertönte ein leiser, zorniger Ausruf:

»Was fällt dir ein, du Teufel?«

Natalia sprang erschrocken auf.

»Das ist ja die Mutter!«

Pjotr beugte sich zum Fenster hinaus, das er durch seinen breiten Rücken verstellte; er sah, dass sein Vater seine Schwiegermutter umfasst hielt, sie gegen die Badehauswand presste und auf die Erde zu werfen versuchte, während sie mit den Händen rasch ausholte, ihn auf den Kopf schlug und atemlos laut flüsterte:

»Lass mich, ich schreie sonst!«

Und dann schrie sie mit ganz fremder Stimme:

»Liebster, rühr' mich nicht an! Hab Mitleid ...«

Pjotr schloss geräuschlos das Fenster und nahm seine Frau auf den Schoß.

»Schau nicht hin.«

Sie zappelte in seinen Armen und rief:

»Was ist das, wer ist's?«

»Der Vater«, sagte Pjotr, sie fest an sich pressend. »Verstehst du denn nicht?«

»Ach, was ist das bloß?«, flüsterte sie voll Scham und Angst. Ihr Mann trug sie zum Bett und sagte demütig:

»Wir dürfen über die Eltern nicht zu Gericht sitzen.«

Natalia hielt sich mit den Händen den Kopf und jammerte, sich hin und her wiegend:

»Welche Sünde!«

»Es ist nicht unsere Sünde«, sagte Pjotr und dachte an die Worte des Vaters: »Die Herrschaft hat sich noch ganz andere Dinge erlaubt.« – »So ist es sogar besser: Nun wird er sich nicht über dich hermachen. Für die Alten ist das eine einfache Sache; für sie ist es eine geringe Sünde, sich mit der Schwiegertochter abzugeben. Weine nicht.«

Sie sagte unter Tränen:

»Schon als sie tanzten, dachte ich es mir … Und wie, wenn er Gewalt anwendet, was soll dann bei uns werden?«

Doch sie schlief bald ein, von der Aufregung ermattet und ohne sich auszukleiden. Pjotr öffnete das Fenster und blickte forschend in den Garten; es war niemand da, und er atmete den den Morgen verkündenden Wind ein, während die Bäume das vom Wohlgeruch erfüllte Dunkel in Bewegung setzten. Er ließ das Fenster offen stehen, legte sich neben seine Frau und dachte, ohne die Augen zu schließen, über das Vorgefallene nach. Wie schön wäre es, mit Natalia in einem kleinen Gutshaus zu leben! ...

... Natalia erwachte bald; ihr schien, das Mitleid mit der Mutter und die ihretwegen erduldete Kränkung hätten sie geweckt. Sie ging barfuß und im bloßen Hemd nach unten. Die des Nachts stets geschlossene Tür zum Zimmer der Mutter stand halb offen, was die junge Frau noch mehr erschreckte. Als sie aber in die Ecke bückte, wo sich das Bett der Mutter befand, sah sie unter dem Laken eine weiße Erhöhung und auf dem Kissen die ausgebreiteten dunklen Haare.

»Sie schläft. Sie hat geweint und sich abgehärmt ...«

Natalia musste irgendetwas beginnen, die gekränkte Mutter irgendwie trösten. Sie ging in den Garten; das kalte, taunasse Gras kitzelte die Füße; soeben war hinter dem Wald die Sonne aufgestiegen, deren schräge Strahlen die Augen blendeten. Sie wärmten kaum. Sie pflückte ein vom Tau versilbertes Huflattichblatt, hielt es erst an die eine und dann an die andere Wange, und als sie ihr Gesicht erfrischt hatte, begann sie Träubchen roter Johannisbeeren zu pflücken und in das Blatt hineinzutun, während sie ohne Zorn an den Schwiegervater dachte. Er pflegte sie mit der schweren Hand auf den Rücken zu klopfen und dabei schmunzelnd zu fragen:

»Nun, wie steht es, lebst du? Atmest du? Nun gut, lebe nur!«

Er schien für sie keine anderen Worte zu haben, das freundliche Tätscheln beleidigte sie aber ein wenig, so pflegt man Pferde zu liebkosen.

»So ein Räuber!«, dachte sie und zwang sich, an den Schwiegervater feindselig zu denken.

Es sangen die Finken und Rotkehlchen, es zwitscherten die Zeisige, die Baumblätter raschelten leise und seidig, irgendwo am Stadtrande blies ein Schäfer, vom Ufer der Watarakscha, wo die Fabrik lag, tönten Menschenstimmen herüber und schwebten langsam durch die helle Stille. Irgendetwas schnappte zu, Natalia erhob, zusammenzuckend, den Kopf, – über ihr, auf einem Apfelbaum, hing eine Vogelfalle, ein Zeisig zappelte zwischen den dünnen Ruten.

»Wer fängt hier Vögel? Etwa Nikita?«

Irgendwo knackte ein trockener Ast.

Als sie ins Haus zurückkehrte und in das Zimmer der Mutter hineinsah, lag diese mit nach oben gewendetem Gesicht wach da. Sie hob erstaunt die Augenbrauen und schob die eine Hand unter den Kopf.

»Wer ist da ... Was hast du?«, fragte sie beunruhigt, sich auf dem Ellenbogen aufrichtend.

»Nichts! Hier habe ich dir Johannisbeeren zum Tee gepflückt.«

Auf dem Tisch neben dem Bett lag eine große, fast leere Karaffe mit Kwas, der über das Tischtuch gegossen war, der Stöpsel lag auf der Erde. Die strengen, hellen Augen der Mutter waren von bläulichen Schatten umringt, aber nicht von Tränen verschwollen, wie Natalia erwartet hatte; die Augen selbst erschienen dunkler, sie hatten sich vertieft und ihr sonst etwas hochmütiger Blick erschien heute fremd, kam aus der Ferne, war zerstreut.

»Die Mücken lassen mich nicht schlafen, ich will mich lieber in die Scheune legen«, sagte die Mutter und wickelte den Hals in das Laken. »Sie haben mich ganz zerbissen. Warum bist du denn so früh aufgestanden? Warum läufst du barfuß im Tau herum? Dein Rock ist ganz nass. Du wirst dich erkälten ...«

Die Mutter sprach unfreundlich, widerwillig und aus irgendwelchen eigenen Gedanken heraus. Die Unruhe der Tochter wurde allmählich von einer nicht wohlwollenden und scharfen weiblichen Neugierde abgelöst.

»Beim Erwachen habe ich an dich gedacht ... ich habe von dir geträumt.«

»Was dachtest du?«, erkundigte sich die Mutter, auf die Zimmerdecke blickend.

»Du schläfst jetzt ganz allein, ohne mich ...«

Es kam Natalia vor, als ob die Wangen der Mutter sich röteten, und als sie lächelnd sagte: »Ich bin nicht ängstlich«, schien ihr dieses Lächeln nicht aufrichtig zu sein.

»Nun geh, Liebling. Deiner ist schon wach, hörst du? Er stampft mit den Füßen«, befahl die Mutter, die Augen schließend.

Während Natalia langsam die Treppen emporstieg, dachte sie angewidert und beinahe feindselig:

»Er hat bei ihr geschlafen; den Kwas hat er getrunken! Ihr Hals ist fleckig, das sind keine Mückenstiche, das sind Kussspuren. Ich will Petja aber nichts davon sagen. Sie will in der Scheune schlafen. Und doch hat sie geschrien ...«

»Wo warst du?«, fragte Pjotr, seiner Frau forschend ins Gesicht blickend. Sie senkte die Augen, da sie sich schuldig fühlte.

»Ich habe Johannisbeeren gepflückt und war dann bei der Mutter.«

»Nun, was ist mit ihr?«

»Es scheint nichts zu sein ...«

»So?«, sagte Pjotr, sich am Ohr zupfend. »So!«

Er seufzte lächelnd und rieb sich das rothaarige Kinn:

»Die dumme Barskaja scheint wohl die Wahrheit gesagt zu haben: Glaube weder ihrem Schreien, noch ihren Tränen ...«

Darauf fragte er streng:

»Hast du Nikita gesehen?«

»Nein.«

»Wieso denn nicht? Da ist er ja, er fängt im Garten Vögel.«

»Ach«, rief Natalia ängstlich, »und ich bin so, im bloßen Hemd, hinausgelaufen.«

»Das ist es ja eben ...«

»Wann schläft er eigentlich?«

Pjotr ächzte laut beim Stiefelanziehen. Seine Frau lächelte, ihn von der Seite anblickend, und sagte:

»Er ist zwar bucklig, hat aber doch was Angenehmes, mehr als Alexej ...«

Der junge Ehemann ächzte nochmals, aber leiser ...

... Jeden Morgen, beim Sonnenaufgang, wenn der Schäfer seine Herde sammelte und dabei schwermütig auf der langen Flöte aus Birkenrinde blies, begann jenseits des Flusses das Hämmern der Äxte, und die Städter, die ihre Kühe und Schafe auf die Straße hinaustrieben, sagten spöttisch zueinander:

»Kaum dass der Morgen graut, geht es schon los, hört ihr? Die Habgier ist der ärgste Feind der Ruhe.«

Manchmal kam es Ilja Artamonow so vor, als habe er die träge Feindseligkeit der Stadt schon überwunden; die Driomower zogen vor ihm ehrerbietig die Mützen und hörten aufmerksam seine Erzählungen von den Fürsten Ratski an, aber stets bemerkte dabei der eine oder der andere nicht ohne Stolz:

»Bei uns sind die Herrschaften einfacher, ärmer, aber strenger als bei euch!«

Des Abends und an den Feiertagen saß er im schönen, schattigen Garten der Schenke Barskis am Ufer der Oka und sagte zu den reichen und angesehenen Bürgern von Driomow:

»Mein Unternehmen wird für euch alle von Vorteil sein.«

»Das walte Gott!«, erwiderte Pomialow mit einem kurzen, hündischen Auflachen, und man war sich nicht im Klaren, ob er freundlich lecken oder beißen würde. Sein verschwommenes Gesicht war teilweise in einem hanfartigen Bart verborgen, die graue Nase schnüffelte misstrauisch überall herum, und der Blick der eichelfarbenen Augen war tückisch.

»Das walte Gott!«, wiederholte er. »Wir haben zwar auch ohne dich nicht schlecht gelebt, vielleicht werden wir aber auch mit dir irgendwie leben.«

Artamonow runzelte die Stirn:

»Du sprichst zweideutig und nicht freundschaftlich.«

Barski schreit lachend:

»Er ist nun einmal so!«

Barski hat anstelle seines Gesichts spärliche, hochrote Fleischstücke, sein ungeheurer Kopf, der Hals, die Wangen und Hände, – alles an ihm ist dicht mit grobhaarigem Bärenfell bewachsen, die Ohren sind unsichtbar, die überflüssigen Augen sind in Fettpolstern verborgen.

»Meine ganze Kraft ist in Fett übergegangen«, sagt er lachend und öffnet weit den mit stumpfen Zähnen angefüllten Rachen.

Der Stellmacher Woroponow betrachtet Artamonow mit seinen sehr hellen Augen und belehrt ihn mit klangloser Stimme:

»Man muss seine eigenen Angelegenheiten besorgen, darf aber auch die göttlichen nicht vergessen. Es heißt: ›Martha, Martha, du hast viel Sorge und Mühe; eins aber ist not!‹«

Seine hellen und gleichsam leeren Augen blickten so, als ahne Woroponow irgendetwas und als würde er sogleich durch ein ungewöhnliches Wort verblüffen. Manchmal schien er auch einen Anlauf dazu zu nehmen:

»Natürlich hat auch Christus Brot genossen, sodass Martha ...«

»Halt«, unterbrach ihn der Lederhändler und Kirchenälteste Shitejkin, »wo willst du hinaus?«

Woroponow verstummte und bewegte seine grauen Ohren. Ilja fragte den Lederhändler:

»Verstehst du etwas von meinem Unternehmen?«

»Wozu denn?«, staunte Shitejkin aufrichtig. »Das ist doch deine Sache; da musst du sie auch verstehen, du seltsamer Kauz! Du hast deine Sache und ich die meinige.«

Artamonow trank starkes Bier und blickte durch die Bäume auf den trüben Streifen der Oka und auf die links aus dem Tannenwald und aus den Sümpfen sich zierlich als grüne Schlange hervorwindende Watarakscha. Dort, auf der Landzunge, auf dem gelben Brokat des Sandes, leuchten ölig die Holzabfälle und Hobelspäne, schimmert rot der Backstein, und inmitten des niedergetretenen Weidengesträuchs breitet sich die lang gestreckte, fleischfarbene Fabrik aus, die an einen Sarg ohne Deckel erinnert. In der Sonne funkelt der mit dunklem, noch ungestrichenem Eisenblech gedeckte Schuppen, und der gelbe Rohbau des zweistöckigen Hauses scheint mit seinen in den heißen Himmel emporragenden, straff gespannten, goldenen Dachstuhlsparren wie Wachs dahinzuschmelzen. – Alexej hatte treffend bemerkt, das Haus erinnere aus der Ferne an eine Harfe. Alexej lebt dort, in einiger Entfernung von den Burschen und Mädchen der Stadt; es ist schwer, mit ihm auszukommen, er ist zänkisch und jähzornig. Pjotr ist schwerfälliger als er, in ihm ist etwas Trübes; er begreift noch nicht, was alles ein kühner Mensch vollbringen kann.

Über Artamonows Gesicht gleitet ein Schatten, er blickt, unter den dichten Brauen lächelnd, auf die Städter. Dieses Volk ist nicht viel wert, sie bekunden in ihren Geschäften nur schwächliche Gier, echtes Draufgängertum fehlt ihnen aber.

Des Nachts, wenn die Stadt wie tot schläft, schleicht Artamonow, als wäre er ein Dieb, über das Flussufer und über Hinterhöfe in den Garten der Witwe Bajmakowa. In der warmen Luft summen die Mücken und scheinen über die Erde den appetitlichen Geruch von Gurken, Äpfeln und Dill zu verbreiten. Der Mond rollt inmitten grauer Wolken hin, der Fluss wird von Schatten liebkost, Artamonow steigt über die Hecke in den Garten und gelangt leise in den Hof. Jetzt ist er in der dunklen Scheune, aus einer Ecke empfängt ihn ängstliches Flüstern:

»Bist du unbemerkt hereingekommen?«

Er wirft die Kleider ab und brummt zornig:

»Es ist so ärgerlich, dass ich mich verstecken muss! Bin ich denn ein grüner Junge?«

»Dann musst du dir eben keine Geliebte nehmen.«

»Ich wäre froh, wenn ich keine hätte, aber Gott hat mir eine gegeben.«

»Ach, was sprichst du, du Ketzer! Wir beide handeln gegen Gottes Willen ...«

»Nun gut! Das kommt später dran. Ach, Uljana, was für Menschen es hier bei euch gibt ...«

»Lass das, gräme dich nicht«, flüsterte die Frau und tröstete ihn lange und mit wilder Gier durch ihre Liebkosungen. Nachdem sie sich ausgeruht hatte, erzählte sie ihm eingehend von den Leuten: wer zu fürchten wäre, wer klug und wer ehrlos wäre, und wer übriges Geld hätte.

»Pomialow und Woroponow wissen, dass du viel Holz brauchst und wollen die Wälder in der Umgegend zusammenkaufen, um dich an die Wand zu drücken.«

»Sie kommen zu spät, der Fürst hat die Wälder mir verkauft.«

Um sie herum und über ihnen herrscht undurchdringlich schwarzes Dunkel, sie sehen nicht einmal ihre Augen und flüstern tonlos. Es riecht nach Heu und nach Birkenbesen; aus dem Keller steigt angenehme, feuchte Kühle auf. Schwere, wie aus Blei gegossene Stille umspannt die Stadt, manchmal huscht eine Ratte vorbei, junge Mäuse piepsen, und die zerbrochene Glocke des Nikolausturmes wirft stündlich traurige, krankhaft zitternde Töne in das Dunkel.

»Wie stattlich du bist!«, ruft Artamonow entzückt aus und streichelt den heißen, üppigen Körper der Frau. »Und so kräftig! Du hast wohl wenig Kinder geboren?«

»Außer Natalia waren es zwei. Sie waren zu schwach und sind gestorben.«

»Das bedeutet, dass dein Mann nicht viel wert war ...«

»Du wirst es nicht glauben«, flüstert sie, »ich wusste ja vor dir gar nicht, was Liebe ist. Meine Freundinnen und die Frauen erzählten manchmal davon, ich glaubte es aber nicht, ich dachte: sie lügen aus Scham, und legte mich wie auf die Folter ins Bett. Ich betete zu Gott: er sollte einschlafen und mich nicht anrühren! Er war ein guter Mensch, still und klug, Gott hatte ihm aber kein Talent für die Liebe gegeben.«

Ihre Worte erregen und überraschen Artamonow. Er brummt, ihre üppigen Brüste streichelnd:

»Ich wusste gar nicht, dass so was vorkommt. Ich dachte: jeder Mann sei dem Weibe angenehm.«

Er fühlt sich stärker und klüger neben dieser Frau, die bei Tag stets die gleichmäßig ruhige und vernünftige Hausfrau ist und die in der Stadt wegen ihres Verstandes und weil sie lesen und schreiben kann, geachtet wird. Einmal sagte er, durch ihre mädchenhaften Liebkosungen entzückt:

»Ich verstehe, was für Unannehmlichkeiten du dich aussetzt. Wir haben einen Fehler begangen, indem wir unsere Kinder miteinander verheirateten: ich hätte lieber dich nehmen sollen ...«

»Du hast gute Kinder, und es wäre weiter kein Unglück, wenn sie etwas über uns erfahren sollten. Aber wenn die Stadt davon Wind bekäme ...« Sie zitterte am ganzen Leib.

»Was macht denn das?«, flüsterte Ilja.

Einmal fragte sie neugierig:

»Sag einmal: Du hast ja einen Menschen umgebracht, träumst du nicht von ihm?«

Ilja antwortete, sich gleichzeitig den Bart kratzend:

»Nein, ich schlafe fest, ich träume nicht. Wovon sollte ich auch träumen? Ich habe nicht einmal gesehen, wer er war. Man schlug mich so, dass ich mich mit Mühe auf den Beinen hielt; da schleuderte ich irgendwem die Wurfkugel an den Schädel, dann einem andern, – der dritte lief davon.«

Er seufzte und brummte gekränkt:

»Man wird von irgendwelchen Dummköpfen überfallen und muss sich ihretwegen vor Gott verantworten.«

Er lag einige Minuten schweigend da.

»Schläfst du?«

»Nein.«

»Geh, es wird schon Tag! Willst du jetzt auf den Bauplatz? Ach, du kommst ja durch mich ganz von Kräften ...«

»Habe keine Angst, es hat für die Werktage genügt, da wird es auch für den Feiertag reichen«, prahlte Artamonow und kleidete sich an.

Artamonow geht durch die Kühle und durch das perlmutterfarbene Dunkel des Frühmorgens; er schreitet über seinen Grund, hält die Hände auf dem Rücken unter dem Kaftan, der wie ein Hahnenschwanz in die Höhe steht, zerstampft mit dem schweren Fuß Holzstücke und Hobelspäne und denkt:

»Man muss Aljoscha sich austoben lassen, er soll sich die Hörner ablaufen. Ein schwieriger, aber guter Kerl.«

Er legt sich auf den Sand oder auf einen Spänehaufen und schläft rasch ein. Auf dem grünlichen Himmel entbrennt freudig das Morgenrot; jetzt rollt die Sonne prahlend den Pfauenschwanz ihrer Strahlen über der Erde auseinander und folgt ihm dann selbst in goldenem Schimmer nach; die Arbeiter sind erwacht und warnen einander beim Anblick des ausgestreckten großen Körpers:

»Pst! Hier ...!«

Tichon Wialow mit den breiten Backenknochen hält einen Eisenspaten auf der Schulter und sieht Artamonow mit den blinzelnden Augen so an, als wollte er über ihn hinübersteigen, als traute er sich aber nicht recht.

Die ameisenartige Geschäftigkeit der Leute, das Schreien und Klopfen weckten den großen Mann nicht, der mit zum Himmel gewandtem Gesicht wie eine stumpfe Säge schnarchte. Der Erdarbeiter geht weg und sieht sich blinzelnd um, als hätte ihn jemand auf den Kopf geschlagen. Alexej tritt in weißem Leinenhemd und blauen Hosen aus dem Hause; leise, als schwebte er durch die Luft, geht er baden und weicht vorsichtig dem Onkel aus, da er ihn durch das leise Knistern der Holzspäne unter den Füßen zu wecken fürchtet. Nikita ist schon beim Morgengrauen in den Wald gefahren; er bringt von dort fast täglich etwa zwei Fuhren Humuserde mit, die er auf der für den Garten freigemachten Stelle ablädt; er hat schon Birken, Ebereschen, Ahorn- und

Faulbäume gesetzt und gräbt jetzt in den Sand tiefe Gruben, die er mit Dünger, Schlamm und Lehm füllt; das ist für die Obstbäume. An den Feiertagen hilft ihm Tichon Wialow bei der Arbeit.

»Gärten anlegen ist eine harmlose Sache«, sagt er.

Pjotr Artamonow geht, sich am Ohr zupfend, herum und beaufsichtigt die Arbeit. Die Säge schnarcht, sich mit Behagen ins Holz hineinfressend, die Hobel pfeifen und kratzen, die Äxte hauen dröhnend, man hört das appetitliche Aufklatschen des Kalkes und das Schluchzen des Schleifsteins, der die Axtschneide beleckt. Die Schreiner singen beim Heben der Balken »Das Lied von der Eiche«, und eine junge Stimme lässt laut ertönen:

»Sachari kam zur Base,
Schlug Marja auf die Nase ...«

»Sie singen rohe Lieder«, sagt Pjotr zum Erdarbeiter Wialow. Der antwortet, bis zu den Knien im Sande stehend:

»Es bleibt sich gleich, was man singt ...«

»Wieso denn?«

»Worte haben keine Seele.«

»Ein seltsamer Mensch«, dachte Pjotr, sich wegwendend, und erinnerte sich, dass Wialow, als der Vater ihm die Stelle eines Arbeiteraufsehers anbot, auf seine Füße sah und antwortete:

»Nein, ich tauge nicht für so etwas; ich verstehe es nicht, den Leuten zu befehlen. Stell' mich lieber als Hausknecht an ...«

Der Vater hatte über ihn tüchtig geschimpft.

... Es kam der kalte, nasse Herbst, die Gärten bedeckten sich mit Rost, auch die an schwarzes Eisen erinnernden Wälder wiesen fuchsrote Rostflecken auf, es pfiff ein feuchter Wind und jagte die blassen, zertretenen Holzspäne in den Fluss. Jeden Morgen fuhren mit Flachs beladene, von zottigen Pferden gezogene Wagen vor dem Schuppen vor. Pjotr übernahm die Ware und passte besorgt auf, dass diese finsteren, bärtigen Bauern keinen »schwitzenden« – des Gewichtes wegen mit Wasser benetzten – Flachs unterschoben und die einfache Ware nicht zum Preise der »langfaserigen« verkauften. Er kam mit den Bauern schwer aus; der ungeduldige Alexej schimpfte wütend mit ihnen herum. Der Vater war nach Moskau gereist, gleich darauf begab sich auch die Schwiegermutter, angeblich zur Wallfahrt, dorthin. Des Abends, beim Tee und Abendbrot beklagte sich Alexej zornig:

»Es ist langweilig, hier zu leben. Ich liebe die hiesigen Leute nicht ...«

Dadurch brachte er Pjotr immer auf.

»Es liegt wohl auch an dir! Du suchst mit allen Händel, du prahlst gerne.«

»Ich habe Grund dazu, – da prahle ich eben.«

Er schüttelte die Locken, streckte die Schultern, hob die Brust hoch und betrachtete mit frech blinzelnden Augen die Brüder und die Schwägerin. Natalia wich ihm aus, als fürchtete sie etwas an ihm, und sprach zurückhaltend mit ihm.

Am Nachmittag, wenn ihr Mann und Alexej wieder an die Arbeit gingen, begab sie sich in Nikitas kleines, mönchisches Zimmer und setzte sich, eine Näharbeit in den Händen, in den Sessel, den der Bucklige für sie kunstvoll aus Birkenholz angefertigt hatte. Nikita hatte die Kontorarbeiten übernommen und schrieb und rechnete von früh bis spät; wenn aber Natalia erschien, unterbrach er seine Tätigkeit und erzählte ihr davon, wie die Fürsten lebten, und was für Blumen in ihren Treibhäusern wuchsen. Seine hohe Mädchenstimme klang gespannt und freundlich, und seine blauen Augen blickten zum Fenster hinaus, an dem Gesicht der jungen Frau vorbei, die, über die Näharbeit gebeugt, so versonnen schwieg, wie ein Mensch, der mit sich allein ist. Sie saßen eine bis zwei Stunden da, fast ohne einander anzublicken; ab und zu umfing aber Nikita die Schwägerin vorsichtig und wie unwillkürlich mit der freundlichen Wärme seiner blauen Augen, und seine großen Hundeohren röteten sich merklich. Sein gleitender Blick veranlasste manchmal die junge Frau, den Schwager auch anzusehen und ihm ein gnädiges Lächeln zu schenken, das seltsam war; manchmal fühlte Nikita darin ein Erraten dessen, was ihn bewegte, manchmal erschien ihm dieses Lächeln aber gekränkt und kränkend, und er senkte im Schuldgefühl die Augen.

Vor dem Fenster rauscht und plätschert der Regen und wäscht die verwelkten Farben des Sommers weg, man hört Alexej schreien, das kürzlich in einer Hofecke festgekettete Bärenjunge brüllen und die Arbeiterinnen in kurzen Schlägen den Flachs schwingen. Alexej tritt lärmend ein; er ist nass und schmutzig, seine Mütze sitzt ihm im Nacken, und doch erinnert er an einen Frühlingstag. Er erzählt lachend, dass Tichon Wialow sich mit der Axt einen Finger abgehackt habe.

»Er tut, als sei es zufällig geschehen, und dabei ist es eine klare Sache: Er fürchtet sich vor dem Militär. Ich würde aber gerne Soldat werden, wenn ich nur von hier wegkäme.« Und er brummt finster wie das Bärenjunge:

»Ich bin zu den Teufeln auf den Hinterhof geraten ...«

Darauf streckt er gebieterisch die Hand aus:

»Gib mir fünfzehn Kopeken, ich gehe in die Stadt.«

»Wozu?«

»Das ist nicht deine Sache.«

Er trällert im Weggehen:

»Das Mädel geht den Liebsten suchen,
Es bringt ihm eine Menge Kuchen ...«

»Ach, er wird so lange herumspielen, bis es zu etwas Bösem kommt!«, sagt Natalia. »Meine Freundinnen sehen ihn oft mit Olgunka Orlowa, und die ist noch nicht fünfzehn, hat keine Mutter, und ihr Vater ist ein Trunkenbold ...«

Es missfällt Nikita, wie sie das sagt; er hört in ihren Worten ein Übermaß von Traurigkeit und Unruhe und etwas wie Neid.

Der Bucklige blickt schweigend zum Fenster hinaus, in der nassen Luft wiegen sich die Tatzen der Fichten und schütteln von den grünen Nadeln quecksilberne Regentropfen herab. Er hat diese Fichten gepflanzt; alle Bäume um das Haus herum sind von seinen Händen eingesetzt worden ...

Pjotr tritt müde und mürrisch ein.

»Es ist Zeit, Tee zu trinken, Natalia.«

»Es ist noch früh.«

»Ich sage, es ist Zeit!«, schreit er, und als seine Frau draußen ist, setzt er sich auf ihren Platz und brummt und klagt:

»Der Vater hat mir das ganze Werk auf die Schultern geladen. Ich drehe mich wie ein Rad und weiß nicht, wohin es mich treibt. Wenn bei mir aber nicht alles klappt, krieg ich es von ihm ...«

Nikita spricht zu ihm sanft und vorsichtig von Alexej und von der kleinen Orlowa; der Bruder wehrt aber mit der Hand ab, sichtlich ohne auf seine Worte zu hören.

»Ich habe keine Zeit, mich mit Mädchen abzugeben! Ich sehe sogar meine Frau nur des Nachts, halb im Schlaf, bei Tag bin ich blind wie eine Eule. Du hast Dummheiten im Kopf ...«

Und er zupft sich am Ohr und fügt vorsichtig hinzu:

»So ein Werk ist nichts für unsereinen. Wir sollten lieber in die Steppe ziehen, dort Grund und Boden kaufen und wie Bauern leben ... Es wäre weniger Lärm und mehr Nutzen dabei ...«

Ilja Artamonow kehrte fröhlich und verjüngt nach Hause zurück. Er hatte sich den Bart stutzen lassen und seine Schultern gingen noch mehr in die Breite, seine Augen leuchteten heller, und seine ganze Person sah wie ein neu geschmiedeter Pflug aus. Er machte sich's wie ein gnädiger Herr auf dem Sofa bequem und sagte:

»Unsere Arbeit muss im Soldatenschritt marschieren. Es wird für euch, für eure Kinder und Enkel genug zu tun geben. Für dreihundert Jahre reicht es! Von uns, von den Artamonows, muss eine große Verbesserung der ganzen Weltwirtschaft ausgehen!«

Er betastete Natalia mit den Augen und rief ihr zu:

»Wirst du aber dick, Natalia! Wenn's ein Junge wird, schenk ich dir was Schönes!«

Abends, beim Schlafengehen, sagte Natalia zu ihrem Mann:

»Es ist schön, wenn der Vater lustig ist.«

Er schielte zu ihr hinüber und erwiderte unfreundlich:

»Es muss wohl schön sein, er hat dir ja ein Geschenk versprochen.«

Aber nach zwei, drei Wochen wurde Artamonow still und nachdenklich; Natalia fragte Nikita:

»Weswegen zürnt der Vater?«

»Ich weiß nicht. Man wird aus ihm nicht klug.«

An demselben Abend beim Tee erklärte Alexej plötzlich klipp und klar:

»Väterchen, gib mich zum Militär!«

»W-wohin?«, fragte Ilja stotternd.

»Ich mag nicht länger hier leben ...«

»Geht hinaus!«, befahl Artamonow den Kindern. Als aber auch Alexej zur Tür ging, rief er ihm zu:

»Halt, Aljoschka!«

Er hielt die Hände auf dem Rücken verschränkt und betrachtete lange den Burschen mit zuckenden Augenbrauen, dann sagte er:

»Und ich glaubte, ich hätte an dir was Besonderes!«

»Ich kann mich hier nicht einleben.«

»Das ist nicht wahr. Dein richtiger Platz ist hier. Deine Mutter hat dich mir zur freien Verfügung übergeben, geh!«

Alexej tat einen Schritt, als wäre er gefesselt, der Onkel packte ihn aber bei der Schulter:

»Man müsste mit dir anders reden. Mein Vater hat mit mir mit der Faust gesprochen. Geh!«

Dann rief er ihn nochmals zurück und fügte mit Nachdruck hinzu:

»Du sollst etwas Großes werden, verstanden? Ich will von dir in Zukunft keinen Sterbenslaut mehr hören ...«

Als er allein war, stand er, den Bart in der Faust zusammenpressend, lange am Fenster und sah zu, wie der nasse, graue Schnee zu Boden fiel. Als es aber draußen dunkel wie in einem Keller wurde, ging er in die Stadt. Das Tor der Bajmakowa war schon geschlossen. Er klopfte ans Fenster. Uljana öffnete ihm selbst und fragte ärgerlich:

»Wann kommst du denn eigentlich?«

Er trat, ohne zu antworten und ohne sich auszukleiden, ins Zimmer, warf seine Mütze auf die Erde, setzte sich an den Tisch, stützte sich auf die Ellbogen, vergrub die Finger in den Bart und erzählte von Alexej:

»Er ist mir fremd. Meine Schwester hat sich mit dem gnädigen Herrn abgegeben. Das zeigt sich nun.«

Uljana sah nach, ob die Fensterläden dicht geschlossen waren und löschte das Licht. Nur in der Ecke vor den Heiligenbildern leuchtete es schwach aus dem blauen Lämpchen im Silbergestell.

»Verheirate ihn bald, dann bindest du ihn«, sagte sie.

»Ja, das wäre nötig. Das ist aber noch nicht alles. Pjotr hat gar nichts Forsches, das ist das Unglück! Ohne Courage kann man aber weder gebären noch töten. Er arbeitet, als wäre es nicht für sich selbst, sondern für den gnädigen Herrn, er ist noch immer der Leibeigene, er fühlt die Freiheit nicht, verstehst du? Ich spreche nicht von Nikita: der ist ein armer Kerl und hat nur Gärten und Blumen im Sinn. Ich erwartete, Alexej würde sich der Sache richtig annehmen.«

Die Bajmakowa beruhigte ihn:

»Du regst dich zu früh auf. Warte, bis das Rad sich flotter dreht, dann reißt es alle mit, und sie kommen in Schwung.«

Sie unterhielten sich bis zur Mitternacht Seite an Seite in der warmen Stille des Zimmers, in dessen Ecke die trübe Wolke bläulichen Lichtes wogte und die schüchterne Feuerblume zitterte. Bei seinen Klagen über den Mangel an geschäftlichem Schneid bei den Kindern vergaß Artamonow auch die Städter nicht:

»Sie sind engherzige Menschen.«

»Man liebt dich nicht, weil du Erfolg hast. Wir Frauen lieben euch deswegen, Männern aber ist fremder Erfolg ein Dorn im Auge.«

Uljana Bajmakowa verstand zu trösten und zu beruhigen. Ilja Artamonow räusperte sich dagegen nur unwillig, als sie ihm sagte:

»Ich fürchte nur eines wie den Tod: von dir schwanger zu werden ...«

»In Moskau gibt es noch zu tun, da brennt alles lichterloh!«, fuhr er fort, erhob sich und umfasste sie. »Ach, wärest du doch ein Mann ...«

»Leb wohl, mein Trauter, geh!«

Er küsste sie innig und ging ...

... In der Butterwoche brachte die Jerdanskaja Alexej zerlumpt, verprügelt und besinnungslos in einem Schlitten aus der Stadt nach Hause. Sie und Nikita rieben seinen Körper lange Zeit mit geriebenem Meerrettich und mit Sprit. Er stöhnte nur und sprach kein Wort. Artamonow fuhr wie ein wildes Tier im Zimmer herum, krempelte sich die Hemdsärmel auf, ließ sie wieder herunter und knirschte mit den Zähnen. Als Alexej aber zu sich kam, brüllte er ihn mit geballten Fäusten an:

»Wer hat es getan? Sprich!«

Alexej öffnete kläglich sein böses, verschwollenes Auge und krächzte, Blut spuckend und nach Atem ringend:

»Gebt mir den Gnadenstoß ...«

Die erschrockene Natalia weinte laut, der Schwiegervater stampfte mit dem Fuß auf und schrie sie an:

»Still! Hinaus!«

Alexej packte seinen Kopf mit den Händen, als wollte er ihn abreißen und stöhnte.

Dann warf er sich mit ausgebreiteten Armen auf die Seite und erstarrte mit offenem, blutigem, schnarchendem Mund; auf dem Tisch beim Bett flimmerte das Licht, über den verunstalteten Körper krochen Schatten, und Alexej schien immer schwärzer und verschwollener zu werden. Zu seinen Füßen standen schweigend und bedrückt die Brüder, der Vater schritt durch das Zimmer und fragte jemanden:

»Ist es denn möglich, dass er nicht am Leben bleibt, he?«

Nach acht Tagen stand Alexej aber auf, er hustete, hatte Auswurf und spuckte Blut; er ging oft ins Dampfbad und trank gepfefferten Branntwein; in seinen Augen glühte ein düsteres, dunkles Feuer, was sie noch verschönte. Er selbst wollte nicht sagen, wer ihn verprügelt hatte. Die Jerdanskaja brachte jedoch in Erfahrung, dass ihn Stepan Barski, zwei Feuerwehrleute und ein Mordwine, Woroponows Hausknecht, so zugerichtet hatten. Als Artamonow Alexej fragte, ob das stimme, antwortete er:

»Ich weiß nicht.«

»Du lügst!«

»Ich habe es nicht gesehen; ich glaube, sie haben mir von rückwärts einen Kaftan oder sonst irgendwas über den Kopf geworfen.«

»Du verbirgst irgendetwas«, meinte Artamonow. Alexej sah ihm mit böse flackernden Augen ins Gesicht und sagte:

»Ich werde schon wieder gesund werden.«

»Iss mehr!«, riet Artamonow und brummte sich in den Bart:

»Dafür sollte man ihnen den roten Hahn aufs Dach setzen und ihnen die Pfoten braten!«

Er behandelte Alexej noch aufmerksamer und in seiner rauen Art freundlicher. Er stellte seine eigene Arbeit zur Schau und verbarg nicht die Absicht, die Kinder durch seine Leidenschaft zum Schaffen zu begeistern.

»Macht alles, habt vor nichts Scheu!«, belehrte er sie, tat vieles, was er nicht zu tun brauchte und legte bei allem die aufmerksame Geschicklichkeit eines Tieres an den Tag. Das erlaubte ihm genau festzustellen, wo der Widerstand seiner Kraft gegenüber am hartnäckigsten war und wie man ihn am leichtesten überwinden konnte.

Die Schwangerschaft der Schwiegertochter zog sich unnatürlich in die Länge, und als Natalia nach zwei qualvollen Tagen am dritten ein Mädchen gebar, sagte er betrübt:

»Nun, das will ja nichts heißen ...«

»Danke Gott für die Gnade«, sagte Uljana streng. »Heute ist der Tag der flachstragenden Jelena.«

»Stimmt das auch?«

Er griff nach dem Kalender, sah hinein und freute sich wie ein Kind:

»Führe mich zu meiner Tochter!«

Er legte der Schwiegertochter ein Rubinenohrgehänge und fünf Dukaten auf die Brust und rief aus:

»Da hast du! Wenn es auch kein Junge geworden ist, – mir ist es doch recht!«

Und er fragte Pjotr:

»Nun, was ist, du Fischblut? Freust du dich? Ich hab mich so gefreut, als du geboren wurdest!«

Pjotr blickte ängstlich in das blutleere, gequälte, fast fremde Gesicht seiner Frau; ihre müden Augen lagen tief in schwarzen Höhlen und blickten von dort aus so auf Menschen und Dinge, als erinnerten sie sich an längst Vergessenes; sie beleckte, langsam die Zunge bewegend, die zerbissenen Lippen.

»Warum schweigt sie?«, fragte er die Schwiegermutter.

»Sie hat lange genug geschrien«, erklärte Uljana und stieß ihn aus dem Zimmer hinaus.

Zweimal vierundzwanzig Stunden hatte er bei Tag und bei Nacht das Wehklagen seiner Frau angehört; zuerst hatte er sie bedauert und hatte befürchtet, dass sie sterben würde, dann wurde er durch ihr Schreien betäubt und durch den Trubel im Hause abgestumpft und war nun zu müde, um zu fürchten und zu bedauern. Er hatte nur das Bestreben, möglichst weit fortzugehen, wohin das Jammern der Frau nicht drang; es gelang ihm jedoch nicht, dem zu entgehen, das Kreischen erklang irgendwo mitten in seinem Kopf und erregte ungewöhnliche Gedanken. Und überall, wo er hingehen mochte, sah er Nikita mit einer Axt oder mit einem eisernen Spaten in Händen: Der Bucklige hackte und zimmerte etwas zurecht, grub Löcher und lief in der lautlosen Art eines Maulwurfs irgendwohin; er schien sich im Kreise zu bewegen, denn man stieß immer auf ihn.

»Sie wird vielleicht gar nicht niederkommen«, sagte Pjotr zu seinem Bruder. Der Bucklige versenkte den Spaten in den Sand und fragte:

»Was meint die Hebamme?«

»Sie tröstet und verspricht. Warum zitterst du?«

»Ich habe Zahnschmerzen.«

Am Abend nach der Niederkunft saß er mit Nikita und Tichon auf den Stufen des Hauseinganges und erzählte, nachdenklich lächelnd:

»Meine Schwiegermutter legte mir das Kind in den Arm, ich fühlte vor Freude gar kein Gewicht und hätte meine Tochter fast zur Zimmerdecke hinaufgeschleudert. Es ist schwer zu begreifen: Es ist etwas so Kleines und verursacht solche ungeheuren Qualen.«

Tichon Wialow kratzte sich die Backen und sagte ruhig, wie immer:

»Alle Menschenqualen entstehen durch etwas Kleines.«

»Wieso denn?«, fragte Nikita streng. Der Hausknecht antwortete, gleichgültig gähnend:

»Ja, es ist nun schon mal so ...«

Aus dem Hause wurde zum Abendbrot gerufen.

Das Kind war groß und schwer zur Welt gekommen, starb aber nach fünf Monaten an einer Kohlengasvergiftung; auch die Mutter wäre beinahe gestorben, da auch sie etwas von der Vergiftung abbekam.

»Nun, lass nur«, tröstete der Vater Pjotr auf dem Kirchhof. »Sie wird wieder gebären. Und wir haben jetzt ein eigenes Grab hier, das heißt, wir haben unseren Anker hier tief versenkt. Du hast das, was dir gehört bei dir und unter dir, auf der Erde und unter der Erde, – das gibt dem Menschen festen Halt!«

Pjotr nickte und sah seine Frau an; mit plump gebeugtem Rücken blickte sie sich vor die Füße, auf den kleinen Hügel, auf den Nikita ganz vertieft mit dem Spaten losschlug. Sie wischte sich mit den Fingern so krampfhaft schnell die Tränen von den Wangen, als fürchtete sie, sich an ihrer verschwollenen, roten Nase zu verbrennen und flüsterte:

»O Gott, o Gott ...«

Alexej ging zwischen den Kreuzen im Kreise herum und las die Aufschriften; er war abgemagert und sah älter aus, als er war. Sein Gesicht war nicht das eines Bauern und erschien durch die darauf sprießenden dunklen Haare verbrannt und rußig, die dreisten, tief unter schwarzen Brauen liegenden Augen blickten alle unfreundlich an; er sprach mit etwas dumpfer Stimme von oben herab und wie mit beabsichtigter Undeutlichkeit. Wenn er aber gefragt wurde, kreischte er:

»Du verstehst mich nicht?«

Und schimpfte. In sein Verhältnis zu den Brüdern kam etwas Hässliches, Höhnisches. Er schrie Natalia wie eine Arbeiterin an, und wenn Nikita vorwurfsvoll zu ihm sagte:

»Du beleidigst Natascha grundlos«, erwiderte er:

»Ich bin eben ein kranker Mensch.«

»Sie ist ja so sanft.«

»Dann soll sie's nur ertragen.«

Von seiner Krankheit sprach Alexej oft und fast immer mit Stolz, als wäre sie ein Vorzug, der ihn von den anderen Menschen unterschied.

Als er mit dem Onkel vom Kirchhof zurückkehrte, sagte er zu ihm:

»Wir müssten uns unseren eigenen Kirchhof anlegen. Es ist selbst für einen Toten unschicklich, mit diesem Volk beisammenzuliegen.«

Artamonow schmunzelte.

»Wir werden das schon einrichten. Wir werden alles haben: eine Kirche, einen Kirchhof, eine Schule, ein Krankenhaus! Warte nur ab!«

Als sie über die Watarakschabrücke gingen, stand dort, sich am Geländer haltend, jemand, der wie ein Bettler aussah. Er trug einen fuchsroten, schäbigen Kaftan und sah aus wie ein durch Trinken herabgekommener Beamter. In seinem schwammigen, mit grauen, rasierten Borsten bewachsenen Gesicht bewegten sich behaarte Lippen und ließen die Reste schwarzer Zähne sehen; die nassen Äuglein leuchteten nur trübe. Artamonow wandte sich ab und spuckte aus; als er aber bemerkte, dass Alexej diesem scheußlichen Menschen ungewöhnlich freundlich zunickte, fragte er:

»Wer ist denn das?«

»Der Uhrmacher Orlow.«

»Man sieht, dass er etwas Besonderes ist!«

»Er ist klug«, sagte Alexej mit Nachdruck. »Man hat ihn zu Tode gehetzt.«

Artamonow schielte zu seinem Neffen hinüber und schwieg.

Es kam ein trockener und heißer Sommer. Jenseits der Oka brannten die Wälder, bei Tag schwebte über der Erde eine opalfarbene Wolke beißenden Rauches, des Nachts war der kahle Mond unangenehm rot; die Sterne, die im Nebel ihre Strahlen verloren hatten, sahen wie Köpfe von Messingnägeln aus; das den trüben Himmel widerspiegelnde Flusswasser erinnerte an Schwaden kalten und dichten unterirdischen Rauches.

Nach dem Abendbrot tranken die Artamonows, atemlos vor Hitze, im Garten, im Halbring der Ahorne, Tee. Die Bäume entwickelten sich gut, doch konnten die üppigen Kronen mit ihren durchbrochenen Blättern in dieser dunstigen Nacht keinen Schatten spenden. Die Grillen zirpten, an Blechspielzeug erinnernde Käfer brummten, der Samowar summte. Natalia hatte die oberen Knöpfe ihrer Jacke aufgemacht und schenkte schweigend Tee ein. Die Haut ihrer Brust hatte den warmen Ton von Butter; der Bucklige saß mit gesenktem Kopf da und hobelte Stangen für Vogelkäfige zurecht. Pjotr zupfte sich am Ohrläppchen und sagte leise:

»Es ist gefährlich, die Menschen zu reizen, der Vater reizt sie aber immer.«

Alexej blickte mit trockenem Hüsteln in der Richtung der Stadt und schien mit vorgestrecktem Hals auf etwas zu warten.

In der Stadt ertönte die Glocke.

»Ist das die Sturmglocke? Feuer?«, fragte Alexej, mit der Handfläche die Stirn berührend und aufspringend.

»Was hast du? Der Glöckner lässt ja nur die Uhr schlagen.«

Alexej erhob sich und ging, Nikita sagte aber leise nach einem Schweigen:

»Er träumt immer von Feuer.«

»Er ist böse geworden«, bemerkte Natalia vorsichtig. »Dabei war doch früher so viel Heiterkeit in ihm!«

Pjotr machte, wie es einem Älteren ziemt, beiden in eindringlicher Weise Vorwürfe:

»Ihr seht ihn beide so dumm an; euer Mitleid beleidigt ihn. Komm schlafen, Natalia.«

Sie gingen. Der Bucklige blickte ihnen nach, erhob sich gleichfalls, ging in die Laube, wo er auf Heu schlief und setzte sich auf die Schwelle. Die Laube stand auf einem Rasenhügel. Man sah von hier aus über dem Zaun hin die dunkle Häuserherde der Stadt, die von den Glockentürmen und dem Feuerwehrturm bewacht wurde. Die Dienstboten räumten den Tisch ab, die Tassen klapperten. Am Zaun kamen Weber vorbei, einer trug ein Zugnetz, ein anderer klapperte mit einem eisernen Eimer, ein dritter schlug aus einem Zündstein Feuer und bemühte sich, Zunder zum Brennen zu bringen, um seine Pfeife anzurauchen. Ein Hund knurrte. Tichon Wialows ruhige Stimme unterbrach die Stille:

»Wer kommt da?«

Die Stille war straff wie ein Trommelleder über die Erde gespannt, sodass selbst das leise Knirschen des Sandes unter den Füßen der Weber unangenehm deutlich widerhallte. Nikita gefiel diese Lautlosigkeit der Nächte sehr. Je vollkommener sie war, desto mehr richtete er die ganze Kraft seiner Fantasie auf Natalia, desto heller leuchteten die lieben, stets etwas erschrockenen oder erstaunten Augen. Und er konnte sich leicht verschiedene, für ihn glückliche Ereignisse ersinnen: Jetzt hat er einen kostbaren Schatz gefunden und übergibt ihn Pjotr, und der tritt ihm Natalia ab. Oder: sie werden von Räubern überfallen, und er begeht solche außergewöhnliche Heldentaten, dass Vater und Bruder ihm zum Lohn von selbst Natalia überlassen. Es bricht eine Seuche aus und von der ganzen Familie bleiben nur zwei am Leben: er selbst und Natalia!

Dann wollte er ihr zeigen, dass ihr Glück nur in *seiner* Seele verborgen lag.

Es war schon nach Mitternacht, als er bemerkte, dass über der Herde der Stadthäuser aus den regungslosen Gärten noch eine Wolke erstand und langsam zum dunkelgrauen, trüben Himmel emporstieg; eine Minute später war sie von unten hochrot erleuchtet. Er begriff, dass das eine Feuersbrunst war, und lief zum Hause; da sah er, wie Alexej rasch über eine Leiter auf das Dach des Schuppens stieg.

»Feuer!«, schrie Nikita. Alexej antwortete, immer höher steigend:

»Ich weiß schon. Was willst du denn?«

»Du hast es erwartet«, erinnerte sich der Bucklige und blieb erstaunt mitten im Hofe stehen.

»Und wenn ich es erwartet habe? Was besagt das? Bei einer solchen Dürre gibt es immer Feuer.«

»Wir müssen die Weber wecken ...«

Tichon hatte sie aber schon geweckt, und sie liefen einer hinter dem andern mit lustigem Geschrei zum Flusse.

»Komm zu mir herauf«, forderte Alexej, oben auf dem Dachfirst sitzend, ihn auf. Der Bucklige kam gehorsam nach und sagte:

»Wenn nur Natascha nicht erschrickt.«

»Fürchtest du nicht, dass Pjotr dir mal den Buckel vollhaut?«

»Wofür?«, fragte Nikita leise und vernahm:

»Sieh dir die Augen nicht nach seiner Frau aus?«

Der Bucklige konnte lange kein Wort erwidern. Ihm schien, er gleite vom Dach und müsse sofort fallen und auf die Erde aufschlagen.

»Was redest du? Überlege doch«, murmelte er.

»Nun, schon gut! Ich sehe ja ... Fürchte dich nicht«, sagte Alexej so fröhlich, wie er schon seit Langem nicht war. Er blickte unter der vorgehaltenen Handfläche auf die dicken Feuerzungen, die sich schaukelten, die Stille durchbrachen, sie dumpf erdröhnen ließen, und erzählte lebhaft:

»Es brennt bei Barski. Sie haben an die zwanzig Fässer Teer auf dem Hof. Das Feuer erreicht die Nachbarn nicht, die Gärten halten es auf.«

»Wir müssen hinlaufen«, denkt Nikita und blickt in die Ferne, in das vom Feuer zerrissene Dunkel. Dort, in der rötlichen Luft standen wie aus Eisen gehämmerte Bäume, über die rötliche Erde liefen geschäftig kleine, spielzeugartige Menschen, man sah auch, wie sie lange, dünne Stangen ins Feuer schoben.

»Es brennt schön«, lobte Alexej.

»Ich gehe ins Kloster«, dachte der Bucklige.

Auf dem Hof brummte Pjotr schläfrig und zornig; als Antwort ertönten träge Tichon Wialows Worte und wie in einem Rahmen stand am Fenster des Hauses Natalia und bekreuzte sich.

Nikita saß so lange auf dem Dach, bis auf der Feuerstätte ein Kohlenhaufen goldig aufleuchtete und die schwarzen Säulen der Ofenrohre umfing. Dann stieg er auf die Erde hinab, ging aus dem Tor und stieß mit dem nassen und rußigen Vater zusammen, der ohne Mütze, im zerrissenen Wams daherkam.

»Wohin?«, schrie der Vater mit außergewöhnlicher Wut und stieß Nikita in den Hof zurück. Als er aber Alexejs weiße Gestalt auf dem Dach erblickte, befahl er noch wütender:

»Was hockst du da oben? Steig herab! Du musst deine Gesundheit schonen, Dummkopf ...«

Nikita ging in den Garten, setzte sich dort vor dem Fenster des Vaters auf eine Bank und hörte bald darauf, wie der Vater mit Gewalt die Tür zuschlug und halblaut mit dumpfer Stimme fragte:

»Willst du dich zugrunde richten? Und Schande über mich bringen, he? Ich schlag dich tot ...«

Alexej antwortete kreischend:

»Du hast mich selbst darauf gebracht.«

»Schweig! Danke Gott, dass jener Schuft der Sprache beraubt ist ...«

Nikita erhob sich und ging leise, aber eilig in die Gartenecke, zur Laube.

Des Morgens erzählte der Vater beim Tee:

»Es ist Brandstiftung! Als der Schuldige wurde dieser Trunkenbold, der Uhrmacher, festgestellt. Man hat ihn verprügelt, er wird gewiss sterben. Barski hat ihn wohl zugrunde gerichtet, und er war auf seinen Sohn Stiopka böse. Es ist eine dunkle Sache!«

Alexej trank ruhig seine Milch. Nikita aber fühlte, dass ihm die Hände zitterten, und er steckte sie zwischen die Knie und presste sie fest zusammen. Der Vater, der diese Bewegung bemerkte, fragte:

»Warum duckst du dich so?«

»Mir ist nicht wohl.«

»Euch allen ist nicht wohl. Bloß ich bin gesund ...«

Er stieß zornig das nicht geleerte Teeglas von sich und ging.

Artamonows Werk bevölkerte sich rasch; zwei Werst von der Fabrik entfernt wurden auf den mit Ginster bedeckten Hügeln, inmitten des spärlichen Tannengehölzes kleine, niedrige Hütten ohne Höfe und Zäune erbaut, die von Weitem an Bienenkörbe erinnerten. Für einsame und unverheiratete Arbeiter baute Artamonow über einem nicht zu tiefen Hohlweg, dem Bett eines ausgetrockneten Flusses, dessen Namen man vergessen hatte, eine lang gestreckte Baracke mit einem einseitig geneigten Dach und mit drei Schornsteinen darauf. Die Fenster waren klein, um die Wärme zu erhalten; sie verliehen der Baracke eine gewisse Ähnlichkeit mit einem Stall, und die Arbeiter benannten sie »Der Hengstpalast«.

Ilja Artamonow prahlte immer lauter, ohne aber den Hochmut der Reichen anzunehmen. Er war im Verkehr mit den Arbeitern schlicht, schmauste auf ihren Hochzeiten, taufte ihre Kinder und plauderte gern an Feiertagen mit den alten Webern; sie lehrten ihn, die Bauern zu veranlassen, den Flachs auf früheren Äckern und in abgebrannten Wäldern zu säen, was sich als sehr günstig erwies. Die alten Weber waren über das Entgegenkommen des Prinzipals entzückt und belehrten die Jugend, da sie in ihm noch den Bauer sahen, dem das Schicksal gnädig lächelte:

»Seht, wie man Geschäfte führen muss!«

Ilja Artamonow belehrte dagegen seine Kinder:

»Bauern und Arbeiter sind vernünftiger als Bürger. Die Städter haben schwaches Fleisch und einen abgenutzten Verstand; der Städter ist gierig und feige. Bei ihm ist alles kleinlich und nichts von Dauer. Die Städter können nie Maß halten; der Bauer verbleibt aber unverrückbar in den Grenzen der Wahrheit, ohne sich hin und her treiben zu lassen. Auch seine Wahrheit ist einfach: zum Beispiel: Gott, Brot, der Zar! Der Bauer ist in allem einfach, haltet euch an ihn! Du sprichst zu kühl mit den Arbeitern, Pjotr, und immer nur von der Arbeit, – das gehört sich nicht, man muss auch über Dummheiten zu plaudern verstehen. Man muss scherzen können: Ein lustiger Mensch wird besser verstanden.«

»Ich verstehe nicht zu scherzen«, sagte Pjotr und zupfte sich gewohnheitsmäßig am Ohr.

»So lerne es. Ein Scherz ist im Augenblick erdacht und wirkt eine Stunde lang nach. Auch Alexej geht mit den Leuten ungeschickt um, er schreit immer gleich und hat an allem etwas auszusetzen ...«

»Sie sind alle Schwindler und Faulpelze«, erwiderte Alexej herausfordernd.

Artamonow schrie ihn streng an:

»Was weißt du viel von den Menschen?« Dabei lächelte er sich aber in den Bart hinein und hielt sich, um das Lächeln zu verbergen, die Hand vor; es fiel ihm ein, wie kühn und verständig Alexej mit den Städtern über den Kirchhof gestritten hatte: Die Driomower wollten Artamonows Arbeiter nicht auf ihrem Kirchhof beerdigen lassen. Man war genötigt, Pomialow einen großen Teil seines Erlengehölzes abzukaufen und einen eigenen Kirchhof anzulegen.

»Ein Kirchhof«, sann Tichon Wialow nach, als er mit Nikita die dünnen, schwächlichen Bäume wegschlug. »Wir überlegen uns die Sache nicht. Kirchhöfe sind Höfe, wo man eine Ewigkeit lang zu Gast ist. Kirchhöfe sind Häuser, Städte.«

Nikita sah, dass Wialow leicht und geschickt arbeitete und dabei mehr Verstand bewies als in seinen dunklen und stets unerwarteten Worten lag. Er fand, ebenso wie der Vater, bei jeder Sache rasch den Punkt des geringsten Widerstandes, sparte an Kraft und wirkte durch List. Doch war der Unterschied deutlich sichtbar: Der Vater packte alles mit Eifer an, während Wialow anscheinend ungern und nur aus Gnade arbeitete, wie ein Mensch, der weiß, dass er zu etwas Besserem befähigt ist. Er sprach auch ebenso: wenig, herablassend, mit Nachdruck, mit einer gewissen Lässigkeit und in Andeutungen: »Ich weiß noch sehr viel, ich könnte noch ganz andere Dinge sagen ...«

Und immer glaubte Nikita in seinen Worten irgendwelche Andeutungen zu hören, die in ihm Ärger, Furcht und eine scharfe, unruhige Neugierde in Bezug auf diesen Menschen erregten.

»Du weißt viel«, sagte er zu Wialow. Der erwiderte ohne Hast:

»Darum lebe ich auch. Es schadet nicht, dass ich viel weiß, – ich weiß es nur für mich selbst. Mein Wissen ist bei einem Geizhals im Koffer versteckt, – es ist für niemanden sichtbar, sei nur ruhig ...«

Es war nicht zu merken, dass Tichon die Menschen nach ihren Gedanken ausfragte; er prüfte sie nur zudringlich mit den vogelartigen, blinzelnden Augen und, nachdem er die fremden Gedanken gleichsam herausgesaugt hatte, sprach er plötzlich von Dingen, die er nicht hätte wissen sollen. Manchmal wünschte Nikita, Wialow möchte sich die Zunge abbeißen, er möchte sie sich ebenso abhacken, wie er es mit seinem Finger gemacht hatte, – er hatte sich auch den Finger nicht so abgehackt, wie er es hätte tun sollen: es war der Ringfinger und nicht an der rechten, sondern an der linken Hand. Der Vater, Pjotr und alle übrigen hielten ihn für dumm, Nikita war aber anderer Ansicht. In ihm wuchs immer mehr das gemischte Gefühl von Neugierde und von Furcht diesem seltsamen Mann mit den breiten Backenknochen gegenüber. Das Gefühl der Furcht verstärkte sich besonders, als Wialow auf dem Rückwege aus dem Walde plötzlich zu Nikita sagte:

»Und du grämst dich immerzu! Du solltest es ihr doch sagen, du seltsamer Kauz! Sie wird mit dir Mitleid haben, sie scheint gut zu sein.«

Der Bucklige blieb stehen, vor Schreck erstarrte ihm das Herz. Die Füße waren wie versteinert, und er murmelte fassungslos:

»*Was* soll ich sagen? *Wem*?«

Wialow blickte ihn an und schritt weiter. Nikita packte ihn beim Hemdsärmel, da stieß Tichon verächtlich seine Hand weg.

»Nun, warum heuchelst du?«

Nikita warf die im Walde ausgegrabene Birke von der Schulter auf die Erde, er wollte Tichon in das raue Gesicht schlagen und ihn zum Schweigen bringen, doch der blickte mit blinzelnden Augen in die Ferne und sprach ruhig, als wäre es etwas ganz Gewöhnliches:

»Und wenn sie auch nicht gut ist, kann sie sich doch dir zuliebe eine Stunde lang so stellen. Die Weiber sind neugierig, eine jede will einen andern Mann auskosten und erfahren, ob es etwas gibt, das noch süßer als Zucker ist. Braucht denn unsereiner viel? Eins, zwei – und man ist satt und gesund! Du verzehrst dich aber! Versuch' doch, es ihr zu sagen, – vielleicht ist sie einverstanden.«

Nikita glaubte aus seinen Worten ein Gefühl freundschaftlichen Mitleids herauszuhören; das kam ihm neu und fremd vor und verursachte ihm ein bitteres Brennen in der Kehle. Zugleich schien ihm aber, dass Tichon ihn entkleidete und entblößte.

»Du hast dir etwas Unsinniges ausgedacht«, sagte er.

In der Stadt läuteten die Glocken und riefen zur Abendmesse. Tichon schüttelte die Bäume auf seiner Schulter, ging, mit dem eisernen Spaten auf die Erde klopfend, weiter und sagte ebenso ruhig:

»Du brauchst von mir nichts zu befürchten. Du tust mir ja leid, du bist ein angenehmer, eigenartiger Mensch. Ihr Artamonows seid alle sehr eigenartig. Du hast in deinem Charakter gar nichts von einem Buckligen und bist doch bucklig.«

Nikitas Schrecken schmolz in heißer Trauer dahin, die ihm die Augen trübte, ihn wie einen Betrunkenen stolpern ließ und in ihm den Wunsch wachrief, sich lang auf die Erde zu legen und sich auszuruhen. Er bat leise:

»Schweige davon.«

»Ich habe ja gesagt: Es ist wie in einem Koffer verschlossen.«

»Vergiss es! Lass dir vor ihr nichts entschlüpfen.«

»Ich spreche mit ihr nie. Wozu sollte ich es ihr sagen?«

Beide legten den Heimweg schweigend zurück. Die blauen Augen des Buckligen waren jetzt größer, runder und trauriger, er sah an den Menschen vorbei, hinter ihre Schultern, er wurde noch schweigsamer und unscheinbarer. Natalia merkte irgendetwas:

»Warum gehst du so traurig herum?«, fragte sie.

Nikita antwortete:

»Es gibt viel zu tun.«

Er ging schnell weg. Das verletzte Natalia; sie hatte schon mehr als einmal gefühlt, dass der Schwager mit ihr nicht so freundlich wie früher war. Sie führte ein langweiliges Leben. Im Laufe von vier Jahren hatte sie zwei Mädchen geboren und war schon wieder schwanger.

»Warum bringst du lauter Mädchen zur Welt, was soll man mit ihnen anfangen?«, brummte der Schwiegervater, als sie mit dem zweiten niederkam und schenkte ihr diesmal nichts. Er beklagte sich bei Pjotr:

»Ich brauche Jungs – keine Schwiegersöhne. Habe ich denn das Werk für fremde Leute in Gang gebracht?«

Jedes Wort des Schwiegervaters weckte in der Frau ein Schuldgefühl; sie wusste, dass auch ihr Mann unzufrieden mit ihr war. Wenn sie des Nachts neben ihm lag, blickte sie durchs Fenster auf die fernen Sterne, strich sich über den Leib und bat im Stillen:

»Herr – schenk mir ein Söhnchen ...«

Manchmal wollte sie aber ihrem Mann und dem Schwiegervater laut ins Gesicht schreien:

»Mit Absicht, euch zum Trotz will ich Mädchen gebären!«

Und in ihr erstand der Wunsch, irgendetwas Seltsames, allen Unerwartetes, Gutes zu tun, damit alle Menschen freundlicher zu ihr seien, oder aber etwas ganz Böses, damit sie alle erschräken. Doch sie konnte sich weder das Gute, noch das Böse ausdenken.

Sie stand beim Morgengrauen auf, ging in die Küche hinunter und bereitete zusammen mit der Köchin den Imbiss zum Tee. Dann lief sie nach oben, um die Kinder zu füttern, darauf gab sie dem Schwiegervater, dem Mann und den Schwägern ihren Tee, fütterte wieder die Kinder, nähte, besserte für alle die Wäsche aus und ging nach dem Essen mit den Kindern in den Garten, wo sie bis zum Abendtee blieb. In den Garten sahen kecke Spulerinnen hinein und bewunderten schmeichlerisch die Schönheit der kleinen Mädchen. Natalia lächelte, glaubte aber dem Lob nicht, – ihre Kinder erschienen ihr hässlich.

Manchmal tauchte zwischen den Bäumen Nikita auf, der einzige Mensch, der zu ihr freundlich gewesen war. Wenn sie ihn aber jetzt aufforderte, bei ihr zu sitzen, antwortete er mit schuldiger Miene:

»Verzeih, ich habe keine Zeit.«

In ihr erstand unmerklich ein kränkender Gedanke: der Bucklige sei mit ihr nicht aufrichtig freundlich gewesen; ihr Mann habe ihn nur als Wächter angestellt, um ihr und Alexej aufzupassen. Sie fürchtete sich vor Alexej, denn er gefiel ihr; sie wusste, der schöne Schwager brauchte nur zu wollen, und sie würde nicht widerstehen. Er wollte aber nicht, er schien sie nicht einmal zu sehen; das beleidigte sie und erregte in ihr feindselige Gefühle gegen den kecken, schlagfertigen Alexej.

Um fünf Uhr wurde Tee getrunken, um acht Abendbrot gegessen. Dann wusch Natalia die Kleinen, fütterte sie und brachte sie zu Bett; sie betete lange auf den Knien und legte sich zu ihrem Mann in der Hoffnung, einen Sohn zu empfangen, wenn der Mann im Bett brummte:

»Jetzt ist's genug. Komm ins Bett!«

Sie bekreuzte sich eilig, unterbrach das Gebet, ging zu ihm und legte sich gehorsam nieder. Manchmal, sehr selten, scherzte Pjotr:

»Warum betest du so viel? Du kannst dir doch nicht alles erbitten, – es reicht sonst für die andern nicht ...«

Wenn sie des Nachts durch das Weinen eines Kindes geweckt wurde, fütterte und beruhigte sie es und ging ans Fenster, um lange in den Garten und auf den Himmel zu blicken und wortlos über sich, über die Mutter, den Schwiegervater und ihren Mann nachzudenken – über alles, was ihr der unmerklich verstrichene, schwere Tag gebracht hatte. Es war seltsam, dass man die gewohnten Stimmen, die lustigen oder traurigen Lieder der Arbeiterinnen, das mannigfaltige Hämmern und Lärmen des Werkes, sein bienenartiges Summen nicht vernahm; dieses ununterbrochene, eilige Dröhnen erfüllte den ganzen Tag, sein Widerhall schwebte durch die Zimmer, raschelte im Laub der Bäume, strich über die Fensterscheiben; das Geräusch der Arbeit zwang zu lauschen und störte beim Denken.

In der nächtlichen Stille, im schläfrigen Schweigen alles Lebendigen fielen ihr die grausigen Erzählungen Nikitas von den von Tartaren gefangen genommenen Frauen oder die Legenden von den heiligen Einsiedlerinnen und Märtyrerinnen ein, es erstanden in ihr auch die Märchen von einem glücklichen, fröhlichen Leben, am häufigsten tauchten aber erlittene Kränkungen in ihrer Erinnerung auf.

Ihr Schwiegervater sah über sie hinweg wie über einen leeren Raum, und das war noch am besten; häufig, wenn er ihr im Flur oder im Zimmer unter vier Augen begegnete, betastete er sie aber mit scharfem Blick schamlos von der Brust bis zu den Knien und schnaubte feindselig.

Ihr Mann war unfreundlich und kalt; sie fühlte, dass er sie manchmal so anblickte, als hinderte sie ihn daran, etwas anderes, hinter ihrem Rücken Verborgenes zu sehen. Oft legte er sich, ausgekleidet wie er war, nicht hin, sondern saß lange auf dem Bettrand, stützte sich mit der einen Hand auf das Federbett und zupfte mit der andern an seinem Ohr oder rieb sich den Bart auf der Wange, als hätte er Zahnschmerzen. Sein hässliches Gesicht zog sich bald kläglich, bald zornig zusammen; in solchen Augenblicken wagte Natalia nicht, sich niederzulegen. Er sprach wenig und nur von häuslichen Angelegenheiten und kam immer seltener auf das Leben der Bauern und Gutsbesitzer zurück, das Natalia unverständlich war. Im Winter fuhr er mit ihr an den Feiertagen, zu Weihnachten und in der Butterwoche durch die Stadt spazieren. Man spannte einen ungeheuren Rappen vor den Schlitten. Der Hengst hatte messinggelbe, von Blutäderchen durchzogene Augen, er schüttelte zornig den Kopf und wieherte laut. Natalia fürchtete sich vor diesem Pferd, und Tichon Wialow steigerte noch ihre Angst durch die Worte:

»Das ist ein Edelmannspferd; es ist über die fremde Herrschaft erbost.«

Die Mutter kam häufig. Natalia beneidete sie um ihr freies Leben und den festlichen Glanz ihrer Augen. Dieser Neid wurde noch schärfer und kränkender, wenn sie merkte, wie jugendlich der Schwiegervater mit der Mutter scherzte, wie selbstzufrieden er sich den Bart glättete und sich seiner Geliebten freute, wie sie wie eine Pfauhenne einherschritt, sich in den Hüften wiegte und schamlos vor ihm mit ihrer Schönheit prahlte. Die Stadt wusste längst von ihrem Verhältnis mit dem Gevatter, verurteilte sie streng deshalb und wandte sich von ihr ab. Angesehene Leute verboten ihren Töchtern, Natalias Freundinnen, sie, die Tochter einer lasterhaften Frau, die Schwiegertochter eines fremden, zweifelhaften Bauern und die Gattin eines vor Stolz aufgeblasenen, mürrischen Mannes zu besuchen. Die kleinen Freuden des Mädchenlebens erschienen jetzt Natalia groß und prächtig.

Es kränkte sie zu sehen, wie die vorher so freimütige Mutter jetzt mit den Menschen schlau und falsch war; sie schien sich vor Pjotr zu fürchten und sprach mit ihm, um es zu verbergen, in schmeichelnden, von seiner Tüchtigkeit entzückten Worten; sie fürchtete wohl auch Alexejs spöttische Augen, scherzte freundlich, tuschelte mit ihm und machte ihm oft Geschenke; zum Geburtstag schenkte sie ihm eine Porzellanuhr mit Figürchen von Schafen und mit einer blumengeschmückten Frau; dieser schöne, kunstvoll ausgeführte Gegenstand brachte alle zum Staunen.

»Die Uhr ist mal als Pfand bei mir geblieben; ich gab nur drei Rubel dafür, sie ist alt und geht nicht«, erklärte die Mutter. »Wenn Aljoscha heiratet, mag er damit sein Haus schmücken.«

»Das könnte ich ja auch tun«, dachte Natalia.

Die Mutter erkundigte sich genau nach dem Haushalt und belehrte sie langweilig:

»Gib an Wochentagen keine Servietten zu Tisch, diese Langbärte machen sie ja gleich schmutzig.«

Sie betrachtete Nikita, der ihr früher gefallen hatte, mit aufeinandergepressten Lippen und sprach mit ihm wie mit einem Angestellten, den man verdächtigt, etwas Unehrliches begangen zu haben, und sie warnte die Tochter:

»Gib acht, sei zu ihm nicht zu freundlich, – alle Buckligen sind hinterlistig.«

Schon mehr als einmal wollte Natalia sich bei der Mutter über ihren Mann beschweren, weil er ihr nicht traute und den Buckligen beauftragt hätte, sie zu überwachen; aber irgendetwas hinderte sie stets, davon zu sprechen.

Am schlimmsten war es aber, wenn die Mutter in der Sorge, Natalia könnte keinen Knaben gebären, sie über ihren nächtlichen Verkehr mit ihrem Mann befragte. Sie tat das in schamlos offener Weise, während ihre feuchten Augen lächelnd blinzelten, die gesenkte Stimme schnurrte und die Neugierde sie heftig erregte. Und Natalia war immer froh, wenn die Frage des Schwiegervaters ertönte:

»Gevatterin, – soll ich das Pferd anspannen?«

»Ich möchte lieber zu Fuß gehen.«

»Gut, ich werd' dich begleiten.«

Pjotr sagte nachdenklich:

»Die Schwiegermutter ist ein kluger Kopf. Wie geschickt sie den Vater behandelt! Vor ihr ist er sanfter zu uns. Sie sollte ihr Haus verkaufen und zu uns ziehen.«

»Das ist nicht nötig«, will Natalia sagen, wagt es aber nicht und trägt es der Mutter noch mehr nach, dass man sie gern hat, und dass sie glücklich ist.

Wenn sie mit einer Näharbeit in den Händen am Gartenfenster oder im Garten sitzt, hört sie Bruchstücke der Unterhaltung zwischen Tichon und Nikita. Sie arbeiten hinter den Beerensträuchern beim Badehaus, und durch das leise Geräusch des Werkes dringen die ruhigen Worte des Hausknechtes:

»Die Langeweile stammt von den Menschen, – wenn sie eine lange Weile beisammen sind, entsteht die Langeweile.«

»Wie richtig!«, denkt Natalia, aber Nikitas angenehme Stimme wirft ein:

»Du gehst zu weit. Und Tanz und Spiel? Ohne Menschen gibt es keine Fröhlichkeit.«

»Auch das ist richtig«, stimmt sie erstaunt zu.

Sie sieht, dass alle um sie herum in ihren Reden sicher sind, jeder weiß irgendetwas genau, und zwar sieht sie, wie einfache, bestimmte, fest aneinander gefügte Worte jedem Menschen ein Stück irgendeiner unverrückbaren Wahrheit sichern; die Menschen unterscheiden sich voneinander durch ihre Worte und schmücken sich damit, sie klappern und spielen mit Worten wie mit goldenen und silbernen Uhrketten. Sie aber besitzt keine solchen Worte, sie hat nichts, worin sie ihre Gedanken kleiden könnte, die sie trübe und ungreifbar wie Herbstnebel belästigen, die sie nur stumpfsinnig machen, – und sie denkt immer häufiger ärgerlich und traurig:

»Ich bin dumm! Ich weiß nichts und versteh nichts ...«

»Der Bär kennt sich aus, er weiß, wo es Honig gibt«, murmelt Tichon im Himbeergesträuch.

»Ja, das ist wahr«, denkt Natalia und erinnert sich zusammenzuckend, wie Alexej ihren Liebling getötet hat:

Der Bär lief, bis er dreizehn Monate alt wurde, frei im Hof herum; er war zahm und zutraulich wie ein Hund, kam in die Küche, richtete sich auf den Hinterbeinen auf und bettelte, leise brummend, mit den komischen Augen blinzelnd, um Brot. Er war in allem drollig und gutmütig und schätzte Güte. Alle hatten ihn gern, Nikita pflegte ihn, kämmte ihm die Büschel seines dichten, verfilzten Pelzes durch und führte ihn zum Fluss baden; der Bär gewann ihn so lieb, dass er, wenn Nikita fort war, mit hochgehobener Schnauze besorgt die Luft beschnupperte, fauchend über den Hof lief, in das Kontor, wo sein Pfleger wohnte, eindrang und häufig die Fensterscheiben eindrückte und dabei die Rahmen zerbrach. Natalia machte es Freude, ihn mit Weizenbrot und Sirup zu füttern, er konnte die Brotstücke selbst in die Sirupschüssel tauchen; freudig brüllend und sich auf den zottigen Füßen wiegend, schob er das Brot in den rosigen, von Zähnen starrenden Rachen und sog an seiner klebrigen, süßen Pfote; seine gutmütigen Äuglein leuchteten beglückt, und er stieß den Kopf, gegen Natalias Knie und lud sie ein, mit ihm zu spielen. Man könnte sich mit diesem lieben Tier unterhalten, es verstand schon so vielerlei.

Eines Tages gab ihm aber Alexej Schnaps zu trinken. Der betrunkene Bär tanzte, kugelte sich herum, stieg auf das Badehausdach, riss den Schornstein auseinander und begann die Ziegelsteine hinunterzurollen; es versammelte sich ein Haufen von Arbeitern, die ihm lachend zuschauten. Seitdem gab ihm Alexej zur Belustigung der Leute fast jeden Feiertag zu trinken, und das Tier gewöhnte sich das Saufen so an, dass es allen Arbeitern nachjagte, die nach Schnaps rochen und Alexej nicht über den Hof gehen ließ, ohne auf ihn loszustürzen. Man legte ihn an die Kette, er zertrümmerte jedoch seine Hütte und lief mit der Kette am Halse und einem Balken an ihrem Ende über den Hof, fuchtelte mit den Tatzen herum und schüttelte den Kopf. Man wollte ihn einfangen, er zerkratzte aber Tichon das Bein, warf den jungen Arbeiter Morosow zu Boden und verletzte Nikita, indem er ihn mit der Tatze am Schenkel packte. Alexej kam mit einem Hirschfänger dazu und rammte ihn dem Bären im vollen Lauf in den Bauch. Natalia sah aus dem Fenster, wie der Bär auf die Hinterbeine sank und mit den Pfoten winkte, als bitte er die wütend um ihn herum schreienden Menschen, um Verzeihung. Jemand schob Alexej diensteifrig eine scharfe Zimmermannsaxt in die Hände, der Schwager mit dem Spitzbart sprang hoch und schlug damit erst auf die eine, dann auf die andere Tatze los, – der Bär brüllte auf, ließ sich auf die zerhackten Füße sinken, nach rechts und nach links strömte das Blut und bildete auf der festgestampften Erde tiefrote Lachen. Das Tier gab jämmerlich brüllend den Kopf einem neuen Hieb preis, und Alexej versenkte die Axt in das Genick des Bären wie in ein Holzscheit; der Bär streckte seine Schnauze in sein Blut und die Axt saß so tief in den Knochen, dass Alexej, sich mit dem Fuß gegen den zottigen Körper stemmend, sie nur mit Mühe aus dem Schädel herausziehen konnte. Natalia war traurig um den Bären, noch trauriger aber war sie, als sie erfuhr, dass der furchtlose, geschickte immer lustige, mutwillige Schwager sich mit irgendeinem nichtigen Mädel abgab, während er sie selbst gar nicht sah.

Alle belobten ihn für seine Geschicklichkeit und seinen Mut, der Schwiegervater klopfte ihn aber auf die Schulter und rief:

»Und du sagst, du bist krank? Ach, du ...«

Nikita lief weg, und Natalia weinte so, dass ihr Mann sie erstaunt und ärgerlich fragte:

»Aber, wenn man vor dir einen Menschen tötet, – was willst du dann tun?«

Und er schrie sie an wie ein kleines Mädchen:

»Hör auf, dummes Weib!«

Es schien ihr, dass er sie schlagen wollte, und sie erinnerte sich mit verhaltenen Tränen an die erste Nacht mit ihm, – wie viel Innigkeit und Schüchternheit hatte er damals gezeigt! Es fiel ihr ein, dass er sie noch nie geprügelt hatte, wie es alle Männer sonst mit ihren Frauen tun, und sie sagte mit unterdrücktem Schluchzen:

»Verzeih, das Tier tut mir so leid.«

»Du solltest lieber mich und nicht den Bären bedauern«, erwiderte er halblaut und schon freundlicher.

Als sie sich zum ersten Mal bei der Mutter über die Strenge ihres Mannes beklagte, sagte die ihr mit Nachdruck:

»Der Mann ist die Biene, wir sind für ihn Blumen, er sammelt bei uns Honig, – das muss man verstehen und muss dulden lernen, Liebling. Die Männer herrschen über alles, sie haben mehr Sorgen, als wir, sie bauen zum Beispiel Kirchen und Fabriken. Sieh doch nur, was der Schwiegervater alles auf dem Ödland aufgebaut hat ...«

Ilja Artamonow eilte immer toller, sein Werk zu fördern und zu festigen, als ahnte er, dass die ihm gestellte Frist knapp sei. Im Mai, kurz vor dem Nikolaustag, kam der Dampfkessel für das zweite Werkgebäude an; er kam in einem Kahn, der an dem sandigen Ufer der Oka dort landete, wo das Sumpfwasser der grünen Watarakscha in sie mündete. Es stand eine schwere Arbeit bevor: Der Kessel musste etwa fünfzehnhundert Schritt weit über sandigen Boden geschleppt werden. Am Nikolaustage gab Artamonow den Arbeitern ein reichliches Feiertagsessen mit Schnaps und Bier; die Tische waren auf dem Hof gedeckt, die Frauen hatten sie mit Fichten und Birkenzweigen und mit Sträußen der ersten Frühlingsblumen geschmückt und hatten sich selbst bunt, wie Blumen, herausgeputzt. Der Hausherr saß mit seiner Familie und einigen Gästen mitten unter den alten Webern bei Tisch, wechselte mit den kecken, zungengewandten Spulerinnen gepfefferte Scherze, trank viel, pulverte die Leute kunstvoll zum Frohsinn auf und rief angeregt, sich mit der Hand durch den ergrauten Bart fahrend:

»Ach, Kinder, ist denn nicht *das* das wahre Leben?«

Man bewunderte ihn und seine Art; er fühlte es und berauschte sich noch mehr an der Freude, so zu sein, wie er war. Er strahlte und funkelte wie dieser sonnige Frühlingstag, wie die ganze festlich mit dem jungen Grün der Gräser und Blätter bekleidete Erde, die gehüllt war in den Duft der Birken und der jungen Fichten, mit ihren zum blauen Himmel emporstrebenden goldenen Kerzen. In diesem Jahr war ein zeitiger, heißer Frühling, schon blühten Faulbaum und Flieder. Alles war festlich, alles jubelte, selbst in den Menschen schien an diesem Tage ihr Bestes aufzublühen.

Der uralte Weber Boris Morosow, ein kleiner, einfältiger Greis, mit einem winzigen, im ergrauten, grünlich gewordenen Bart verborgenen Wachsgesicht, weiß und gründlich gewaschen wie ein Toter, erhob sich, stützte sich auf die Schulter seines ältesten Sohnes, eines sechzigjährigen Mannes und schrie wild, mit der knochigen, fleischlosen Hand fuchtelnd:

»Seht, ich bin neunzig Jahre alt, über neunzig, merkt es euch! War Soldat, habe Pugatschow geschlagen, habe im Pestjahr in Moskau selbst mitgemeutert, jawohl! Habe gegen Bonaparte gekämpft …!«

»Und wen hast du geküsst?«, schrie ihm Artamonow ins Ohr. Der Weber war fast taub.

»Zwei Frauen, außer den anderen. Da schau: sieben Söhne, zwei Töchter, neunzehn Enkel, fünf Urenkel, das alles habe ich euch zusammengewebt! Da sind sie, alle leben bei dir, hier sitzen sie ...«

»Gib noch was her!«, schrie Ilja.

»Es kommt noch. Ich habe drei Zaren und eine Zarin überlebt, hört ihr? Ich habe bei so vielen Herren gedient, alle sind tot, und ich lebe! Habe werstweise Leinwand gewebt. Du bist ein echter Mensch, Ilja Wasiljew, du wirst lange leben. Du bist der Herr, du liebst das Werk und das Werk liebt dich. Du tust den Menschen nicht unrecht. Du bist ein Ast von unserem Baum, lege los! Das Glück ist dir ein Eheweib und nicht nur eine Geliebte, die ein Weilchen spielt und dann verschwindet! Leg' dich mit aller Kraft ins Zeug. Bleibe gesund, Bruder, jawohl! Bleibe gesund, sage ich ...«

Artamonow nahm ihn in die Arme, hob ihn hoch, küsste ihn und rief gerührt aus:

»Ich danke dir, mein Kind! Ich mache dich zum Verwalter ...«

Die Leute brüllten und lachten laut, während der alte, betrunkene Weber, den er in die Höhe gehoben hatte, in der Luft mit seinen Skeletthänden herumschlug, kicherte und kreischte:

»Bei ihm ist alles auf seine eigene Art, alles anders ...«

Uljana Bajmakowa wischte sich, ohne jede Scham, Tränen der Rührung von den Wangen.

»Was das für eine Freude ist«, sagte ihre Tochter. Sie antwortete, sich schneuzend:

»Er ist nun mal so, – er ist vom Herrgott zur Freude erschaffen ...«

»Lernt, wie man mit den Leuten umgehen muss, ihr Burschen«, rief Artamonow seinen Kindern zu. »Schau her, Pjotr!«

Nach dem Essen räumten die Frauen die Tische weg und stimmten ihre Lieder an; die Bauern maßen ihre Kräfte, vergnügten sich mit Stockziehen und rangen. Artamonow war überall zur rechten Zeit, er tanzte und rang; man schmauste bis zum Tagesanbruch, und mit dem ersten Sonnenstrahl zogen etwa siebzig Arbeiter, mit ihrem Herrn an der Spitze, eine lärmende Schar, wie zu einem Raubzug zur Oka. Sie waren betrunken, sangen Lieder, pfiffen und trugen dicke Walzen, Eichenstangen und Stricke auf den Schultern. Hinter ihnen watschelte der alte Weber durch den Sand und murmelte Nikita zu:

»Er erreicht alles, was er will! Der? Ich wei–eiß es ...«

Das rote Ungeheuer, das an einen Stier ohne Kopf erinnerte, wurde glücklich vom Kahn auf das Ufer gebracht. Man umwickelte es mit Stricken und schleppte es, ächzend und brüllend, in gutem Einvernehmen auf Walzen über die auf den Sand gelegten Bretter; der Kessel bewegte sich wackelnd vorwärts, und es kam Nikita so vor, als tue sein runder, dummer Rachen sich erstaunt vor der fröhlichen Kraft der Menschen auf. Auch der betrunkene Vater half den Kessel ziehen und schrie voll Anstrengung:

»Langsam, he, langsam!«

Und er klopfte mit der Handfläche auf die rote Seite des eisernen Ungeheuers und redete ihm gut zu:

»Komm, lieber Kessel, komm!«

Es waren kaum noch fünfhundert Schritt bis zur Fabrik, als der Kessel besonders heftig zu wackeln begann, langsam von der vorderen Walze herabrollte und seine stumpfe Schnauze in den Sand steckte. Nikita sah, wie sein runder Rachen die Füße des Vaters mit grauem Staub anfauchte. Die Menschen umringten zornig den schweren Körper und versuchten eine Walze unterzuschieben, sie waren schon außer Atem, der Kessel klebte aber eigensinnig im Sande und schien sich, ohne ihren Bemühungen nachzugeben, immer tiefer hineinzugraben. Artamonow half, mit der Hebestange in den Händen, inmitten der Arbeiter, und rief ihnen zu:

»Jungs, packt alle auf einmal an! O–uch ...«

Der Kessel bewegte sich wie unwillig und senkte sich wieder schwer. Da sah Nikita den Vater in einer ihm fremden Gangart aus der Arbeitermenge herauskommen, auch sein Gesicht war fremd; er ging, eine Hand unter den Bart schiebend und sich an der Kehle festhaltend, und mit der andern, wie ein Blinder, in der Luft herumtastend. Der alte Weber sprang ihm nach und schrie:

»Erde! Iss Erde ...«

Nikita lief zum Vater. Der spuckte ihm mit lautem Aufstoßen Blut vor die Füße und sagte dumpf:

»Blut.«

Sein Gesicht wurde grau, die Augen blinzelten erschrocken, die Kiefern zitterten, und sein ganzer großer Körper zog sich angstvoll zusammen.

»Hast du dich verletzt?«, fragte Nikita, ihn bei der Hand packend. Der Vater wankte zu ihm hin, stieß ihn und antwortete halblaut:

»Vielleicht. Es ist eine Ader geplatzt ...«

»Iss Erde, sage ich ...«

»Lass das, geh!«

Und als Artamonow wieder reichlich Blut ausspuckte, murmelte er verdutzt:

»Wie das rinnt! Wo ist Uljana?«

Der Bucklige wollte nach Hause laufen, doch der Vater hielt ihn an der Schulter fest und scharrte, den Kopf senkend, mit den Füßen im Sand, als lauschte er dem beim zornigen Geschrei der Arbeiter kaum vernehmbaren Knirschen und Rascheln.

»Was ist das?«, fragte er und ging vorsichtig auf das Haus zu, als überschreite er auf einer Stange einen tiefen Fluss. Die Bajmakowa verabschiedete sich gerade am Hausaufgang von der Tochter, Nikita bemerkte, als sie den Vater anblickte, dass ihr schönes Gesicht sich seltsam wie ein Rad erst nach rechts und dann nach links verzog und welk wurde.

»Gebt Eis her!«, schrie sie, als der Vater sich mit ungeschickt gebogenen Beinen auf eine Stufe sinken ließ und unter Aufstoßen immer häufiger Blut spuckte. Wie im Traum vernahm Nikita Tichons Stimme:

»Eis ist Wasser; durch Wasser kann man kein Blut ersetzen ...«

»Er muss Erde kauen ...«

»Tichon, laufe, was du kannst, zum Popen ...«

»Hebt ihn auf, tragt ihn«, kommandierte Alexej. Nikita fasste den Vater am Ellenbogen, aber jemand trat ihm so heftig auf die Zehen, dass er für einen Augenblick wie blind war; gleich darauf sahen seine Augen aber noch schärfer und prägten sich mit krankhafter Gier alles ein, was die Leute in der Enge des Zimmers beim Vater und auf dem Hofe taten. Über den Hof jagte Tichon auf dem großen Rappen, den er nicht zu bändigen vermochte, das Pferd wollte nicht aus dem Tor gehen, sprang, den bösen Kopf hebend, im Kreise herum und trieb die Menschen auseinander, es scheute wohl vor der Sonne, die auf dem Himmel eine blendende Feuersbrunst entflammt hatte; – endlich war es draußen und galoppierte, vor der roten Masse des Kessels stürzte es aber zur Seite, warf Tichon ab und kehrte schnaubend und mit wehendem Schwanz auf den Hof zurück.

Jemand schrie:

»Jungs, lauft ...«

Auf dem Fensterbrett sitzt Alexej und dreht sich den dunklen Spitzbart, sein unangenehmes, nicht bäuerisches Gesicht ist abgemagert und wie mit Staub bedeckt, er blickt, über die Köpfe der Menschen hinweg, starr auf das Bett. Dort liegt der Vater und spricht mit fremder Stimme:

»Ich habe mich also geirrt. Es ist Gottes Wille. Kinder – ich befehle: Uljana ist für euch anstelle der Mutter, hört ihr? Hilf ihnen um Christi willen, Ulja! Ach! Schickt die Fremden aus der Stube ...«

»Schweige still«, stöhnte die Bajmakowa gedehnt und kläglich und steckte ihm Eisstückchen in den Mund. »Es gibt hier keine Fremden.«

Der Vater schluckt Eis und sagt unschlüssig seufzend:

»Ihr seid nicht Richter über meine Sünde, sie aber ist unschuldig. Natalia, ich war mit dir streng. Nun, das tut nichts. Ich brauche eben Jungen. Petrucha, Aljoscha, seid einig! Seid freundlicher zu den Leuten. Es ist gutes Volk. Ausgesuchte Menschen. Aljoscha, heirate diese, deine … es macht nichts!«

»Väterchen, verlass uns nicht«, bittet Pjotr, niederkniend. Alexej stößt ihn aber in den Rücken und flüstert:

»Was fällt dir ein? Ich glaube es nicht ...«

Natalia zerkleinert mit einem Küchenmesser Eis in einer Messingschüssel. Die krachenden Schläge werden vom Klingen des Metalls und von Natalias Schluchzen begleitet. Nikita sieht ihre Tränen auf das Eis fallen. Ein gelber Sonnenstrahl ist ins Zimmer gedrungen, wird vom Spiegel zurückgeworfen und zittert als formloser Fleck an der Wand, in dem Bestreben, die Gestalten der roten Chinesen mit den langen Schnurrbärten von der wie der Nachthimmel blauen Tapete wegzuwischen.

Nikita steht am Fußende des Bettes und wartet, dass der Vater sich seiner erinnere. Die Bajmakowa kämmt Iljas dichtes, krauses Haar, oder sie wischt ihm mit einer Serviette bald das unablässig aus dem Mundwinkel herabsickernde Blut, bald die Schweißtropfen von der Stirn und den Schläfen ab; sie flüstert ihm etwas in die getrübten Augen, sie flüstert es heiß wie ein Gebet; er aber legt die eine Hand auf ihre Schulter, die andere auf das Knie und formt mit der schweren Zunge die letzten Worte:

»Ich weiß. Christus erlöse dich! Beerdigt mich auf unserem eigenen Kirchhof, nicht in der Stadt. Ich will nicht dorthin, zu ihnen ...«

Und er flüsterte mit großer, flammender Trauer:

»Ach, ich habe mich geirrt, mein Gott … Ich habe mich geirrt ...«

Es kam der große, untersetzte Geistliche, mit einem Christusbart und mit traurigen Augen:

»Warte, Vater«, sagte Artamonow und wandte sich wieder an die Kinder:

»Kinder, teilt das Gut nicht! Seid einig! Das Werk verträgt keine Feindschaft. Pjotr, du bist der Älteste, du trägst die Verantwortung für alles, hörst du? Geht hinaus ...«

»Nikita ...«, erinnerte die Bajmakowa.

»Habt Nikita lieb! Wo ist er? Geht! Später ... Auch Natalia ...«

Er starb am Nachmittag an Verblutung, als die Sonne noch freundlich strahlend im Zenit stand. Er lag mit erhobenem Kopf und besorgt gerunzeltem, wächsernem Gesicht da, und die nicht fest geschlossenen Augen schienen sinnend auf die breiten, demütig auf der Brust gefalteten Hände zu schauen.

Es kam Nikita vor, als ob alle im Hause durch diesen Tod weniger gekränkt und erschreckt als überrascht waren. Dieses stumpfe Staunen fühlte er in allen, bis auf die Bajmakowa; die saß schweigend, ohne Tränen, beim Verschiedenen, als wäre sie erfroren und für alles taub; sie hielt die Hände auf den Knien und blickte unablässig in das steinerne, vom Schnee des Bartes umrahmte Antlitz.

Pjotr erschien jetzt größer und sprach in überflüssiger, unpassender Weise viel zu laut, wenn er das Zimmer betrat, in dem der Vater lag und in dem Nikita abwechselnd mit einer dicken Nonne Klagegesänge aus dem Psalmenbuch vorlas. Pjotr warf einen fragenden Blick auf das Gesicht des Vaters, bekreuzte sich, ging nach zwei, drei Minuten vorsichtig wieder hinaus, und bald darauf tauchte seine stämmige Gestalt im Garten und im Hof auf, wo er etwas zu suchen schien.

Alexej war eifrig mit den Vorbereitungen zum Leichenbegängnis beschäftigt, ritt im Galopp in die Stadt, lief, wenn er heimkam, in die Stube und befragte Uljana nach den Vorschriften für Beerdigung und Leichenfeier. »Warte noch«, sagte sie, und Alexej verschwand verschwitzt und müde. Dann kam Natalia und bot der Mutter schüchtern und mitleidig Tee und Essen an. Sie hörte ihr aufmerksam zu und sagte:

»Warte noch.«

Nikita hatte bei Lebzeiten des Vaters nicht gewusst, ob er ihn liebte, er hatte ihn nur gefürchtet, obwohl diese Furcht ihn nie daran hinderte, die leidenschaftliche Tätigkeit dieses Menschen zu bewundern, der zu ihm unfreundlich war und der kaum zu merken schien, ob der bucklige Sohn noch lebte.

Jetzt glaubte Nikita aber, dass er als einziger den Vater auf die richtige Weise innig geliebt hatte; er war von tiefer Trauer erfüllt, als wäre ihm durch den plötzlichen Tod dieses starken Menschen eine grausame und rohe Kränkung angetan worden; diese Trauer und die Kränkung benahmen ihm fast den Atem. Er saß in der Ecke auf einem Koffer, wartete, bis die Reihe, aus dem Psalter zu lesen, an ihn kam, wiederholte im Geiste die bekannten Worte der Psalmen und blickte um sich. Das Zimmer war von warmem Dunkel erfüllt, in dem die Wachskerzen wie gelbliche, lebendige Blumen zitterten. An den Wänden reihten sich die Chinesen mit den langen Schnurrbärten kunstvoll aneinander und trugen auf Schulterstangen Teekisten, auf jedem Tapetenstreifen befanden sich achtzehn Chinesen, je zwei in einer Reihe, die Reihen stiegen abwechselnd zur Zimmerdecke hinauf und wieder herab. Auf die Wand fiel öliger Mondschein, in dem die Chinesen unternehmender erschienen und rascher hinauf- und herabstiegen.

Plötzlich vernahm Nikita durch das eintönige Hinströmen der Psalmenworte hindurch die halblaute, hartnäckige Frage:

»Ist er denn wirklich gestorben? Herrgott?«

Das war Uljana, und ihre Stimme klang so erschütternd kummervoll, dass die Nonne im Lesen innehielt und schuldbewusst antwortete:

»Er ist gestorben, Mütterchen, er ist nach Gottes Willen gestorben ...«

Das war nicht zu ertragen. Nikita erhob sich und verließ geräuschvoll das Zimmer; er war über die Nonne aufgebracht und nahm dieses hässliche und beschwerende Gefühl mit.

Am Tor saß Tichon auf einer Bank; er brach mit den Fingern von einem großen Holzstück kleine Späne ab, steckte sie in den Sand und trieb sie durch Fußstöße immer tiefer hinein, bis sie unsichtbar wurden. Nikita setzte sich neben ihn und sah schweigend seiner Arbeit zu; sie erinnerte ihn an den unheimlichen Stadtnarren Antonuschka: Dieser zottige Bursche, dessen eines Bein im Knie ausgerenkt war, und der ein dunkles Gesicht und die runden Augen eines Uhus hatte, zeichnete mit dem Stock Kreise in den Sand, um deren Mittelpunkt er aus Spänen und Gerten Käfige verfertigte; sowie er aber etwas fertig gebaut hatte, zertrat er es mit dem Fuß und scharrte Sand und Staub darüber, wobei er näselnd sang:

»Chiristus ist erstanden, ist erstanden!
Der Reisewagen hat ein Rad verloren.
Butyrma, eia popeia, bustarma,
Eia, eia popeia, Chiristus.«

»Ja, das ist so eine Sache, nicht?«, sagte Tichon, schlug sich auf den Hals und tötete eine Mücke; darauf wischte er sich die Hand am Knie ab, sah auf den an einem Weidenzweig über dem Fluss hängengebliebenen Mond und ließ dann seine Augen auf dem massigen Körper des Kessels ruhen.

»In diesem Jahr kommen die Mücken früh zur Welt«, fuhr er ruhig fort. »Ja, die Mücke lebt, aber ...«

Der Bucklige ließ ihn aus irgendeiner Angst heraus nicht zu Ende sprechen und erinnerte ihn ärgerlich:

»Du hast ja die Mücke getötet!«

Und er verließ eilig den Hausknecht. Da er aber nicht wusste, wohin er sollte, erschien er nach einigen Minuten wieder im Zimmer des Vaters, löste die Nonne ab und begann zu lesen. Seine Trauer ergoss sich in die Worte der Psalmen, er hörte Natalia nicht hereinkommen, und plötzlich ertönte hinter seinem Rücken ihre leise Stimme. Er fühlte stets, wenn sie in seiner Nähe war, er könnte etwas Ungewöhnliches und vielleicht Furchtbares sagen oder tun, und er fürchtete selbst in dieser Stunde, es könnte ihm gegen seinen Willen etwas entschlüpfen. Mit geneigtem Kopf und erhobenem Buckel senkte er die versagende Stimme, und jetzt strömten zugleich mit den Versen des neunten Psalterabschnitts die von zwei schluchzenden Stimmen gesprochenen Worte hin:

»Ich habe ihm das Kreuz vom Körper abgenommen, ich werde es tragen.«

»Liebe Mutter, auch ich bin ja einsam!«

Nikita erhob wieder die Stimme, um dieses hintropfende Geflüster zu übertönen und es nicht zu hören; er lauschte aber trotzdem.

»Der Herr hat die Sünde nicht dulden wollen ...«

»Ich bin allein im fremden Nest ...«

»Wohin wandle ich vor deinem Antlitz und wohin fliehe ich vor deinem Zorn?«, sang Nikita gewissenhaft den Aufschrei der Furcht und der Verzweiflung, während sein Gedächtnis ihm einen traurigen Spruch zuflüsterte:

»Ohne Liebe leidest du sehr, doch mit Liebe umso mehr.« Und er fühlte verlegen, dass Natalias Kummer für ihn ein Hoffnungsstrahl des Glückes war.

Des Morgens kamen in einer Droschke Barski und der Bürgermeister Jakow Shitejkin, ein Mensch mit leeren Augen, der den Spitznamen »der nicht Gargebackene« trug; er war rundlich und schien tatsächlich aus rohem Teig verfertigt zu sein. Sie traten vor den Verstorbenen, verneigten sich vor ihm, und jeder von ihnen blickte ängstlich und misstrauisch in das dunkle Antlitz. Auch sie waren durch Artamonows Tod sichtlich erschüttert. Darauf sprach Shitejkin mit scharfer, beißender Stimme zu Pjotr:

»Man sagt, dass Sie den Vater auf Ihrem eigenen Kirchhof bestatten wollen. Ist es so oder nicht? Pjotr Iljitsch, das wäre für uns, für die Stadt, eine Kränkung, als ob Sie mit uns nicht verkehren und nicht Freundschaft pflegen wollten. Ist es so oder nicht?«

Alexej flüsterte dem Bruder zähneknirschend zu:

»Jag' sie hinaus!«

»Gevatterin«, ließ Barski seine Stimme ertönen und bedrängte Uljana. »Das geht doch nicht? Es wäre eine Beleidigung!«

Shitejkin fragte Pjotr aus:

»Hat Ihnen nicht der Pope Gleb dazu geraten? Nein, ändern Sie das ab! Ihr Vater war der erste Fabrikant des Umkreises, der Gründer eines neuen Werkes, eine Persönlichkeit und eine Zierde der Stadt. Sogar der Isprawnik wundert sich und hat gefragt, ob Sie rechtgläubig sind?«

Er sprach unaufhörlich und ohne Pjotrs Versuche, seine Rede zu unterbrechen, zu beachten, doch als Pjotr endlich darauf hinwies, es wäre der Wille des Vaters, beruhigte Shitejkin sich auf einmal.

»Ob es so ist oder nicht, wir kommen jedenfalls zur Beerdigung.«

Und es wurde allen klar, dass das von ihm Vorgebrachte gar nicht der Grund seines Kommens war. Er begab sich in die Zimmerecke, wo Barski Uljana an die Wand gedrängt hatte und ihr etwas zuflüsterte. Doch bevor Shitejkin herangekommen war, rief Uljana:

»Du bist ein Dummkopf, Gevatter, geh!«

Ihr zitterten die Lippen und Augenbrauen, und sie sagte mit hochmütig erhobenem Kopf zu Pjotr:

»Diese beiden und dann noch Pomialow und Woroponow bitten mich, euch Brüdern zuzureden, dass ihr ihnen das Werk verkauft. Sie bieten mir für meine Hilfe Geld an ...«

»Geht hinaus, meine Herrschaften!«, sagte Alexej und wies auf die Tür.

Shitejkin schob hüstelnd und lächelnd Barski zur Türe und stieß ihn am Ellbogen, während die Bajmakowa sich weinend und klagend auf den Koffer sinken ließ.

»Sie wollen die Erinnerung an den Mann auslöschen ...«

Alexej sagte feierlich und böse, mit einem Blick auf Artamonows Gesicht.

»Ich will lieber schlechter sein als diese da, aber nur nicht so leben wie sie! Eher renne ich mir den Schädel ein.«

»Sie haben sich für die Unterhandlungen die richtige Zeit ausgesucht«, brummte Pjotr und schielte auch nach dem Vater hin.

Natalia kam auf Nikita zu und fragte ihn leise:

»Und warum schweigst du?«

Er war gerührt, dass man seiner gedacht hatte und erfreut, dass es Natalia war. Er sagte leise, ohne ein freudiges Lächeln zu unterdrücken:

»Was soll ich denn anfangen? ... Wir beide ...«

Doch sie hatte sich sinnend von ihm abgewandt.

Bei Ilja Artamonows Leichenbegängnis erschienen fast alle angesehenen Leute der Stadt, auch der Isprawnik kam, ein großer, magerer Mensch, mit nacktem Kinn und grauem Backenbart; er schritt, majestätisch hinkend, neben Pjotr durch den Sand und sagte zu ihm zweimal die gleichen Worte:

»Der Verstorbene war mir von seiner Erlaucht, dem Fürsten Georgi Ratski, warm empfohlen worden und hat diese Empfehlung vollkommen gerechtfertigt.«

Bald darauf erklärte er Pjotr:

»Es ist schwer, Leichen bergauf zu tragen!«

Mit diesem Worte drängte er sich seitlich aus der Menge hinaus, pflanzte sich mit fest aufeinandergepressten rasierten Lippen im Schatten einer Fichte auf und ließ den Haufen der Städter und Arbeiter, wie Soldaten bei einer Parade, an sich vorbeiziehen.

Es war ein strahlender Tag, die Sonne beleuchtete gütig inmitten saftiger gelber und grüner Flecken die bunte Menschenmenge; die kroch langsam zwischen zwei Sandhügeln auf einen dritten hinauf, der schon mit mehr als einem Dutzend von in den blauen Himmel ragenden Kreuzen geschmückt war, die von den breiten Tatzen einer krummen, alten Fichte beschirmt wurden. Der Sand funkelte wie Diamantensplitter und knirschte unter den Füßen der Menschen; über ihren Köpfen schwebte der tiefe Gesang der Popen, hinter allen andern ging stolpernd und springend der Narr Antonuschka; er sah mit runden Augen ohne Brauen vor seine Füße, bückte sich, las dünne Zweige von der Straße auf, schob sie sich hinter den Brustlatz und sang durchdringend:

»Chiristus ist erstanden, ist erstanden,
Der Reisewagen hat ein Rad verloren ...«

Die frommen Leute schlugen ihn und verboten ihm das zu singen, und jetzt drohte der Isprawnik ihm mit dem Finger und rief:

»Ruhig, Narr ...«

Antonuschka war in der Stadt nicht beliebt, er war ein Mordwine oder Tschuwasche, und man glaubte nicht recht daran, dass er durch den Willen Christi blödsinnig sei, doch fürchtete man ihn, da man ihn für einen Unglücksverkünder hielt, und als er während der Leichenfeier auf Artamonows Hof erschien, zwischen den Tischen herumging und sinnlose Worte ausstieß:

»Kujatyr, kujatyr, der Teufel ist auf dem Glockenturm ei, ei, es wird regnen, es wird nass sein, Kajamas weint und ist schwarz!«, flüsterten manche scharfsinnigen Gäste einander zu:

»Nun, das bedeutet, dass die Artamonows kein Glück haben werden!«

Pjotr fing dieses Flüstern auf. Nach einer Weile sah er, dass Tichon Wialow den Narren in einer Hofecke festhielt, und er hörte die ruhigen, aber forschenden Fragen des Hausknechts:

»Was heißt das: Kajamas? Du weißt nicht? So. Geh fort! Nun, geh nur ...«

Rasch wie ein bergab rasender, trüber, herbstlicher Strom glitt ein Jahr vorbei; es ereignete sich nichts Besonderes, nur wurde Uljana Bajmakowa ganz grau, und das Alter meißelte in ihre Schläfen seine traurigen, feinen Strahlen ein. Alexej hatte sich merklich verändert, er war sanfter und freundlicher geworden, zugleich hatte sich in ihm aber eine unangenehme Hastigkeit entwickelt, es war, als peitschte er alle mit seinen lustigen Scherzen und scharfen Worten, am meisten beunruhigte jedoch Pjotr sein pietätloses Verhältnis zur Arbeit: Er schien mit dem Werk ebenso zu spielen, wie er mit dem Bären gespielt hatte, den er nachher selbst tötete. Auch hatte er eine seltsame Vorliebe für herrschaftliche Gebrauchsgegenstände: Außer der von der Bajmakowa geschenkten Uhr tauchten in seinem Zimmer allerlei unnötige, aber hübsche Dinge auf, und an der Wand hing ein mit Perlen gesticktes Bild – ein Mädchenreigen. Alexej war sparsam, – weshalb gab er also Geld für unnötige Dinge aus? Er begann sich auch modern und kostspielig zu kleiden. Er pflegte seinen dunklen Spitzbart, rasierte sich die Wangen und verlor immer mehr das Einfache und Bäurische. Pjotr fühlte in seinem Vetter etwas Fremdes, Unklares; er beobachtete ihn unmerklich mit immer wachsendem Misstrauen. Pjotrs Verhältnis zum Werk war ebenso vorsichtig und ängstlich, wie das zu den Menschen. Er hatte sich einen langsamen Gang angewöhnt und schlich sich mit zusammengekniffenen Bärenaugen an die Arbeit heran, als erwartete er, sie könnte ihm entschlüpfen. Von den geschäftlichen Sorgen ermüdet, fühlte er sich manchmal von einer besonderen, unruhigen Missstimmung wie von einer kalten Wolke umfangen, und in diesen Stunden erschien ihm das Werk als ein steinernes, aber lebendiges Tier, das auf der Erde kauert und sie mit seinen Schatten wie mit Flügeln umfängt. Es hebt seinen Schwanz und hat eine stumpfe, furchtbare Schnauze; bei Tag schimmern die Fenster wie Zähne, an den Winterabenden sind sie aus Eisen und glühen rot vor Wut. Und es scheint ihm, dass das eigentliche, verborgene Bestreben des Werkes nicht darin besteht, werstweise Leinwand zu weben, sondern in etwas anderem, das Pjotr Artamonow feindselig ist.

Ein Jahr nach dem Sterbetag des Vaters versammelte sich die ganze Familie nach der Totenmesse auf dem Kirchhof in Alexejs hübschem, hellem Zimmer, und er sagte erregt:

»Es war der letzte Wille des Vaters, dass wir einig bleiben; so soll es auch sein, – denn wir sind hier wie in der Gefangenschaft.«

Nikita bemerkte, dass die neben ihm sitzende Natalia den Schwager erstaunt anblickte und zusammenzuckte. Der fuhr aber sehr sanft fort:

»Wir dürfen einander bei aller Freundschaft nicht stören. Die Arbeit ist die gleiche für alle, jeder von uns hat aber sein eigenes Leben. Stimmt das?«

»Was weiter?«, fragte Pjotr vorsichtig und blickte über den Kopf des Bruders hinweg.

»Ihr alle wisst, dass die junge Orlowa meine Geliebte ist. Jetzt will ich mich mit ihr trauen lassen. Weißt du noch, Nikita, – sie war die einzige, die Mitleid mit dir hatte, als du ins Wasser fielst?«

Nikita nickte. Er saß fast zum ersten Mal so nahe bei Natalia, und das war so schön, dass er weder sich bewegen, noch sprechen und das, was die andern sprachen, anhören wollte. Und als Natalia aus irgendeinem Gründe zusammenfuhr und ihn leise mit dem Ellenbogen anstieß, lächelte er und blickte unter den Tisch auf ihre Knie.

»Ich glaube, sie ist mir vom Schicksal bestimmt«, sagte Alexej. »Ich kann mit ihr ja anders leben. Ich will sie nicht ins Haus bringen, ich fürchte, ihr würdet euch mit ihr nicht vertragen.«

Uljana Bajmakowa hob die gesenkten, von schwerer Trauer erfüllten Augen und half Alexej:

»Ich kenne sie gut! Sie kann so schöne Handarbeiten machen wie selten jemand. Sie liest und schreibt. Sie hat ihren Vater, den Trunkenbold, und sich selbst von kleinauf erhalten. Aber sie ist von besonderer Art: Natalia würde sich mit ihr vielleicht nicht vertragen.«

»Ich vertrage mich mit allen Menschen«, bemerkte Natalia beleidigt. Pjotr blickte sie von der Seite an und sagte zu Alexej:

»Das ist wirklich nur deine Sache.«

Alexej wandte sich an die Bajmakowa mit dem Vorschlag, ihm ihr Haus zu verkaufen.

»Wozu brauchst du es?«

Pjotr unterstützte ihn:

»Du musst bei uns wohnen.«

»Nun, ich will gehen und Olga alles mitteilen«, sagte Alexej.

Als er fort war, schlug Pjotr Nikita auf die Schulter und fragte:

»Was hast du, schläfst du? Worüber denkst du nach?«

»Alexej handelt richtig ...«

»Glaubst du? Wir wollen sehen. Und was meinst du, Mütterchen?«

»Es ist sicher gut, dass sie sich trauen lassen, wer weiß aber, wie sie leben werden. Sie hat etwas Besonderes an sich. Wie eine Närrin.«

»Ich bedanke mich für solche Verwandtschaft«, sagte Pjotr lächelnd.

»Vielleicht ist das, was ich sage, nicht richtig«, meinte Uljana und schien ins Dunkel zu blicken, wo alles wirr schwankte und vom Auge nicht erfasst werden konnte. »Sie ist schlau, ihr Vater besaß viele Sachen, die hat sie bei mir versteckt, damit der Vater sie nicht vertrinken konnte. Aljoscha schleppte sie des Nachts zu mir und dann tat ich so, als ob ich sie ihm schenkte. Alles, was der hat, gehört ihr, es ist ihre Mitgift. Es sind teure Sachen darunter. Ich mag Olga nicht besonders, und doch ist sie eigenartig.«

Pjotr wandte der Schwiegermutter den Rücken und sah aus dem Fenster. Im Garten plapperten die Stare und ahmten alles Erdenkliche nach. Ihm fielen Tichons Worte ein:

»Ich mag die Stare nicht, sie erinnern an Teufel.« – Dieser Tichon ist ein dummer Mensch, er fällt nur darum auf, weil er so dumm ist.

Die Bajmakowa erzählte leise, ungerne und sichtlich mit anderen Gedanken beschäftigt, wie Olga Orlowas Mutter, eine liederliche Gutsbesitzerin, mit Orlow noch zu Lebzeiten ihres Mannes in Beziehungen getreten war und etwa fünf Jahre mit ihm gelebt hatte.

»Er ist ein geschickter Mensch, er hat Möbel gemacht und Uhren repariert, er hat Holzfiguren geschnitzt. Eine davon habe ich aufgehoben, eine nackte Frau, – Olga hält sie für das Porträt ihrer Mutter. Sie haben beide getrunken. Und als ihr Mann starb, ließen sie sich trauen. Sie ertrank noch im selben Jahr beim Baden, weil sie betrunken war ...«

»So können also Menschen lieben«, sagte plötzlich Natalia. Diese unpassenden Worte veranlassten Uljana, die Tochter vorwurfsvoll anzublicken. Pjotr bemerkte aber lächelnd:

»Es war nicht von der Liebe, sondern vom Trinken die Rede ...«

Alle schwiegen. Nikita, der Natalia beobachtete, sah, dass die Worte der Mutter sie aufregten; sie zupfte krampfhaft mit den Fingern an den Tischtuchfransen, und ihr schlichtes, gutes Gesicht errötete und wurde fremd und zornig.

Als Nikita nach dem Abendbrot im Fliederdickicht des Gartens unter dem Fenster von Natalias Zimmer saß, hörte er über seinem Kopfe Pjotr nachdenklich sagen:

»Alexej ist geschickt. Er ist klug.«

Und sogleich ertönte Natalias Aufschrei, der ins Herz schnitt:

»Ihr seid alle klug. Nur *ich* bin dumm. Er hat richtig gesagt: Wir sind in der Gefangenschaft! Ich bin es, die bei euch in der Gefangenschaft lebt ...«

Nikita erstarrte vor Angst und vor Mitleid. Er hielt sich mit beiden Händen an der Bank fest, eine ihm unbekannte Macht hob ihn und stieß ihn irgendwohin, und dort, über ihm, ertönte immer lauter die Stimme der geliebten Frau und erregte in ihm heiße Hoffnungen.

Natalia flocht sich den Zopf, als Pjotrs Worte in ihr plötzlich ein böses Feuer entzündeten. Sie lehnte sich an die Wand und presste mit dem Rücken die Hände fest, die schlagen und etwas zerreißen wollten; sie erstickte an ihren Worten, schluchzte kurz auf und sprach, ohne sich selbst und die Zwischenrufe des erstaunten Mannes zu hören, – sie sprach davon, dass sie im Hause fremd sei, dass niemand sie liebe, dass sie lebe wie ein Dienstbote.

»Du liebst mich nicht, du sprichst mit mir über gar nichts, du stürzst dich nur wie ein Stein auf mich, das ist alles! Warum liebst du mich nicht? Bin ich denn nicht dein Weib? Sag, was ist an mir schlecht! Hast du nicht gesehen, wie meine Mutter deinen Vater geliebt hat? Mein Herz wollte mir manchmal vor Neid aus dem Leibe springen ...«

»Liebe mich doch ebenso«, entgegnete Pjotr. Er saß auf dem Fensterbrett und betrachtete das verzerrte Gesicht seiner Frau im Dunkel der Ecke. Er fand ihre Worte dumm, er fühlte und begriff aber mit Staunen, dass ihr Kummer berechtigt und vernünftig sei. Und das Ärgste an diesem Kummer war, dass er die Gefahr eines anhaltenden Wirrwarrs, neue Sorgen und Aufregungen heraufbeschwor, es gab aber ohnedies genug Sorgen.

Die weiße, armlose Gestalt der Frau im Nachthemd zitterte und schwebte und drohte zu verschwinden. Bald flüsterte Natalia, bald schrie sie auf, als wäre sie auf einer Schaukel, als fliege sie nach oben und fiele hin.

»Sieh nur, wie Alexej seine Olga liebt ... Und es ist leicht, *ihn* zu lieben, er ist lustig, kleidet sich wie ein feiner Herr. Aber wie bist du? Du gehst unfreundlich herum, lachst nie. Mit Alexej würde ich wie ein Herz und eine Seele leben; ich wagte aber niemals, auch nur ein Wort mit ihm zu wechseln, du hast deinen Buckligen als Wächter bei mir angestellt, dieses verschlagene Scheusal, absichtlich ...«

Nikita erhob sich. Er ging mit gesenktem Kopf, wie vernichtet in die Tiefe des Gartens, und schob die ihn an den Schultern streifenden Baumzweige mit den Händen beiseite.

Auch Pjotr erhob sich, ging auf seine Frau zu, packte sie bei den Scheitelhaaren, bog ihr den Kopf zurück und sah ihr in die Augen:

»Mit Alexej?«, fragte er halblaut, mit tiefer Stimme. Er war über die Worte seiner Frau derart erstaunt, dass er ihr nicht zu zürnen vermochte und sie nicht schlagen wollte; er wurde sich immer klarer dessen bewusst, dass sie die Wahrheit sprach: Sie führte ein langweiliges Leben. Langeweile war etwas, das er verstand. Aber man musste sie ja beruhigen, und um das zu erreichen, schlug er sie mit dem Hinterkopf gegen die Wand und fragte leise:

»Was hast du gesagt, du Närrin, he? Mit Alexej?«

»Lass los, lass los – ich schreie sonst ...«

Er fasste sie mit der andern Hand bei der Kehle, die er zusammenpresste, Natalias Gesicht rötete sich sogleich, sie röchelte.

»Nichtswürdige«, sagte Pjotr, sie an die Wand drückend und wandte sich weg. Auch sie wankte von der Wand fort und ging an ihm vorbei zur Wiege; das Kind greinte schon lange. Es schien Pjotr, als wäre die

Frau über ihn hinweggeschritten. Vor ihm schwankte ein dunkelblaues Stück Himmel und sprangen die Sterne herum. Seine Frau saß seitlich neben ihm, er brauchte nur mit der Hand auszuholen, um sie, ohne aufzustehen, ins Gesicht zu schlagen. Ihr Gesicht war stumpf und hölzern, aber über die Wangen rannen langsam und träge die Tränen. Sie gab dem Mädchen die Brust, blickte durch die glasige Tränenhülle in die Ecke, ohne zu merken, dass es dem Kind schwerfiel, zu saugen; die horizontal gerichtete Brustwarze entglitt seinen Lippen, das Kind schmatzte greinend in die Luft und drehte das Köpfchen hin und her. Pjotr raffte sich auf, wie nach einem nächtlichen Alp, und sagte:

»Halt' die Brust richtig! Siehst du denn nicht!«

»Ich bin wie eine Fliege im Hause«, murmelte Natalia, »wie eine Fliege ohne Flügel.«

»Auch ich bin ja allein; es gibt doch nicht zwei Pjotr Artamonows.«

Er fühlte dunkel, dass er nicht das sagte, was er wollte, und dass in seinen Worten sogar eine gewisse Unwahrheit enthalten war. Um sie zu beruhigen und die Gefahr abzuwenden, musste aber gerade die einfache, unwiderlegbar klare Wahrheit gesagt werden, die sie sofort verstehen und der sie sich unterordnen musste, ohne ihn mit ihren dummen Klagen, mit Tränen und all den Frauendingen zu belästigen, die sie bis dahin nicht an sich gehabt hatte. Als er sah, wie nachlässig und ungeschickt Natalia die Kleine niederlegte, sagte Pjotr:

»Ich habe zu tun! Das Werk leiten bedeutet mehr, als Korn säen und Kartoffeln pflanzen. Das ist eine Aufgabe! Und was hast du im Kopfe?«

Zuerst hatte er streng und eindringlich gesprochen und sich bemüht, jener unfassbaren Wahrheit näherzukommen; doch sie entglitt ihm, und seine Stimme klang beinahe klagend:

»Das Werk ist keine einfache Sache«, wiederholte er und fühlte, dass seine Worte versiegten, und dass er nichts mehr zu sagen hatte. Natalia schwieg und schaukelte, ihm den Rücken zuwendend, die Wiege. Er wurde durch Tichon Wialows ruhige, halblaute Stimme erlöst.

»Pjotr Iljitsch, hallo!«

»Was willst du?«, fragte er, ans Fenster tretend.

»Komm mal heraus«, sagte der Hausknecht hartnäckig.

»Der Flegel!«, brummte Pjotr und warf seiner Frau vor: »Da siehst du! Man hat nicht einmal des Nachts Ruhe, und du lässt dich so gehen ...«

Tichon empfing ihn mit blinzelnden Augen, ohne Mütze, beim Hauseingang, betrachtete den hell vom Mond erleuchteten Hof und sagte leise:

»Ich habe soeben Nikita Iljitsch aus der Schlinge gezogen ...«

»Was? Wo?«

Als sinke er in den Boden, ließ sich Pjotr auf eine Treppenstufe gleiten.

»Setz dich nicht erst, wir müssen zu ihm gehen. Er verlangt nach dir ...«

Pjotr fragte flüsternd, ohne aufzustehen:

»Was hat er denn? Wie?«

»Jetzt ist er bei Besinnung; ich habe ihn mit Wasser begossen. Komm!«

Tichon hob den Herrn am Ellenbogen auf und führte ihn in den Garten.

»Er hat sich im Flur des Badehauses alles zurechtgemacht, hat am Boden, am Dachstuhlsparren eine Schlinge angebracht – und hat's dann getan ...«

Pjotr schien an die Erde anzuwachsen und wiederholte:

»Was bedeutet das? Sollte es aus Trauer um den Vater sein?«

Auch der Hausknecht blieb stehen:

»Es war schon so weit mit ihm, dass er ihre Hemden küsste ...«

»Was für Hemden? Was fällt dir ein?«

Pjotr betastete mit den bloßen Füßen die Erde und betrachtete den Hund des Hausknechts, der aus dem Gesträuch aufgetaucht war und ihn schwanzwedelnd und fragend ansah. Er fürchtete sich, zu Nikita zu gehen; er fühlte sich ganz ausgepumpt und wusste nicht, was er ihm sagen sollte.

»Ach, ihr lebt ohne Augen«, brummte Tichon. Pjotr schwieg und wartete, ob er noch etwas sagen würde.

»Ihre Hemden – die Hemden von Natalia Jewsejewna, hingen hier zum Trocknen ...«

»Warum hat er denn ... Warte!«

Pjotr stieß den Hund mit dem Fuß weg und stellte sich Nikitas kleine, bucklige Gestalt beim Küssen eines Frauenhemdes vor; das war einerseits komisch und zwang ihn andererseits voll Ekel auszuspucken. Aber sogleich überfiel und betäubte ihn ein brennender Zweifel; er packte Tichon bei den Schultern, schüttelte ihn und fragte durch die Zähne:

»Haben sich die beiden geküsst? Hast du was gesehen, wie?«

»Ich sehe alles. Natalia Jewsejewna weiß gar nichts davon.«

»Du lügst!«

»Welchen Grund hätte ich zu lügen? Ich erwarte von dir keine Belohnung.«

Und als schlüge er mit der Axt eine Lichtung durch das Dunkel, erzählte Tichon seinem Herrn in wenigen Worten von Nikitas Unglück. Pjotr begriff, dass Tichon die Wahrheit sprach; er hatte sie schon längst aus den Blicken der blauen Augen seines Bruders, aus den von ihm Natalia erwiesenen Diensten, aus seiner unmerklichen, aber steten Sorge um sie erraten.

»So–o«, flüsterte er und dachte laut: »Ich bin nie dazu gekommen, das zu verstehen.«

Dann stieß er Tichon vorwärts und sagte:

»Komm!«

Er wollte nicht als erster Nikitas Blick ertragen, und als er durch die niedrige Tür des Badehauses trat und Nikita in der Dunkelheit noch nicht erkennen konnte, fragte er mit zitternder Stimme hinter Tichons Rücken:

»Was machst du da, Nikita?«

Der Bucklige antwortete nicht. Er war auf der Bank am Fenster kaum zu sehen, trübes Licht fiel ihm auf den Leib und die Beine. Später unterschied Pjotr, dass Nikita den Buckel an die Wand lehnte und mit gesenktem Kopf dasaß, sein Hemd war vom Kragen bis zum Saum zerrissen und nass und klebte an seinem Vorderbuckel; auch das Kopfhaar war nass, und auf dem Backenknochen befand sich ein dunkler Stern, von dem blutunterlaufene Strahlen ausgingen.

»Blut? Du hast dich verletzt?«, fragte Pjotr flüsternd.

»Nein, ich habe ihn in der Eile ein wenig gestoßen«, antwortete Tichon unnötig laut und trat beiseite. Es war unheimlich, Nikita nahezukommen. Pjotr lauschte seinen eigenen Worten, als wären es fremde, er riss sich am Ohr, klagte und machte Vorwürfe:

»So eine Schande. Es ist gegen Gott, Nikita! Ach, du ...«

»Ich weiß!«, antwortete Nikita heiser, gleichfalls mit fremder Stimme. »Ich habe es nicht länger ertragen können. Lass mich fort. Ich gehe in ein Kloster. Hörst du? Ich bitte dich von ganzer Seele ...«

Er hustete pfeifend und verstummte ...

Pjotr war bewegt. Er machte ihm wieder leise, freundliche Vorwürfe und sagte endlich:

»Was Natalia betrifft, hat dich sicher der Teufel verwirrt ...«

»Ach, Tichon«, schrie Nikita mit heulender Stimme und ächzte schmerzlich. »Ich hatte dich doch gebeten zu schweigen, Tichon! Um Christi willen, sag' es doch wenigstens ihr nicht! Sie lacht mich ja aus und wird beleidigt sein! Habt doch Mitleid mit mir! Ich will ja mein ganzes Leben lang Gott für euch dienen. Sprecht nicht davon! Sprecht niemals davon! Tichon, das geht alles von dir aus! Ach, was bist du für ein Mensch ...«

Er murmelte und hielt den Kopf unnatürlich gerade, ohne ihn zu bewegen. Auch das wirkte unheimlich. Tichon sagte:

»Ich hätte auch geschwiegen, wenn sich das nicht ereignet hätte. Von mir soll sie nichts erfahren ...«

In immer mehr wachsender Bewegung, die ihn selbst verlegen machte, erklärte Pjotr fest:

»Ich verspreche es dir angesichts des Kreuzes, sie wird nichts erfahren!«

»Nun, ich danke dir! Ich will ins Kloster.«

Und Nikita schwieg, als schliefe er.

»Tut es weh?«, fragte Pjotr. Da er keine Antwort erhielt, wiederholte er:

»Tut dir der Hals noch weh?«

»Es geht schon besser«, sagte Nikita heiser. »Lasst mich jetzt allein ...«

»Geh nicht fort«, flüsterte Pjotr Tichon zu und wich an ihm vorbei zur Tür zurück.

Als er in den Garten trat und die süßlich warmen Düfte der feuchten Erde tief einatmete, schwand seine innere Bewegung sofort vor dem Ansturm beunruhigender Gedanken. Er schritt den Weg entlang und war darauf bedacht, dass der Kies unter seinen Füßen nicht knirschte; es verlangte ihn nach großer Stille, weil er sonst mit seinen Gedanken nicht zurechtkam. Sie waren feindselig und erschreckten durch ihre Fülle, sie schienen nicht in ihm zu entstehen, sondern von außen, aus dem nächtlichen Dunkel einzudringen, in dem sie wie Fledermäuse herumhuschten. Sie lösten einander so rasch ab, dass es Pjotr nicht gelang, sie einzufangen und in Worte zu schließen; er konnte nur die kunstvollen Schnörkel, Schlingen und Knoten erhaschen, die ihn, Natalia, Alexej, Nikita und Tichon umstrickten, und alle zu einem verworrenen

Reigen vereinten, der so rasch wirbelte, dass nichts zu erkennen war; er selbst stand aber allein im Mittelpunkt dieses Kreises. In Worten ausgedrückt, dachte er ganz einfache Dinge:

»Die Schwiegermutter muss möglichst bald zu uns übersiedeln. Alexej muss fort. Ich sollte zu Natalia liebevoller sein! ›Sieh, wie man liebt‹, sagte sie. Er hat aber nicht wegen der Liebe, sondern wegen seiner Armseligkeit zur Schlinge gegriffen. Es ist ganz richtig, dass er zu den Mönchen will, er hat bei den Menschen nichts zu suchen. Das ist gut so. Tichon ist ein Dummkopf, er hätte es mir früher sagen können.«

Das waren aber nicht jene unfassbaren, wortlosen Gedanken, die ihn verwirrten und erschreckten und ängstlich in das dichte und feuchte Dunkel der Nacht starren ließen. In der Ferne, in der Fabriksiedlung, floss kaum hörbar der spärliche Strom eines traurigen Liedes dahin. Die Mücken summten. Pjotr Artamonow empfand klar die Notwendigkeit, seine Bangigkeit möglichst schnell loszuwerden und zu unterdrücken. Er war, ohne es zu merken, bei dem Fliedergesträuch unter seinem Schlafzimmerfenster angelangt. Lange saß er da, stützte die Ellbogen auf die Knie, presste das Gesicht mit den Handflächen und blickte auf die schwarze Erde; die Erde bewegte sich unter seinen Füßen und schien Blasen zu werfen, als wolle sie bersten.

»Es ist seltsam, wie Nikita über den sandigen Boden gesiegt hat. Er wird ins Kloster gehen und da Gärtner werden. Das ist gut für ihn.«

Er hatte das Nahen seiner Frau nicht bemerkt und sprang erschrocken auf, als vor ihm, wie aus der Erde heraus, eine weiße Gestalt auftauchte. Doch beruhigte ihn einigermaßen die bekannte Stimme:

»Verzeih, um Christi willen, dass ich so geschrien habe ...«

»Nun, lassen wir das! Gott wird verzeihen, – ich habe ja auch geschrien«, sagte er großmütig und erfreut, dass Natalia gekommen war, und dass er nicht erst sanfte Worte suchen musste, um den durch ihren Streit entstandenen Riss zu glätten und zu schließen.

Er setzte sich, und Natalia ließ sich zögernd neben ihm nieder. Er musste doch etwas Tröstendes sagen und begann:

»Ich verstehe, dass du dich langweilst. In unserem Hause kommt kein Frohsinn auf! Worüber sollte man sich freuen? Der Vater war bei seiner Arbeit fröhlich. Er dachte sich das so: Es gibt nicht einfach Menschen – sondern nur Arbeiter, und außerdem noch Bettler und Herrschaften. Alle leben für die Arbeit. Man sieht vor lauter Arbeit keine Menschen.«

Er sprach vorsichtig, aus Angst etwas Überflüssiges zu sagen, und wie er sich selbst zuhörte, fand er, dass er wie ein ernster Geschäftsmann und ein echter Unternehmer redete. Doch fühlte er, dass alle diese Worte nur äußerlich waren und über die Gedanken hinglitten, ohne sie aufzuschließen, ohne die Kraft zu finden, in sie einzudringen; und ihm schien, er sitze am Rande einer Grube, in die ihn im nächsten Augenblick jemand hinabstoßen könnte, der seiner Rede folgte. Er flüsterte:

»Du sprichst die Unwahrheit.«

Natalia schmiegte gerade im richtigen Augenblick den Kopf an seine Schulter und sagte leise:

»Du bist ja fürs ganze Leben mein, verstehst du das denn nicht?«

Er umfasste sie sogleich und presste sie, ihrem leidenschaftlichen Geflüster lauschend, an sich.

»Es ist eine Sünde, wenn man das nicht versteht! Du hast dir ein Mädchen genommen, sie schenkt dir Kinder, aber du scheinst für mich gar nicht da zu sein, du hast kein Herz für mich. Das ist Sünde, Petja! Wer steht dir näher als ich? Wer wird in einer schweren Stunde Mitleid mit dir haben?«

Er hatte das Gefühl, seine Frau hätte ihn hochgehoben, in die Luft geschleudert und in angenehmer Weise seiner Kraft beraubt; er versank in erfrischende Kühle und sprach fast mit Dankbarkeit:

»Ich habe zu schweigen versprochen, aber ich kann es nicht!«

Und er erzählte ihr eilig alles, was er von Tichon und von Nikita erfahren hatte.

»Er hat deine Hemden geküsst, die im Garten trockneten, so sehr hat er den Kopf verloren! Wieso hast du das nicht gewusst und es ihm nicht angemerkt?«

Die Schulter der Frau erbebte heftig unter seiner Hand.

»Sie bemitleidet ihn?«, dachte Pjotr. Sie erwiderte aber eilig und empört:

»Ich habe nie irgendetwas Eigennütziges an ihm bemerkt! Ach, wie verschlossen er doch ist! Es stimmt, dass die Buckligen listig sind.«

»Ekelt sie sich? Oder stellt sie sich nur so?«, fragte sich Artamonow und erinnerte sie:

»Er war immer freundlich zu dir.«

»Nun, was ist denn dabei?«, fragte sie herausfordernd. »Auch Tulun ist freundlich.«

»Tulun ist doch ein Hund.«

»Du hast Nikita auch wie einen Hund bei mir gehalten, um mich zu beobachten und vor dem Schwiegervater und vor Alexej zu bewahren. Ich verstehe ja alles! Ach, wie widerwärtig war er mir, wie hat er mich beleidigt.«

Es war klar, dass Natalia gekränkt und empört war, das war aus dem Zittern ihrer Haut und aus den krampfhaften Bewegungen der Finger zu ersehen, mit denen sie am Hemd herumnestelte und zupfte. Pjotr erschien ihre Entrüstung jedoch übermäßig, er glaubte nicht daran und versetzte ihr den letzten Hieb:

»Tichon hat ihn aus der Schlinge gezogen. Er liegt im Badehaus.«

Sie verlor unter seinem Streich alle Kraft, sank zusammen und rief mit sichtlicher Angst:

»Nein … Was sagst du? O Gott ...«

»Sie hat also gelogen«, entschied Pjotr. Sie zuckte aber mit dem Kopf, als hätte jemand sie auf die Stirne geschlagen und flüsterte, zornig aufschluchzend:

»Was soll nun werden? Väterchens Tod hat uns ein wenig von der Nachrede der Leute erlöst, jetzt wird man wieder über uns herfallen! Ach Gott, wofür kommt das über uns? Der eine Bruder hängt sich auf, der zweite heiratet, man weiß nicht recht wen, eine Geliebte … Was ist das alles nur? Ach, Nikita Iljitsch! Was ist das bloß für eine Schamlosigkeit? Nun, ich danke! Der Unbarmherzige hat uns einen schönen Gefallen erwiesen ...«

Er seufzte erleichtert auf und streichelte zärtlich Natalias Schulter.

»Hab keine Angst, niemand soll etwas erfahren. Tichon wird nichts sagen, – er ist mit ihm befreundet und fühlt sich bei uns wohl. Nikita will ins Kloster gehen ...«

»Wann?«

»Ich weiß nicht.«

»Ach, wenn es doch bald wäre! Wie soll ich denn jetzt zu ihm sein?«

Pjotr schlug nach einem Schweigen vor:

»Geh zu ihm, sieh nach ...«

Doch die Frau sprang, wie von einer Tarantel gestochen, auf und schrie beinahe:

»Ach, schick mich nicht hin! Ich will nicht zu ihm! Ich will nicht, ich fürchte mich ...«

»Wovor?«, fragte Pjotr rasch.

»Vor dem Selbstmörder. Ich gehe nicht, du kannst anfangen, was du willst! Ich fürchte mich.«

»Nun, komm schlafen!«, sagte Artamonow und erhob sich auf seinen starken Beinen. »Wir haben uns heute genug gequält.«

Langsam neben der Frau hinschreitend, fühlte er, dass dieser Tag ihm zugleich mit dem Bösen auch etwas Gutes geschenkt hatte, und dass er, Pjotr Artamonow, ein Mensch war, als welchen er sich bis zum heutigen Tage nicht gekannt hatte, – er war klug und sehr schlau und hatte soeben sehr geschickt jemanden betrogen, der seine Seele in zudringlicher Weise durch dunkle Gedanken beunruhigt hatte.

»Natürlich stehst du mir am allernächsten«, sagte er zu seiner Frau. »Wer ist mir denn näher? Vergiss also nicht: Du stehst mir am nächsten. Dann wird alles gut.«

Am zwölften Tage nach dieser Nacht schritt Nikita Artamonow beim Morgenrot durch den lockeren Sand eines vor Tau dunkel schimmernden Fußpfades. Er hatte einen Stock in der Hand und einen Ledersack auf dem Buckel, er ging schnell, als wollte er, so bald wie möglich, den Erinnerungen an den Abschied von den Verwandten entfliehen. Sie waren alle nicht ausgeschlafen und hatten sich im Esszimmer neben der Küche versammelt, man saß steif da, sprach zurückhaltend, und es war klar, dass niemand von ihnen auch nur ein einziges herzliches Wort für ihn übrig hatte. Pjotr war freundlich und beinahe heiter, wie ein Mensch, der ein vorteilhaftes Geschäft abgeschlossen hat. Er sagte ein paarmal:

»Jetzt haben wir also in der Familie einen eigenen Fürbitter für unsere Sünden ...«

Natalia schenkte gleichgültig und sehr aufmerksam Tee ein, ihre kleinen Mausohren brannten wahrnehmbar und sahen verdrückt aus; sie runzelte die Stirn und ging oft aus dem Zimmer. Ihre Mutter schwieg nachdenklich und glättete sich mit angefeuchtetem Finger die grauen Haare an den Schläfen. Nur Alexej zeigte eine an ihm ungewöhnliche Erregung und fragte, mit den Schultern zuckend:

»Wieso hast du dich dazu entschlossen, Nikita? So plötzlich? Das ist mir unverständlich.«

Neben ihm saß die kleine, spitznasige Orlowa, hob die dunklen Brauen und betrachtete ungeniert alle mit Augen, die Nikita missfielen, – sie waren für ihr Gesicht unverhältnismäßig groß, unmädchenhaft scharf und blinzelten zu oft.

Es war bedrückend, unter diesen Menschen zu sitzen, und er dachte ängstlich:

»Und wie, wenn Pjotr es doch allen sagt? Wenn man mich nur bald fortließe ...«

Pjotr verabschiedete sich als erster; er näherte sich ihm, umarmte ihn und sagte sehr laut, mit bebender Stimme:

»Nun, teurer Bruder, lebe wohl ...«

Die Bajmakowa unterbrach ihn:

»Was fällt dir ein? Wir müssen erst eine Weile sitzen und schweigen, erst dann, nach einem Gebet, dürfen wir uns verabschieden.«

Das alles wurde sehr rasch ausgeführt. Pjotr trat wieder herzu und sagte:

»Verzeihe uns! Schreibe uns über die Schenkung, wir schicken dir das Geld sofort. Nimm kein zu schweres Noviziat auf dich! Lebe wohl! Bete recht viel für uns!«

Die Bajmakowa bekreuzte ihn, küsste ihn dreimal auf Stirn und Wangen und weinte. Alexej umarmte ihn fest, sah ihm in die Augen und sagte:

»Nun, geh mit Gott! Jeder hat seinen Weg. Und doch verstehe ich nicht, weshalb du dich so plötzlich entschlossen hast ...«

Natalia kam als letzte: Sie trat aber nicht dicht an ihn heran, sondern presste ihre Hand an die Brust, verneigte sich tief und sagte leise:

»Leb wohl, Nikita Iljitsch ...«

Ihre Brüste waren noch immer hoch und mädchenhaft, obwohl sie schon drei Kinder genährt hatte.

Das war alles. Dann kam noch die Orlowa: Sie streckte ihm ihre kleine, heiße Hand hin, die hart wie Holz war, – in der Nähe war ihr Gesicht noch unangenehmer. Sie fragte einfältig:

»Wollen Sie sich wirklich einkleiden lassen?«

Auf dem Hof verabschiedeten sich etwa dreißig Weber von ihm. Der uralte, taube Boris Morosow schrie, mit dem Kopf wackelnd:

»Der Soldat und der Mönch sind die ersten Diener der Welt, so ist es!«

Nikita ging auf den Kirchhof, um vom Grabe des Vaters Abschied zu nehmen. Er kniete davor nieder und sann, ohne zu beten, darüber nach, welche Wendung sein Leben genommen hatte. Als hinter seinem Rücken die Sonne aufging und auf den taubenetzten Rasen des Grabes ein breiter, eckiger Schatten fiel, der durch seine Umrisse an die Hütte des bösen Hundes Tulun erinnerte, sagte Nikita, sich bis zur Erde verneigend:

»Leb wohl, Väterchen.«

In der wachen Stille des Morgens klang seine Stimme dumpf und heiser. Nach einer Pause wiederholte der Bucklige lauter:

»Leb wohl, Väterchen.«

Er weinte bitterlich, nach Frauenart schluchzend, der Verlust seiner früheren hellen und klaren Stimme schmerzte ihn unerträglich.

Als Nikita eine Werst vom Friedhof entfernt war, erblickte er plötzlich den Hausknecht Tichon; den Spaten auf der Schulter, die Axt im Gürtel, stand er wie eine Schildwache im Gesträuch an der Landstraße.

»Du gehst?«, fragte er.

»Ich gehe. Was machst du da?«

»Ich will eine Eberesche ausgraben und sie ans Fenster, neben meinem Wächterhaus, pflanzen.«

Sie standen eine Weile da und sahen einander schweigend an, worauf Tichon seine feuchten Augen abwandte.

»Schreite nur aus, ich begleite dich ein wenig.«

Sie gingen schweigend. Tichon begann als erster:

»Wie viel Tau fällt! Er ist schädlich und kündigt Dürre und Missernte an.«

»Gott verhüte es.«

Tichon Wialow sagte etwas Unverständliches.

»Wie?«, fragte Nikita, ein wenig erschrocken. Er erwartete von diesem Menschen immer irgendwelche besondere Worte, die die Seele reizten.

»Vielleicht verhütet er es, sage ich.«

Aber Nikita war überzeugt, der Erdarbeiter hätte etwas gesagt, was er nicht zu wiederholen wünschte.

»Wie, glaubst du etwa nicht an die göttliche Gnade?«, fragte Nikita vorwurfsvoll.

»Warum?«, erwiderte Tichon ruhig. »Wir brauchen jetzt Regen. Dieser Tau schadet auch den Pilzen. Bei einem guten Wirt kommt aber alles zur rechten Zeit.«

Nikita schüttelte seufzend den Kopf.

»Du denkst wohl falsch, Tichon ...«

»Nein, ich denke richtig. Ich denke nicht mit den Augen.«

Sie legten schweigend etwa fünfzig Schritte zurück. Nikita schaute auf den breiten Schatten vor seinen Füßen; Wialow schlug im Takt zu seinen Schritten mit dem Finger auf den Holzschaft der Axt.

»Nikita Iljitsch, ich komme in einem Jahr, um nach dir zu sehen. Ist's dir recht?«

»Komm nur. Du bist neugierig.«

»Das stimmt.«

Er nahm die Mütze ab und blieb stehen:

»Nun, leb also wohl, Nikita Iljitsch!« Und er fügte, sich die Backenknochen kratzend, sinnend hinzu:

»Du gefällst mir und bist nach meinem Herzen. Du bist sanft von Gemüt. Dein Vater war fleischlich klug, aber du bist ganz Geist und Seele ...«

Nikita warf den Stock auf die Erde, wackelte mit dem Buckel, um den Sack an die rechte Stelle zu bringen und umarmte Tichon schweigend. Der umschlang ihn fest und wiederholte laut und beharrlich:

»Ich komme also.«

»Danke.«

Dort, wo die Straße eine scharfe Biegung in den Fichtenwald machte, blickte Nikita sich um, – Tichon hatte die Mütze unter die Achsel geschoben und stand, auf den Spaten gestützt, mitten auf der Straße, als hätte er vor, niemand vorüberzulassen; der Morgenwind erhob sich und bewegte die Haare auf seinem wenig anziehenden Kopfe.

Aus der Ferne erinnerte Tichon an den Narren Antonuschka. Beim Gedanken an diesen seltsamen Menschen beschleunigte Nikita Artamonow seine Schritte, während es in seiner Erinnerung aufdringlich erklang:

»Chiristus ist erstanden, ist erstanden,
Der Reisewagen hat ein Rad verloren.«

Zweiter Teil

Erst als sich der Sterbetag des Vaters zum neunten Mal jährte, wurden die Artamonows mit dem Bau der Kirche fertig und weihten sie auf den Namen des Propheten Elias. Es wurde sieben Jahre daran gebaut, und an dieser Verzögerung war Alexej schuld.

»Gott wird warten, er hat keine Eile«, scherzte er hässlich und verwandte zweimal die für die Kirche bestimmten Ziegelsteine für andere Zwecke, einmal für das dritte Fabrikgebäude, ein anderes Mal für das Krankenhaus.

Nach der Weihe, als die Totenmesse an den Gräbern des Vaters und der Kinder vorüber war, warteten die Artamonows so lange, bis alle Leute den Kirchhof verlassen hatten, und gingen dann langsam nach Hause; sie taten in zartfühlender Weise so, als bemerkten sie nicht, dass Uljana Bajmakowa auf der Bank unter den Birken innerhalb der Einfriedigung der Familiengruft zurückblieb. Sie hatten keine Eile, – das feierliche Mahl für die Geistlichkeit, ihre Bekannten, Angestellten und Arbeiter war erst für drei Uhr angesetzt.

Es war ein grauer Tag, der Himmel war herbstlich düster: Ein feuchter Wind schnaubte wie ein müdes Pferd, schüttelte die Wipfel des Fichtengehölzes und prophezeite Regen. Auf dem fuchsroten Streifen der sandigen Straße bewegten sich die kleinen, dunklen Gestalten der Menschen, die zur Fabrik hinabstiegen; die drei radial angelegten Gebäude bohrten sich wie krampfhaft ausgestreckte, rote Finger in die Erde.

Alexej sagte, seinen Stock schwingend:

»Unser seliger Vater würde sich freuen, wenn er sehen könnte, wie weit wir sind!«

»Er würde sich über die Ermordung des Zaren ärgern«, erwiderte Pjotr nach einiger Überlegung, da er dem Bruder nicht zustimmen wollte.

»Nun, er war nicht sehr dafür, sich zu ärgern. Er lebte nach seinem eigenen Verstand und nicht nach dem des Zaren.«

Alexej zog seine Mütze tiefer herab und blieb stehen, um nach den Frauen zu sehen. Seine kleine, schlanke Frau schritt in einem einfachen, dunklen Kleide leicht über den aufgewühlten Sand und putzte sich mit einem Taschentuch die Brille. Sie sah aus wie eine Dorfschullehrerin, neben der üppigen Natalia, die einen schwarzen Seidenumhang mit Perlenstickerei auf Schultern und Ärmeln trug; ein dunkellila Kopfputz umrahmte anmutig ihr reiches, rötliches Haar.

»Deine Frau wird immer schöner.«

Pjotr schwieg darauf.

»Und Nikita ist wieder nicht zur Totenfeier gekommen. Ist er uns vielleicht böse?«

An feuchten Tagen hatte Alexej in der Brust und in einem Bein Schmerzen; er hinkte leicht und stützte sich auf den Stock. Alexej wollte sich über den wehmütigen Eindruck der Totenmesse und des trüben Tages hinwegsetzen und bemühte sich in seinem Eigensinn, den Bruder zum Sprechen zu bringen.

»Die Schwiegermutter ist zurückgeblieben, um am Grabe zu weinen. Sie hat noch immer nicht vergessen. Eine gute Alte! Ich habe Tichon zugeflüstert, er soll auf sie warten und sie begleiten; sie klagt über Atemnot und sagt, das Gehen fiele ihr schwer.«

Pjotr wiederholte halblaut und gezwungen:

»Ja, es fällt schwer.«

»Schläfst du? Was fällt schwer?«

»Wir müssen Tichon entlassen«, antwortete Pjotr und blickte seitlich auf die Hügel, auf denen sich die Tannen böse wie Borsten sträubten.

»Weswegen?«, fragte der Bruder erstaunt. »Er ist ein ehrlicher, pünktlicher Mensch, auch ist er nicht faul ...«

»Er ist ein Dummkopf«, fuhr Pjotr fort.

Die Frauen holten sie ein; Olga sagte mit angenehmer, für ihre kleine Gestalt unerwartet kräftiger Stimme zu ihrem Manne:

»Ich rede Natalia zu, sie soll Ilja ins Gymnasium schicken. Sie fürchtet sich aber.«

Die schwangere Natalia watschelte wie eine satte Ente. Sie sagte langsam und näselnd, im Tone einer älteren Frau:

»Ich finde, das Gymnasium ist eine schädliche Mode. Jelena gebraucht zum Beispiel in ihren Briefen solche Worte, dass man sie gar nicht verstehen kann.«

»Alle müssen lernen, alle!«, erklärte Alexej streng, nahm die Mütze ab und wischte sich die schweißige Stirn und die vorzeitige Glatze, die von den Schläfen im scharfen Winkel zum Scheitel hinaufstieg und sein Gesicht beträchtlich verlängerte.

Natalia stritt mit ihm und blickte dabei ihren Mann fragend an:

»Pomialow meint mit Recht: Das Lernen macht menschenscheu.«

»Ja«, sagte Pjotr.

»Da seht ihr ja!«, rief Natalia befriedigt aus. Ihr Mann fügte aber nachdenklich hinzu:

»Man muss lernen.«

Alexej und Olga lachten; Natalia sagte vorwurfsvoll:

»Was fällt euch ein? Habt ihr vergessen? Ihr kommt von einer Totenmesse.«

Sie fassten sie unter die Arme und beschleunigten ihre Schritte, während Pjotr zurückblieb:

»Ich will auf die Mutter warten.«

Der ihm so unangenehme Tichon Wialow hatte ihn geärgert. Vor der Totenmesse hatte Pjotr vom Kirchhof aus von Weitem die Fabrik betrachtet und, ohne zu prahlen, einfach nur, um das, was er sah, festzustellen, laut zu sich selbst gesagt:

»Unser Werk hat sich gut entwickelt.«

Und sogleich hörte er hinter der Schulter die ruhige Stimme des ehemaligen Erdarbeiters:

»Das Werk ist wie der Schimmel im Keller, – es wächst aus eigener Kraft.«

Pjotr erwiderte ihm nichts und wandte sich nicht einmal um. Er war aber durch die offensichtliche, kränkende Dummheit von Tichons Worten empört. Er selbst arbeitet, lässt Hunderte von Menschen ihr Brot verdienen, denkt bei Tag und bei Nacht an das Werk, sieht und fühlt sich selbst nicht vor all den Sorgen, die es ihm bereitet, – und plötzlich sagt so ein unwissender Dummkopf, das Werk verdanke seine Entwicklung der eigenen Kraft und nicht dem Verstand des Besitzers. Und dabei murmelt dieser nichtige Mensch immer etwas von der Seele und von der Sünde … Artamonow setzte sich für eine Weile auf einen alten Fichtenstumpf an der Straße hin, zupfte sich am Ohr und erinnerte sich daran, wie er einmal vor Olga geklagt hatte:

»Man hat keine Zeit, um an die Seele zu denken.«

Er hatte die seltsame Frage als Antwort erhalten:

»Lebt denn deine Seele von dir getrennt?«

Er glaubte in diesen Worten einen weiblichen Scherz zu hören, doch blieb Olgas Vogelgesicht ernsthaft und ihre dunklen Augen leuchteten freundlich hinter den Brillengläsern.

»Ich verstehe nicht«, sprach er.

»Und ich verstehe nicht, wie man von der Seele als von etwas vom Menschen Getrenntem sprechen kann, als wäre sie eine an Kindes statt angenommene Waise.«

»Das ist mir unklar«, hatte Pjotr erwidert – und mochte nicht weiter mit dieser Frau sprechen: Sie war ihm sehr fremd und wenig verständlich und gefiel ihm trotzdem durch ihre Schlichtheit, aber sie rief die Befürchtung hervor, dass unter der äußerlichen Schlichtheit Schlauheit verborgen sein könnte.

Tichon Wialow hatte ihm seit jeher missfallen.

Es war Pjotr widerwärtig, immer dieses breitknochige, fleckige Gesicht, die seltsamen Augen und die am Schädel festklebenden, in dem rötlichen Haar versteckten Ohren sehen zu müssen, wie auch den spärlich wachsenden Bart, Tichons langsamen, aber beweglichen Gang und seinen ganzen plumpen, stämmigen Körper. Seine Ruhe war unangenehm und doch beneidenswert; selbst seine Genauigkeit bei der Arbeit reizte ihn. Tichon arbeitete wie eine Maschine und gab fast nie zu einem Vorwurf Anlass, doch auch das ärgerte Pjotr. Und es wurde ihm immer unangenehmer zu sehen, wie dieser Mensch mit jedem Jahre tiefer Wurzel im Hause fasste und sich offenbar als unentbehrliche Speiche im Lebensrad der Artamonows fühlte. Es war seltsam, dass die Kinder ihn ebenso liebten wie die Hunde und Pferde. Der alte Wolfshund Tulun, der an der Kette lag und dadurch erbittert war, ließ außer Tichon niemanden an sich heran, und der eigenartige Ilja, der älteste Sohn, gehorchte Tichon mehr als dem Vater und der Mutter.

Um Wialow aus seinem Gesichtskreis zu entfernen, bot Artamonow ihm die Stelle eines Küsters oder eines Försters an. Aber Tichon schüttelte abweisend den schweren Kopf.

»Ich tauge nicht dazu. Wenn du mich aber satt hast, dann erhol' dich für eine Weile von mir und lass mich für einen Monat fort. Ich möchte Nikita Iljitsch besuchen ...«

Er sagte wörtlich: »Erhole dich von mir«. Dieser dumme, freche Ausdruck in Verbindung mit der Erwähnung des irgendwo hinter den Sümpfen in einem armen Waldkloster verborgenen Bruders erweckte in Pjotr einen bangen Verdacht: Außer den Dingen, die Tichon von Nikita erzählte, als er diesen aus der Schlinge gezogen hatte, musste er wohl noch irgendetwas Schmachvolles wissen; es war, als erwarte er neues Unglück, – seine flimmernden Augen mahnten:

»Rühr mich nicht an, du brauchst mich doch.«

Schon dreimal hatte Tichon das Kloster besucht. Er hängte sich einen Ranzen auf den Rücken, nahm den Stock zur Hand und ging bedächtig fort; er schritt so über die Erde, als erweise er ihr eine Gnade, und alles, was er tat, geschah gewissermaßen aus Gnade. Bei seiner Rückkehr beantwortete er die Fragen nach Nikita knapp und dunkel; man hatte stets das Gefühl, dass er nicht alles sagte, was er wusste.

»Er ist gesund. Man achtet ihn. Er lässt für die Grüße und die Geschenke danken.«

»Was sagt er?«, forschte Pjotr.

»Was soll denn ein Mönch sagen?«

»Was sagt er denn?«, fragte Alexej ungeduldig.

»Er spricht von Gott. Er interessiert sich fürs Wetter und meint, dass es nicht zur rechten Zeit regnet. Er klagt über die Mücken. Dort gibt es so viel Mücken. Er fragte nach euch.«

»Was denn?«

»Er sorgt sich und bemitleidet euch.«

»Uns? Weswegen?«

»Im Allgemeinen. Ihr lebt ja in so raschem Lauf, er ist aber stehen geblieben, da bemitleidet er euch wegen eurer Unruhe.«

Alexej rief lachend aus:

»So ein Unsinn!«

Tichons Pupillen erloschen, die Augen wurden leer.

»Ich weiß ja nicht, was er denkt, ich erzähle nur, was er sagte. Ich bin nur ein einfacher Mann.«

»Ja, das stimmt allerdings!«, gab Alexej spöttisch zu. »So wie der Narr Anton!«

Der Wind wehte Pjotr Artamonow warme Düfte zu, und es hellte sich auf; aus der blauen Tiefe inmitten der Wolken kam die Sonne hervor.

Pjotr sah hin, aber es blendete ihn, und er versenkte sich noch mehr in seine Gedanken.

In dem Umstand, dass Nikita dem Kloster tausend Rubel geschenkt hatte, und, nachdem er sich eine lebenslängliche Jahresrente von hundertachtzig Rubeln ausbedungen, auf sein väterliches Erbteil zugunsten der Brüder verzichtete, lag etwas Kränkendes.

»Was sollen diese Geschenke?«, brummte Pjotr. Alexej war aber erfreut.

»Wozu braucht er denn das Geld? Sollen etwa die Mönche, diese Müßiggänger, davon fett werden? Nein, er hat den rechten Entschluss gefasst. Wir haben das Werk, wir haben Kinder.«

Natalia war ganz gerührt.

»Er hat also seine Schuld uns gegenüber nicht vergessen!«, sprach sie befriedigt und wischte sich mit dem Finger eine einsame Träne von der rosigen Wange. »Das ist die Mitgift für Jelena.«

Diese Tat des Bruders legte sich wie ein Schatten auf Pjotrs Seele, denn in der Stadt wurde Nikitas Eintritt ins Kloster in höhnischer, für die Artamonows wenig schmeichelhafter Weise ausgelegt.

Pjotr vertrug sich gut mit Alexej, obwohl er sah, dass der gewandte Bruder für sich den leichteren Teil des Geschäftes erwählt hatte: Er fuhr nach Nischni Nowgorod zur Messe, war etwa zweimal im Jahr in Moskau und erzählte bei seiner Rückkehr märchenhafte Dinge von den Erfolgen der Industriellen in der Hauptstadt.

»Sie leben prunkvoll, nicht schlechter als der Adel.«

»Es ist einfach, als Edelmann zu leben«, deutete Pjotr an. Der Bruder verstand aber nicht und erzählte entzückt:

»Wenn der Kaufmann ein Haus baut, ist es wie ein Dom! Seine Kinder sind gebildete Leute.«

Obwohl er sehr gealtert war, hatte er doch seine jugendliche Lebendigkeit behalten, und seine Habichtsaugen glänzten fröhlich.

»Warum machst du immer so ein finsteres Gesicht?«, fragte er seinen Bruder und belehrte ihn: »Man muss bei der Arbeit auch mal einen Scherz machen, sie liebt die Langeweile nicht.«

Pjotr stellte bei ihm eine Ähnlichkeit mit dem Vater fest, doch erschien ihm Alexej immer unverständlicher.

Der sagte immer noch: »Ich bin ein kranker Mensch«, schonte aber seine Gesundheit nicht, trank viel, beteiligte sich des Nachts an Hazardspielen und schien in Bezug auf die Frauen auch nicht ganz einwandfrei zu leben. Was war für ihn im Leben die Hauptsache? Scheinbar nicht er selbst und nicht sein Nest. Das Haus der Bajmakowa benötigte schon längst eine gründliche Reparatur, doch schenkte Alexej dem Umstand keine Beachtung. Seine Kinder kamen schwächlich zur Welt und starben bald, nur Miron, ein unangenehmer, knochiger Junge, der drei Jahre älter war als Ilja, blieb am Leben. Sowohl Alexej als seine Frau waren von einer lächerlichen Gier nach unnötigen Dingen erfüllt; ihre Zimmer waren mit allerhand herrschaftlichen Möbeln vollgepfropft, die sie beide gern verschenkten; sie schenkten Natalia einen seltsamen Schrank mit Porzellan, die Schwiegermutter erhielt einen großen Ledersessel und ein prunkvolles Bett aus karelischer Birke mit Bronzebeschlag, Olga stickte kunstvolle Perlenbilder, doch brachte ihr Mann von seinen Reisen aus anderen Gouvernements ebensolche Stickereien mit.

»Du wirst wunderlich«, sagte Pjotr, als er von Alexej einen massiven Tisch mit vielen Schubladen und mit fantastischer Schnitzerei als Geschenk erhielt. Alexej schrie aber, mit der Handfläche auf den Tisch schlagend:

»Was sagst du! Solche Dinge wird es bald nicht mehr geben! Man ist in Moskau schon drauf gekommen!«

»Du solltest lieber Silber kaufen, der Adel hat viel Silber ...«

»Lass mir Zeit, wir werden schon alles kaufen! In Moskau ...«

Nach Alexejs Darstellung lebten in Moskau lauter halb verrückte Menschen, die sämtlich, ohne Ausnahme, statt sich ihren Geschäften zu widmen, nur vornehm lebten und zu diesem Zwecke dem Adel alles Erdenkliche, von den Gütern bis zu den Teetassen, abkauften.

Wenn Pjotr seinen Bruder aufsuchte, musste er stets voll Ärger und Neid feststellen, dass es dort gemütlicher als bei ihm zu Hause war. Das erschien ihm unverständlich, ebenso wenig konnte er definieren, was ihm an Olga gefiel. Sie sah neben Natalia aus wie ein Stubenmädel; sie hatte aber keine blöde Angst vor Petroleumlampen und glaubte nicht, dass Petroleum von Studenten aus dem Fett von Selbstmördern ausgeschmolzen wird. Ihre sanfte Stimme war angenehm zu hören; sie hatte schöne Augen, deren freundlicher Glanz von der Brille nicht verdeckt wurde. Von den Menschen und von den Geschäften sprach sie aber ärgerlich und kindlich, wie ein ganz Fernstehender, und das verblüffte und reizte.

»Gibt es denn nach deiner Ansicht keine Schuldigen?«, fragte Pjotr spöttisch, sie antwortete:

»Es gibt wohl Schuldige, ich verurteile aber nicht gern.«

Pjotr glaubte ihr nicht.

Ihren Mann behandelte sie so, als wäre sie älter und hielte sich für klüger. Alexej nahm ihr das nicht übel, nannte sie Tante und sagte nur ab und zu etwas geärgert:

»Hör auf, Tante, ich habe es satt! Ich bin ein kranker Mensch, es wäre angebracht, mich ein wenig zu pflegen.«

»Du bist schon genug gepflegt worden, jetzt hast du nichts mehr zu erwarten!«

Sie wandte sich an ihren Mann mit einem Lächeln, das Pjotr gern auf dem Gesicht seiner Frau gesehen hätte. Natalia war eine musterhafte Gattin und sehr geschickte Hausfrau, sie legte ausgezeichnet Gurken ein, marinierte Pilze, bereitete Eingemachtes; die Dienstboten im Hause arbeiteten mit der Genauigkeit von Uhrwerkrädern. Natalia liebte ihren Mann unermüdlich, mit einer ruhigen Liebe, die an abgestandene Sahne gemahnte. Sie war sehr sparsam.

»Wie viel haben wir jetzt auf der Bank?«, fragte sie und wurde ängstlich: »Pass ja auf, ob die Bank verlässlich ist, und ob es zu keinem Krach kommt!«

Wenn sie Geld in die Hand nahm, wurde ihr hübsches Gesicht ernst; ihre himbeerfarbenen Lippen pressten sich fest aufeinander, und in den Augen erschien etwas Öliges, Scharfes. Beim Zählen berührte sie die bunten, schmutzigen Scheine so vorsichtig mit den rundlichen Fingern, als fürchtete sie, sie könnten ihren Händen wie Fliegen entschweben.

»Wie teilst du mit Alexej den Gewinn?«, fragte sie im Bett Pjotr, als sie ihn mit ihren Liebkosungen befriedigt hatte. »Übervorteilt er dich nicht? Er ist geschickt! Er und seine Frau sind habgierig. Sie raffen alles zusammen!«

Sie fühlte sich von Spitzbuben umringt und sagte:

»Ich traue niemandem außer Tichon.«

»Du traust also einem Dummkopf«, murmelte Pjotr müde.

»Er ist dumm, hat aber ein Gewissen.«

Als Pjotr mit ihr zum ersten Mal die Messe von Nischni Nowgorod besuchte und über den gigantischen Schwung dieses allrussischen Jahrmarkts erstaunt war, fragte er seine Frau:

»Nun, wie findest du das?«

»Sehr schön«, antwortete sie. »Es ist von allem viel da, und alles ist billiger als bei uns.«

Darauf begann sie aufzuzählen, was sie kaufen müssten:

»Zwei Pud Seife, eine Kiste Kerzen, einen Sack Zucker und Raffinade ...«

Im Zirkus schloss sie die Augen, wenn die Artisten die Arena betraten.

»Ach, dieses schamlose nackte Gesindel! Ach, ist es eigentlich richtig, dass ich so was sehe? Schadet das auch dem Kinde nicht? Du solltest mich nicht zu so schrecklichen Dingen mitnehmen! Vielleicht bin ich mit einem Knaben schwanger?«

In solchen Augenblicken fühlte Pjotr Artamonow, dass an ihm eine Langeweile würgte, die an den dicken und grünlichen Schlamm des Flusses Watarakscha erinnerte, in dem nur ein einziger Fisch, die fette, dumme Schleie lebte.

Natalia betete noch immer viel und gründlich. Nach dem Gebet sank sie aufs Bett und regte ihren Mann eifrig zum Genuss ihres üppigen Körpers an. Ihre Haut roch nach der Speisekammer, in der Töpfe mit gesalzenen und marinierten Vorräten, Räucherfische und Schinken aufbewahrt wurden. Pjotr fühlte immer häufiger, dass seine Frau zu heiß war, dass ihre Liebkosungen ihn erschöpften.

»Lass mich, ich bin müde«, sagte er.

»Nun, so schlafe mit Gott«, antwortete sie gehorsam und schlief rasch ein. Sie hob die Brauen und lächelte, als betrachtete sie mit geschlossenen Augen etwas sehr Schönes und von ihr noch nie Gesehenes.

In den Stunden, da Pjotr besonders deutlich und wehmütig empfand, dass Natalia nicht die von ihm Ersehnte war, zwang er sich, sie in seiner Erinnerung so wieder erstehen zu lassen, wie sie an dem qualvollen Tage der Geburt ihres ersten Sohnes gewesen war. Die neunzehnte Stunde ihrer Leiden zog sich voll Marter in die Länge, als die angsterfüllte, in Tränen gebadete Schwiegermutter ihn in die von einer besonderen Schwüle erfüllte Stube führte. Natalia wand sich auf dem zerwühlten Bett, ihre von rasendem Schmerz entstellten Augen waren aus den Höhlen getreten, sie war zerzaust, in Schweiß gebadet, war nicht wiederzuerkennen und empfing ihn mit fast tierischem Geheul:

»Petja, leb wohl, ich sterbe. Es ist sicher ein Junge … Pjotr, verzeih!«

Ihre zerbissenen, verschwollenen Lippen bewegten sich kaum, ihre Worte schienen nicht aus der Kehle, sondern aus dem auf die Beine fallenden, unförmlich, bis zum Platzen aufgedunsenen Leib zu kommen. Auch das bläuliche Gesicht war aufgedunsen; sie atmete wie ein müder Hund und zeigte ihre verschwollene, zerkaute Zunge; sie griff an ihre Haare, zog und riss daran, heulte und brüllte immerzu, als wollte sie jemanden, der ihr nicht nachgeben mochte und konnte, überzeugen und überwinden.

»Einen J-jungen ...«

Es war ein stürmischer Tag; vor dem Fenster schüttelte sich und rauschte ein Faulbaum, über die Scheiben huschten Schatten. Pjotr sah ihr Zittern, hörte das Rascheln und schrie wie wahnsinnig auf:

»Verhängt das Fenster! Seht ihr denn nicht?«

Und er lief entsetzt fort, von dem Jammern seiner Frau geleitet:

»I–i–i … U–u–u …«

Nach anderthalb Stunden führte ihn die vor Glück und Ermüdung stumme Schwiegermutter wieder an das Bett seiner Frau. Natalia empfing ihn mit dem in einem unerträglichen Glänze strahlenden Blick einer Märtyrerin und sprach mit kraftloser Zunge, als wäre sie trunken:

»Ein Junge! Ein Sohn!«

Er beugte sich herab, schmiegte die Wange an ihre Schulter und murmelte:

»Ach, Mutter, das werde ich dir bis zum Grabe nicht vergessen, merke dir das! Ich danke dir …«

Er hatte sie zum ersten Mal Mutter genannt und hatte in dieses Wort all seine Furcht und seine ganze Freude hineingelegt. Sie streichelte ihm, die Augen schließend, mit der schweren, kraftlosen Hand den Kopf.

»Ein Riese«, sagte die pockennarbige, großnasige Hebamme, das Kind mit einem solchen Stolz zeigend, als hätte sie es selbst zur Welt gebracht. Doch Pjotr sah seinen Sohn nicht, alles wurde durch das tote Gesicht der Frau mit den dunklen Höhlen an Stelle der Augen in den Hintergrund gerückt.

»Wird sie am Leben bleiben?«

»Aber gewiss«, sagte die pockennarbige Hebamme laut und fröhlich. »Wenn man daran sterben müsste, würde es gar keine Hebammen mehr geben.«

Jetzt stand der »Riese« im neunten Lebensjahr. Es war ein großer, gesunder Junge; aus seinem stumpfnasigen Gesicht mit der hohen Stirne leuchteten ernst die großen, tiefblauen Augen, – ebensolche Augen hatten Alexejs Mutter und Nikita. Nach einem Jahr kam ein zweiter Sohn, Jakow, zur Welt, doch war der breitstirnige Ilja schon mit fünf Jahren die Hauptperson im Hause. Er wurde von allen verwöhnt, gehorchte niemandem und führte ein unabhängiges Leben, wobei er mit verblüffender Beharrlichkeit in die ungeeignetsten und gefährlichsten Situationen geriet. Seine Streiche waren fast immer von etwas ungewöhnlicher Art, was bei dem Vater ein an Stolz erinnerndes Gefühl auslöste.

Einmal traf Pjotr den Sohn im Stall an, der Knabe bemühte sich, an einem alten Trog ein Karrenrad zu befestigen.

»Was wird das?«

»Ein Dampfer.«

»Der kann ja nicht fahren.«

»Bei mir wird er schon fahren«, sagte der Sohn, in dem hitzigen Tonfall des Großvaters. Pjotr konnte ihn nicht von der Vergeblichkeit seines Vorhabens überzeugen, er dachte aber während des Gesprächs:

»Er hat den Charakter des Großvaters.«

Ilja war in der Verfolgung seiner Ziele unerschütterlich, und doch gelang es ihm nicht, aus dem Trog und den beiden Karrenrädern einen Dampfer zu bauen. Da zeichnete er mit Kohle Räder auf die Seiten des Troges, schleppte ihn zum Fluss, ließ ihn ins Wasser gleiten und blieb dabei selbst im Schlamm stecken. Er erschrak indessen nicht, sondern rief sogleich den die Wäsche spülenden Frauen zu:

»He, Weiber! Zieht mich heraus, sonst ertrinke ich ...«

Die Mutter ließ den Trog zerhacken, und Ilja bekam Schläge von ihr. Von diesem Tage ab betrachtete er sie ebenso wie sein zweijähriges Schwesterchen Tanja mit Augen, die nicht sahen. Er war überhaupt ein tätiger Mensch, immer hobelte, bastelte, zerbrach, probierte er irgendetwas. Der Vater beobachtete ihn und dachte:

»Er wird es schon zu was bringen und manches schaffen.«

Manchmal beachtete Ilja tagelang den Vater nicht, erschien dann plötzlich im Kontor, stieg auf seinen Schoß und befahl:

»Erzähl was!«

»Ich habe keine Zeit.«

»Ich habe auch keine Zeit.«

Der Vater schob lächelnd seine Papiere beiseite.

»Na also. – Es war einmal ein Bauer ...«

»Ich weiß alles von den Bauern. Erzähl was Lustiges.«

Der Vater wusste nichts Lustiges.

»Geh zur Großmutter.«

»Die niest heute immerzu.«

»Dann zur Mutter.«

»Die will mich bloß immer waschen.«

Artamonow lachte. Sein Sohn war das einzige Wesen, das in ihm ein angenehmes, unbeschwertes Lachen auslöste.

»Dann gehe ich zu Tichon«, erklärte Ilja und versuchte, von den Knien des Vaters herabzuspringen. Der hielt ihn jedoch zurück.

»Und was erzählt Tichon?«

»Alles.«

»So. Was denn eigentlich?«

»Er weiß alles, er hat in Balachna gelebt. Da baut man Barken und Kähne.«

Als Ilja mal stürzte und sich das Gesicht zerschlug, schrie die Mutter, ihn züchtigend:

»Kriech' nicht auf Dächern herum! Sonst wirst du ein Krüppel und bucklig!«

Der Sohn wurde vor Zorn puterrot, weinte nicht, sondern drohte der Mutter:

»Warte! Ich sterbe, wenn du mich so schlägst!«

Sie teilte diese Drohung dem Vater mit. Er lächelte:

»Schlage ihn nicht, schicke ihn zu mir.«

Der Sohn kam und blieb mit auf dem Rücken verschränkten Händen am Türpfosten stehen; er rief in seinem Vater nur Neugierde und heiße Zärtlichkeit hervor. Pjotr fragte:

»Warum sagst du der Mutter Grobheiten?«

»Ich bin doch kein Dummkopf«, erwiderte der Sohn böse.

»Wieso denn nicht, wenn du Grobheiten sagst?«

»Sie prügelt mich aber. Tichon hat gesagt: man prügelt nur Dummköpfe.«

»Tichon? Tichon ist selbst ...«

Pjotr vermied es immer, Tichon dumm zu nennen; er schritt durch das Zimmer, betrachtete das Menschen an der Tür und wusste nicht, was er sagen sollte.

»Du schlägst ja auch deinen Bruder Jakow.«

»Er ist ein Dummkopf. Ihm tut das nicht weh, er ist dick.«

»Was denn: Soll man schlagen, wenn einer dick ist?«

»Er ist so gierig.«

Pjotr fühlte, dass er den Sohn nicht zu belehren verstand und dass er das merkte. Es wäre vielleicht einfacher und nützlicher gewesen, ihn tüchtig an den Ohren zu reißen; doch wollte seine Hand sich nicht gegen diesen so aufregend lieben, zerzausten Kopf erheben. Es war sogar unangenehm, bei dem forschenden, erwartungsvollen Blick der vertrauten blauen Augen an eine Strafe auch nur zu denken. Die Sonne hinderte ebenfalls daran; immer kam es irgendwie so, dass Ilja an sonnigen Tagen am ausgelassensten herumtollte. Während Pjotr ihm die üblichen ermahnenden Worte sagte, erinnerte er sich der Zeit, da er selbst die gleichen Worte angehört hatte, die ihm nicht ins Herz gedrungen und nicht im Gedächtnis haften geblieben waren, sondern nur Langeweile und für kurze Zeit Furcht hervorgerufen hatten. Dagegen wurden selbst wohlverdiente Schläge schwer vergessen, wie Pjotr Artamonow nur zu gut wusste.

Der zweite Sohn, Jakow, war rund und rotbackig und erinnerte in seinen Zügen an die Mutter. Er weinte viel und scheinbar mit Vergnügen, bevor er aber Tränen vergoss, schnaufte er mit aufgeblasenen Backen und schob sich die Fäuste in die Augen. Er war feige, aß viel und gierig und, vom Essen beschwert, schlief er oder klagte:

»Mama, ich langweile mich!«

Die Tochter Jelena kam nur im Sommer nach Hause. Sie schien sich in ein ganz fremdes Fräulein verwandelt zu haben.

Mit sieben Jahren begann Ilja beim Popen Gleb schreiben und lesen zu lernen. Als er aber erfuhr, dass der Sohn des Kontoristen Nikonow nicht nach dem Psalter, sondern nach dem Bilderbuch »Das heimatliche Wort« lernte, sagte er zum Vater:

»Ich will nicht lernen, mir tut die Zunge weh.«

Man musste ihn lange und liebevoll ausfragen, bis er erklärte:

»Pascha Nikonow lernt nach dem heimatlichen Wort, ich aber muss nach dem fremden Wort lernen.«

Manchmal verbohrte sich dieser sehr lebhafte Knabe aber in irgendetwas und saß stundenlang einsam auf dem Hügel unter einer Fichte und warf trockene Zapfen in das trübe, grüne Wasser des Flusses Watarakscha.

»Er langweilt sich«, dachte der Vater. Auch er lebte wochen- und monatelang vom Trubel des Werkes betäubt, drehte sich immerzu im Kreise, geriet plötzlich in den dichten Nebel unklarer Gedanken, wurde unbewusst von der Langeweile eingesponnen und konnte nicht daraus klug werden, was ihn am meisten blind machte, die Sorge um das Werk oder aber die durch diese im Grunde einförmige Sorge hervorgerufene Langeweile? Oft stieß er an solchen Tagen auf irgendeinen Menschen und hasste ihn wegen eines schiefen Blicks oder eines unpassenden Wortes. So hasste er Tichon Wialow beinahe an diesem trüben Tage.

Wialow kam jetzt näher; er führte die Schwiegermutter am Arm und erzählte:

»Wir, die Wialows, sind eine große Familie ...«

»Warum lebst du nicht bei den Deinigen?«, fragte Pjotr, indem er auf die Bajmakowa zutrat und sie am Ellenbogen fasste. Tichon verstummte und trat beiseite, Artamonow wiederholte hartnäckig und streng seine Frage. Da antwortete Tichon gleichgültig, seine farblosen Augen halb schließend:

»Es ist ja niemand mehr da, man hat allen meinen Leuten den Garaus gemacht.«

»Wieso hat man ihnen den Garaus gemacht? Wer hat es getan?«

»Zwei Brüder wurden nach Sewastopol getrieben, dort sind sie zugrunde gegangen. Der älteste ist in einen Aufstand hineingeraten, als es bei den Bauern wegen der Befreiung zu Unruhen kam; der Vater war auch beim Aufstand dabei – er lehnte sich auf, als man die Leute mit Gewalt zwingen wollte, Kartoffeln zu essen; er sollte durchgeprügelt werden, da lief er weg, um sich zu verstecken, brach auf dem Eis ein und ertrank. Dann hatte meine Mutter von ihrem zweiten Mann, dem Fischer Wialow, noch zwei Kinder, mich und meinen Bruder Sergej ...«

»Und wo ist dein Bruder?«, fragte Uljana mit den von Tränen verschwollenen Augen blinzelnd.

»Man hat ihn umgebracht.«

»Du erzählst, als ob du eine Seelenmesse liest«, sagte Artamonow erbost.

»Das ist für Uljana Iwanowna interessant ... Sie ließ ein wenig den Kopf hängen, und da habe ich ...«

Er sprach nicht zu Ende, bückte sich, hob einen dürren Ast vom Wege auf und warf ihn beiseite. Man ging ein paar Minuten schweigend weiter.

»Und wer hat deinen Bruder umgebracht?«, fragte plötzlich Artamonow.

»Wer bringt um? Der Mensch bringt um«, sagte Tichon ruhig, und die Bajmakowa fügte seufzend hinzu.

»Auch der Blitz tut es ...«

Um die Mitte des Sommers brachen schwere Tage an, über der Erde brütete am gelblichen, dunstigen Himmel eine bedrückende, unbarmherzig heiße Stille; überall brannten Torflager und Wälder. Plötzlich erhob sich wild ein trockener, sengender Wind, er zischte und pfiff grimmig, riss von den Bäumen die trockenen Blätter und die fuchsroten, vorjährigen Nadeln herab, hob Sandwolken hoch, die er zugleich mit Spänen, Ähren und Hühnerfedern über die Erde jagte; er warf die Menschen um, versuchte ihnen die Kleider vom Leibe zu reißen, versteckte sich in den Wäldern und fachte die Feuersbrünste zu heißer Glut an.

In der Fabrik gab es viele Kranke. Artamonow hörte mitten im Summen der Spindeln und im Rascheln der Schiffchen trockenes, angestrengtes Husten, sah an den Webstühlen traurige, böse Gesichter und beobachtete kraftlose Bewegungen; die Quantität der Produktion verringerte sich, die Qualität der Ware verschlechterte sich merklich; die Anzahl der verbummelten Tage stieg beträchtlich, die Leute begannen mehr zu trinken, die Frauen bekamen kranke Kinder. Der lustige Schreiner Serafim, ein Greis mit dem rosigen Gesicht eines Kindes, verfertigte in einem fort kleine Särge und nagelte auch oft aus hellen Tannenbrettern letzte Ruhestätten für Erwachsene zusammen, die mit ihrem Arbeitspensum fertig waren.

»Wir müssen mal ein Fest veranstalten«, sagte Alexej beharrlich. »Wir müssen die Leute aufheitern, ihnen wieder Mut machen!«

Als er mit seiner Frau nach Nishni abreiste, riet er nochmals:

»Gib ein Fest! Die Leute werden wieder aufleben. Glaube mir, Fröhlichkeit rettet bei jedem Unglück!«

»Befass du dich damit«, befahl Pjotr seiner Frau. »Mach es schön und reichlich.«

Natalia brummte unzufrieden und er fragte böse:

»Nun?«

Natalia schneuzte sich aus Protest laut in den Schürzenrand und antwortete:

»Ich höre schon.«

Das Fest begann mit einem Gottesdienst. Der Pope Gleb hielt ihn sehr feierlich ab; er war noch magerer und dürrer geworden; seine heisere Stimme tönte klagend beim Aussprechen der nicht alltäglichen Worte, als flehte er mit seinen letzten Kräften. Die grauen Gesichter der schwindsüchtigen Weber waren düster gerunzelt und fromm erstarrt; viele Frauen weinten mit lautem Schluchzen. Und als der Pope seine traurigen Augen zum dunstigen Himmel erhob, blickten die Leute mit ihm zugleich flehend durch den Dunst in die trübe, kahle Sonne und schienen zu glauben, dass der sanfte Pope im Himmel jemanden sah, der ihn kannte und ihm lauschte.

Nach dem Gottesdienst trugen die Frauen Tische auf die Straße der Siedlung hinaus, und die ganze Arbeiterschaft setzte sich bedächtig zu den Holzschüsseln hin, die bis an den Rand mit fetten Nudeln und Hammelfleisch gefüllt waren. Jede Schüssel war von zehn Menschen umringt, auf jedem Tisch stand ein Eimer starken, daheim gebrauten Bieres und ein Vierteleimer Schnaps. Die Stille, die die Erde wie eine warme Mütze einhüllte, kam in Bewegung und zog sich in die Sümpfe zu den Waldbränden zurück. Die Siedlung erdröhnte von fröhlichen Stimmen, vom Klappern der Holzlöffel, dem Lachen der Kinder, den Rufen der Frauen, dem Geschwätz der Jugend. Man verbrachte drei Stunden beim sättigenden, reichlichen Mahl; darauf versammelten sich die jungen Leute, nachdem man die Betrunkenen nach Hause gebracht hatte, um den reinlichen, nett aussehenden Schreiner Serafim. Sein blaues Hemd und die gleichfarbige Hose aus Hanfleinen waren vom häufigen Waschen ganz hell geworden, sein trunkenes, rosiges, kleines Gesicht mit der spitzen Nase strahlte begeistert, die nicht gealterten kecken Äuglein glänzten und zwinkerten. Dieser lustige Sargmacher hatte, seinem seraphischen Namen entsprechend, etwas himmlisch Freudiges, leicht Beschwingtes. Er saß auf der Bank, hielt die Gusli[2] auf seinen spitzen Knien, griff mit den dunklen, wie Meerrettichwurzeln verbogenen Fingern in die Saiten und sang in der Weise der blinden Bettler näselnd und mit betonter Wehmut:

»Hört ihr Leute eine Mär zur Erheiterung,
Und für eure Weisheit zur Enträtselung!«

Er zwinkerte den Mädchen zu, in deren Mitte seine Tochter, die hochbrüstige, schöne Spulerin Sinaïda, mit kecken Augen majestätisch dastand, und hub in noch höherer Tonlage und noch wehmütiger an:

»Herr Jesus sitzt im lichten Paradiese
In himmlischer und dufterfüllter Kühle,
Unter der hohen, goldig blühenden Linde.
Er sitzt dort auf seinem Lindenbastthrone

2 eine Art Laute

Teilt Silber und Gold aus
Und kostbare Steine,
Den Reichen zum Lohne,
Weil sie, diese Reichen,
Den Armen was gönnen,
Das arme Volk lieben,
Die Bettler gut speisen.«

Er zwinkerte wieder den Mädchen zu und stellte plötzlich seine dünne Stimme für eine Tanzweise um, während seine Tochter auf Zigeunerart die Arme hinter den Kopf warf, die Brüste schüttelte, aufkreischte und zu dem lauten Lied des Vaters und zum Saitenklang zu tanzen begann:

»Jenem, der das Silber nahm,
Werden beide Beine lahm!
Über den, der Gold sich nahm,
Brennend heiß das Feuer kam!
Und die Perlen, die Rubine
Blenden alle sie zur Sühne!«

Das Pfeifen der Burschen übertönte den Klang der Gusli und Serafims lustige Weise; darauf stimmten die Frauen und Mädchen ein Tanzlied an:

»Die Schiffe fahren über das Meer,
Bringen schönen Mädchen Geschenke her!«

Sinaïda stampfte mit dem Fuß auf und sang durchdringend:

»Paschka will Palaschka spenden
Sackleinene Hemden,
Und Matrioschka zum Geschenke
Birkenkätzchen-Ohrgehänge.«

Ilja Artamonow saß auf aufgestapelten Brettern mit Pawel Nikonow, einem mageren Knaben, auf dessen langem Halse unruhig ein alter, etwas kahler Kopf herumbaumelte, während in dem grauen, kränklichen

Gesicht graue, ängstliche Äuglein gierig herumhuschten. Ilja gefiel der blaue Alte sehr, es war behaglich, dem Guslispiel und Serafims komischer, kecker Stimme zu lauschen. Plötzlich begann sich aber eine Frau in einer hochroten Jacke wie eine Flamme zu drehen und zerstörte alles, indem sie zu wildem Pfeifen und einem unharmonisch lauten Lied Anlass gab. Diese Frau erschien ihm restlos widerwärtig, als Nikonow halblaut sagte:

»Das ist die liederliche Sinaïdka, die hält es mit allen. Auch mit deinem Vater, – ich habe selbst gesehen, wie er sie abgeknutscht hat.«

»Wozu?«, fragte Ilja ahnungslos.

»Nun, du weißt schon!«

Ilja senkte die Augen. Er wusste, weshalb man Mädchen abknutscht, und er ärgerte sich, weil er den Kameraden danach gefragt hatte.

»Du lügst«, sagte er angeekelt, ohne auf Nikonows Geflüster zu hören. Dieser verschüchterte und feige Knabe missfiel ihm durch seine Schlappheit und durch die Einförmigkeit seiner langweiligen Erzählungen von den Fabrikmädchen. Nikonow war jedoch Fachmann in Bezug auf Jagdtauben. Ilja liebte aber Tauben und freute sich immer, wenn er den schwachen Knaben vor den Fabrikkindern schützen konnte. Überdies verstand es Nikonow, das von ihm Gesehene gut zu schildern, obwohl er nur Unangenehmes sah und über alles so sprach, wie Bruder Jakow, – als beklagte er sich über alle Menschen.

Nachdem Ilja eine Weile schweigend dagesessen hatte, ging er nach Hause. Man trank dort im Garten, im heißen Schatten der vor Staub grauen Bäume Tee. An dem großen Tisch saßen die Gäste: der stille Pope Gleb, der wie ein Zigeuner schwarze, lockige Mechaniker Koptew, der sauber gewaschene Kontorist Nikonow, mit einem derartig verschwommenen Gesicht, dass man daraus schwer klug wurde. Er hatte eine kleine Nase mit einem Schnurrbart darunter, eine Beule auf der Stirn, zwischen der Nase und der Beule spielte ein Lächeln und verdeckte die schmalen Augenspalten mit zitternden Hautfalten.

Ilja setzte sich neben seinen Vater und konnte nicht glauben, dass dieser unfrohe Mensch sich mit der schamlosen Spulerin abgab. Sein Vater streichelte ihm mit der schweren Hand schweigend die Schulter. Alle waren von der Hitze erschlafft und in Schweiß gebadet, man sprach nur unwillig; allein Koptews laute Stimme klang noch wie in einer kristallklaren, frostigen Winternacht.

»Wollen wir nicht in die Siedlung gehen?«, fragte die Mutter.

»Ja, ich will mich umziehen«, sagte der Vater, erhob sich vom Tisch und ging ins Haus. Nach einer Weile lief Ilja ihm nach, und holte ihn am Hauseingang ein.

»Was willst du?«, fragte der Vater freundlich, – und der Sohn fragte, ihm in die Augen blickend:

»Hast du Sinaïda abgeknutscht oder nicht?«

Es kam Ilja vor, als erschrecke der Vater. Das wunderte ihn nicht, er hielt den Vater für einen schüchternen Menschen, der sich vor allen fürchtete und deshalb schweigsam war. Er fühlte oft, dass der Vater sich auch vor ihm fürchtete, wie zum Beispiel jetzt. Und um dem erschrockenen Menschen Mut zu machen, sagte er:

»Ich glaube es nicht. Ich frage ja nur.«

Der Vater stieß ihn durch den Flur und dann durch den Korridor in sein Zimmer hinein, schloss fest die Tür hinter sich und begann schnaufend aus einer Ecke in die andere zu schreiten, was er zu tun pflegte, wenn er erzürnt war.

»Komm mal her«, sagte Pjotr Artamonow, beim Tisch stehen bleibend. Ilja trat näher.

»Was hast du gesagt?«

»Das hat Pawel gesagt. Ich glaube es aber nicht.«

»Du glaubst es nicht? So.«

Pjotr schüttelte den Zorn von sich ab und betrachtete scharf den breitstirnigen Kopf des Sohnes und sein ernstes, unfreundliches Gesicht. Er zupfte sich am Ohr und überlegte, ob es gut oder schlecht sei, dass der Sohn dem dummen Geschwätz eines gleichaltrigen Knaben nicht glaubte und ihn durch diesen Unglauben sichtlich trösten wollte? Ihm fiel nichts ein, was er dem Sohn sagen sollte, und er hatte durchaus nicht den Wunsch, Ilja zu schlagen. Es musste aber etwas geschehen, und er entschied, es sei am einfachsten und verständlichsten, zu schlagen. Da hob er schwer die nicht allzu willige Hand und versenkte die Finger in die etwas harten Haarbüschel des Sohnes, er riss daran und murmelte:

»Hör nicht auf Dummköpfe!«

Dann stieß er ihn weg und befahl:

»Geh in deine Stube und bleibe dort. Jawohl.«

Der Sohn ging zur Tür und neigte den Kopf, den er wie etwas ihm Fremdes trug, zur Seite. Der Vater tröstete sich aber bei seinem Anblick:

»Er weint nicht. Ich habe ihm nicht wehgetan.«

Er versuchte zu zürnen:
»Da sieh mal einer an! Du glaubst es nicht! Jetzt habe ich es dir gezeigt.«
Das erstickte jedoch nicht das Gefühl des Mitleids mit dem Sohn, des Gekränktseins für ihn, und den Ärger über sich selbst.
»Ich habe ihn heute zum ersten Mal geschlagen«, dachte er, seine rote, haarige Hand feindselig betrachtend. »Mich hat man bis zu meinem zehnten Jahre sicherlich hundertmal geschlagen.«
Doch auch dies tröstete ihn nicht. Er blickte durchs Fenster auf die an einen Fetttropfen in trübem Wasser erinnernde Sonne, lauschte dem lockenden Lärm in der Siedlung und ging widerwillig, sich das Fest anzusehen. Unterwegs sagte er leise zu Nikonow:
»Dein Stiefsohn bringt meinem Ilja Dummheiten bei ...«
»So. Ich werd' ihn mal durchprügeln«, schlug der Kontorist mit voller Bereitwilligkeit und scheinbar sogar mit Vergnügen vor.
»Halte ihm die Zunge fest«, fügte Pjotr hinzu, blickte von der Seite in Nikonows leeres Gesicht und dachte erleichtert:
»Wie einfach das ist.«
Die Siedlung empfing den Prinzipal geräuschvoll und wohlwollend mit strahlendem, halb betrunkenem Lächeln und mit dick aufgetragener Schmeichelei. Serafim stampfte mit den Füßen in neuen Bastschuhen und in weißen Fußlappen, die auf mordwinische Art mit roten Riemen umwickelt waren, drehte sich vor Artamonow herum und sang »Hosiannah«:

»Oh, wer ist's, der da kommt?
Der Herr selbst ist's, der da kommt!
Und wen denn bringt er?
Sich selber bringt er!«

Der graubärtige, langhaarige Iwan Morosow, der aussah wie ein Geistlicher, sagte mit einer Bassstimme:
»Wir sind mit dir zufrieden. Wir sind zufrieden.«
Ein anderer Greis, Mamajew, schrie begeistert:
»Die Artamonows sorgen herrschaftlich für die Leute!«
Und Nikonow sagte zu Koptew so, dass alle es hörten:
»Ein dankbares Volk, es versteht seine Wohltäter zu schätzen!«

»Mama, die stoßen mich!«, jammerte Jakow, der ein rosa Seidenhemd trug und wie eine Kugel aussah. Die Mutter hielt ihn an der Hand, lächelte herablassend den Frauen zu und beschwichtigte ihn:

»Sieh mal, wie der Alte tanzt ...«

Der blaue Schreiner drehte sich unermüdlich, sprang herum und überschüttete alle mit Scherzworten:

»Heda, drehe dich im Nu,
Dreh dich wie ein Rädchen!
Stiefel schwerer sind als Schuh',
Süßer Frau als Mädchen!«

Artamonow hörte nicht zum ersten Mal sein Lob singen, er hatte allen Grund, die Aufrichtigkeit dieses Lobes zu bezweifeln, und doch stimmte es ihn milder; er sagte schmunzelnd:

»Nun gut, ich danke! Es ist schön, wir sind in gutem Einvernehmen.«

Und dabei dachte er:

»Schade, dass Ilja nicht sieht, wie man seinen Vater ehrt.«

Er empfand das Bedürfnis, etwas Gutes zu tun und den Leuten eine Freude zu machen; nach einigem Überlegen zupfte er sich am Ohr und sagte:

»Das Kinderkrankenhaus muss noch einmal so groß werden.«

Serafim sprang mit weit ausgebreiteten Armen von ihm weg.

»Habt ihr gehört? Los – ein Hurra für den Prinzipal!«

Die Leute brüllten nicht gleichzeitig, aber sehr laut hurra. Die gerührte, von den Frauen umringte Natalia sagte näselnd und singend:

»Frauen, geht und holt noch drei Fässchen Bier, Tichon wird sie euch ausfolgen, geht nur!«

Das erhöhte noch mehr das Entzücken der Weiber. Nikonow sagte aber, ergriffen den Kopf wiegend:

»Ein erzbischöflicher Empfang ...«

»Ma–ama, mir ist so heiß«, blökte Jakow.

Die Freude wurde ein wenig dadurch herabgemindert und unterbrochen, dass der Heizer Wolkow, ein Mann mit einem schwarzen Bart und mit riesigen, pflaumengroßen Augen auf Natalia zusprang; er ließ über den linken Arm ungeschickt ein mageres, vor Hitze ermattetes Kind, mit Geschwüren auf der bläulichen Haut, herabhängen und schrie hysterisch:

»Was soll ich anfangen? Meine Frau ist gestorben. Sie ist von der Hitze gestorben! Hier ist dieser Zuwachs geblieben, was soll ich anfangen?«

Aus seinen wahnsinnigen Augen rannen seltsame, gelbe Tränen; die Frauen stießen den Heizer von Natalia fort und sagten, wie um sich zu entschuldigen:

»Höre nicht auf ihn! Er ist, wie du siehst, nicht bei Verstand. Seine Frau war liederlich. Eine Schwindsüchtige. Er selber ist auch krank.«

»Nehmt ihm doch das Kind weg«, riet Artamonow ärgerlich, und sogleich streckten sich zu dem erschlafften kleinen Kinderkörper einige Frauenhände hin. Wolkow schimpfte aber heftig und lief fort.

Im Allgemeinen war aber alles schön, bunt und lustig, wie es sich für ein Fest gehörte. Artamonow fielen die Gesichter neuer Arbeiter auf, und er dachte beinahe mit Stolz:

»Die Zahl der Leute wächst. Wenn der Vater das sehen könnte ...«

»Du hast Ilja zu ungelegener Zeit bestraft, er sieht jetzt nicht die allgemeine Liebe zu dir«, bedauerte plötzlich seine Frau.

Artamonow schwieg darauf und blickte mit krauser Stirn Sinaïda an. Sie ging an der Spitze von etwa zehn Mädchen und sang mit unangenehmer, tiefer Stimme:

»Er geht vorbei,
Er sieht mich an,
Mir scheint, er will
Mich lieben, ach!«

»Ein liederliches Weib«, dachte er. »Und auch das Lied ist hässlich.«

Er zog die Uhr, sah hin und log aus irgendeinem Grunde:

»Ich will nach Hause gehen, es ist vielleicht ein Telegramm von Alexej gekommen.«

Er ging rasch und überlegte unterwegs, was er dem Sohne sagen wollte. Er dachte sich etwas sehr Strenges und doch gleichzeitig Freundliches aus; doch als er die Tür zu Iljas Zimmer öffnete, hatte er alles vergessen. Der Sohn kniete auf einem Stuhl, stützte sich mit den Ellbogen auf das Fensterbrett und blickte in den dunstigen, roten Himmel; das Halbdunkel füllte das kleine Zimmer mit braunem Staub; an der Wand rumorte in einem großen Käfig eine Drossel: Sie machte Anstalten zum Schlafengehen und putzte ihren gelben Schnabel.

»Nun, was sitzst du so da?«

Ilja zuckte zusammen, wandte sich um und stieg ohne Eile vom Stuhl herab.

»Du hörst dir also jeden Unsinn an?«

Der Sohn stand mit gebeugtem Kopf da. Der Vater begriff, dass er es mit Absicht tat, um an die erlittene Züchtigung zu erinnern.

»Warum bückst du dich? Halt' den Kopf gerade!«

Ilja hob die Brauen, blickte aber den Vater nicht an. Die Drossel begann auf den Stangen herumzuspringen und leise zu pfeifen.

»Er zürnt noch«, dachte Artamonow, sich auf Iljas Bett setzend und den Finger in das Kissen bohrend. – »Man muss solchen Unsinn gar nicht erst anhören.«

Ilja fragte:

»Ja, wie denn, wenn man aber zu mir spricht?«

Seine ernste, liebe Stimme erfreute den Vater. Pjotr begann nun freundlicher und mutiger:

»Und wenn auch, hör einfach nicht hin! Vergiss es! Wenn man vor dir eine Scheußlichkeit sagt, dann musst du sie vergessen.«

»Vergisst du auch?«

»Aber gewiss. Was wäre ich denn, wenn ich all das, was ich höre, behalten würde?«

Er sprach ohne Eile, wählte sorgfältig möglichst einfache Worte und war sich doch darüber im Klaren, dass sie alle überflüssig waren, er blieb bald in der dunklen Weisheit dieser einfachen Worte stecken und sagte mit einem Seufzer:

»Komm zu mir!«

Ilja kam vorsichtig näher. Der Vater presste ihm die Seiten mit den Knien zusammen, drückte ihm die Handfläche leicht gegen die breite Stirn und war gekränkt, als er fühlte, dass der Sohn den Kopf nicht heben wollte.

»Was sind das für Grillen? Sieh mich an!«

Ilja sah ihm gerade in die Augen, doch das verschlimmerte nur noch die Sache, denn er fragte:

»Weshalb hast du mich geschlagen? Ich habe doch gesagt, dass ich Pawel nicht glaube.«

Pjotr antwortete nicht gleich. Er sah mit Staunen, dass sein Sohn sich plötzlich, wie durch irgendein Wunder, als seinesgleichen fühlte, dass er sich selbst den Rang eines Erwachsenen verliehen und den Erwachsenen zu sich herabgezogen hatte.

»Er ist über sein Alter hinaus empfindlich«, dachte Pjotr flüchtig und erhob sich, hastig sprechend, in dem Bestreben, seinen Sohn möglichst rasch zu versöhnen.

»Ich habe dir nicht wehgetan. Man muss manchmal züchtigen. Oh, wie hat mich mein Vater geschlagen! Und die Mutter! Der Pferdeknecht und der Verwalter! Der deutsche Lakai! Wenn ein Verwandter schlägt, ist es nicht so kränkend, wenn aber ein Fremder es tut, macht es Kummer. Die Hand eines Verwandten ist leicht!«

Er ging im Zimmer auf und ab, machte von der Tür zum Fenster sechs Schritte und beeilte sich sehr, dieses Gespräch zu beenden, als fürchtete er, dass der Sohn noch irgendetwas fragen könnte.

»Du wirst hier alles Mögliche sehen und hören, was nicht für dich bestimmt ist«, murmelte er, ohne den Sohn anzusehen, der sich an das Kopfende des Bettes schmiegte. »Du musst lernen. Du musst in die Gouvernementsstadt. Willst du lernen?«

»Ja, ich will lernen.«

»Na also ...«

Er wollte den Sohn liebkosen, doch hemmte ihn etwas. Und er konnte sich nicht erinnern, ob Vater und Mutter ihn nach einer ihm zugefügten Kränkung liebkost hatten.

»Nun, geh spazieren. Du solltest Pawel nicht zum Freunde haben.«

»Niemand liebt ihn.«

»Er verdient es auch nicht, er ist durch und durch verdorben.«

Artamonow ging in sein Zimmer hinunter und versank, am Fenster stehend, in Gedanken: Der Vorfall mit dem Sohn war nicht schön gewesen.

»Ich habe ihn verzogen. Er fürchtet mich nicht.«

Aus der Siedlung tönten mannigfaltige Geräusche herüber: das Singen und Kreischen der Mädchen, gedämpftes Sprechen, die schrillen Töne der Harmonika. Am Tor klangen deutlich Tichons Worte:

»Warum sitzest du zu Hause, Junge? Es ist ein Fest, und du bist im Zimmer? Du willst lernen? Das ist gut. Man sagt: Wer nicht gelernt hat, ist noch nicht geboren. Ich werde mich nach dir sehnen, Junge.«

Artamonow wollte rufen:

»Du lügst, *ich* werde mich sehnen! Wie er den Sohn des Herrn umschmeichelt, die gemeine Seele«, dachte er erbost.

Nachdem Pjotr seinen Sohn zum Bruder des Popen Gleb, einem Lehrer, der Ilja fürs Gymnasium vorbereiten sollte, in die Stadt geschickt hatte, fühlte er tatsächlich Leere in der Seele und Langeweile im Hause. Es war so unbehaglich und ungewohnt, als wäre das ewige Lämpchen im Schlafzimmer erloschen. Pjotr hatte sich derart an dessen bläuliches Licht gewöhnt, dass er in den endlosen Nächten erwachte, wenn es aus irgendeinem Grunde ausging.

Vor der Abreise trieb Ilja so viel Unfug, als wollte er absichtlich ein schlechtes Andenken hinterlassen; er sagte der Mutter derartige Grobheiten, dass sie zu weinen begann, ließ alle Vögel von Jakow aus den Käfigen heraus und schenkte Nikonow die seinem Bruder versprochene Drossel.

»Warum machst du solchen Unsinn?«, fragte der Vater. Ilja neigte aber, ohne zu antworten, den Kopf zur Seite, und es kam Artamonow vor, als forderte der Sohn ihn heraus, indem er ihn wieder daran erinnerte, was er vergessen wollte. Es war seltsam zu fühlen, wie viel Raum dieser kleine Mensch in seiner Seele einnahm.

»Ist es denn möglich, dass mein Vater meinetwegen auch so besorgt war?«

Sein Gedächtnis erwiderte mit Bestimmtheit, er hätte nie die Empfindung gehabt, der Vater wäre ein ihm nahestehender, geliebter Mensch, er war nur ein strenger Prinzipal, der Alexej viel aufmerksamer behandelte als ihn.

»Wie ist es, bin ich denn gütiger als mein Vater?«, fragte sich Artamonow und war im Unklaren, da er nicht wusste, ob er gut oder böse war. Diese Gedanken behinderten ihn, da sie ihn zu ungelegenen Stunden weckten und ihn während der Arbeitszeit überfielen. Das Werk wuchs geräuschvoll, sah den Herrn mit Hunderten von Augen an und erforderte stets gespannte Aufmerksamkeit; es brauchte ihn aber nur irgendetwas an Ilja zu erinnern, und die geschäftlichen Gedanken zerrissen wie eine durchfaulte, vermoderte Gewebekette, und es kostete große Anstrengung, sie durch feste Knoten wieder zusammenzubinden. Er versuchte die durch Iljas Abwesenheit entstandene Leere durch erhöhte Aufmerksamkeit gegenüber dem jüngeren Sohn zu füllen, aber nur um sich mit finsterem Ärger zu überzeugen, dass Jakow ihn nicht trösten konnte.

»Papa, kauf mir einen Bock«, bat Jakow. Er bat immer um irgendetwas.

»Warum gerade einen Bock?«

»Ich will reiten.«

»Das hast du dir schlecht ausgedacht. Nur Hexen reiten auf Böcken.«

»Jelena hat mir aber ein Bilderbuch geschenkt, und dort sitzt ein guter Junge auf einem Bock.«

Der Vater dachte:

»Ilja hätte an das Bild nicht geglaubt. Er würde ihn sofort bestürmt haben: erzähle mir von den Hexen.«

Es missfiel ihm, dass Jakow selbst die Fabrikkinder neckte und dann klagte:

»Die hauen mich.«

Auch der älteste Sohn war ein Raufbold und Händelsucher, doch beklagte er sich nie über jemanden, obwohl er häufig von den Kameraden in der Siedlung verprügelt wurde. Jakow war aber feige und faul, und lutschte oder kaute immer etwas. Manchmal fiel in Jakows Benehmen etwas Unverständliches, scheinbar Unschönes auf. Einmal, als die Mutter ihm beim Tee Milch einschenkte, blieb sie mit dem Ärmel ihrer Jacke am Glase hängen, warf es um und verbrühte sich.

»Ich habe vorhergesehen, dass du die Milch ausgießen wirst!«, prahlte Jakow grinsend.

»Du hast es gesehen und hast geschwiegen? Das ist schlecht von dir«, bemerkte der Vater. »Jetzt hat sich die Mutter die Beine verbrüht.«

Jakow kaute blinzelnd und schnaufend stumm weiter. Nach einigen Tagen hörte der Vater ihn aber zu irgendwem auf dem Hofe sagen, – und seine Worte überschlugen sich dabei:

»Ich habe es vorhergesehen, dass er ihn hauen wollte; er schlich sich heran, kam näher und holte dann von hinten aus!«

Als Artamonow aus dem Fenster blickte, sah er, dass sein Sohn, mit der Faust fuchtelnd, erregt mit dem nichtsnutzigen Pawel Nikonow sprach. Er rief Jakow zu sich, verbot ihm die Freundschaft mit Nikonow und wollte ihm etwas Belehrendes sagen. Als er aber in die fliederfarbenen Augäpfel mit den sehr hellen Pupillen sah, stieß er mit einem Seufzer den Sohn weg:

»Geh, du mit deinen leeren Augen ...«

Jakow ging vorsichtig wie über Glatteis und hielt die Ellbogen an die Seite gepresst und die Handflächen vorgestreckt, als trage er etwas Unbequemes und Schweres.

»Er ist unbeholfen. Auch etwas dumm«, entschied der Vater.

Auch an der großen, wenig gesprächigen Tochter war etwas Langweiliges, das sie mit Jakow gemeinsam hatte. Sie las gern liegend, aß zum Tee viel Eingemachtes, beim Mittagessen bröckelte sie wählerisch mit zwei Fingern Brotstückchen ab, fuhr mit dem Löffel im Teller herum, als fange sie in der Suppe Fliegen; sie presste die blutstrotzenden, sehr roten Lippen zusammen und sagte häufig in einem für ein halbwüchsiges Mädchen unpassenden Ton zur Mutter:

»Das wird jetzt nicht mehr so gemacht. Das ist aus der Mode gekommen.«

Als der Vater zu ihr sagte:

»Du bist ja so gelehrt, warum siehst du dir nicht mal an, wie man das Leinen für deine Hemden webt?«, antwortete sie:

»Bitte.«

Sie zog ihr Feiertagskleid an, nahm den Schirm, ein Geschenk des Onkels Alexej, und folgte gehorsam dem Vater, wobei sie aufmerksam darauf bedacht war, mit dem Kleid nicht irgendwo hängen zu bleiben. Sie nieste ein paarmal, und als die Arbeiter ihr Gesundheit wünschten, errötete sie und nickte ihnen schweigend mit dem Kopf zu, ohne das hochmütig aufgeblasene Gesicht zu einem Lächeln zu verziehen. Der Vater erzählte ihr von der Arbeit; da er aber bald merkte, dass sie statt auf die Webstühle auf ihre Füße sah, verstummte er, durch die Gleichgültigkeit der Tochter seinem mühevollen Tun gegenüber gekränkt. Als er aus der Weberei auf den Hof trat, fragte er aber doch:

»Nun, wie findest du es?«

»Es ist sehr staubig«, sagte sie, ihr Kleid betrachtend.

»Du hast nicht viel gesehen«, sagte Pjotr lächelnd und schrie ärgerlich:

»Was hebst du denn in einem fort den Kleidersaum auf? Der Hof ist rein und der Rock ist ohnedies kurz.«

Sie zog erschrocken die beiden Finger fort, mit denen sie den Rock festhielt, und sagte mit schuldbewusster Miene:

»Es riecht sehr nach Maschinenöl.«

Diese beiden Finger reizten Artamonow am meisten und er brummte:

»Pass auf, mit den zwei Fingern wirst du nicht allzu viel fassen!«

Als sie an einem regnerischen Tage lesend auf dem Sofa lag, setzte sich der Vater zu ihr und fragte, was sie lese.

»Über einen Doktor.«

»So. Das ist also wissenschaftlich?«

Als er aber ins Buch hineinsah, war er empört.

»Warum lügst du denn? Das sind Verse. Wird denn Wissenschaftliches in Versen geschrieben?«

Sie erzählte ihm eilig und verworren irgendein Märchen: Gott hatte dem Satan erlaubt, einen deutschen Doktor zu verführen, und Satan schickte einen Teufel zu dem Doktor. Artamonow zupfte sich am Ohr und bemühte sich gewissenhaft, den Sinn dieses Märchens zu erfassen; doch war es lächerlich und ärgerlich zu hören, dass die Tochter in belehrendem Ton sprach, es hinderte ihn daran, in die Sache einzudringen.

»War der Doktor ein Trunkenbold?«

Er sah, dass seine Frage Jelena in Verlegenheit brachte und sagte zornig, ohne auf ihre Erklärung zu hören:

»Das ist ja verworrenes Zeug. Ein Märchen. Doktoren glauben nicht an Teufel. Woher hast du das Buch?«

»Der Mechaniker hat es mir gegeben.«

Pjotr erinnerte sich, dass Jelena zuweilen mit ihren grauen Katzenaugen sinnend vor sich hinsah und hielt es für nötig, die Tochter zu warnen:

»Koptew passt nicht zu dir, kichere nicht zu viel mit ihm.«

Ja, sowohl Jelena wie Jakow waren langweiliger und farbloser als Ilja, das sah er immer klarer. Und er merkte nicht, wie anstelle der Liebe zu seinem Sohn in ihm allmählich Hass gegen Pawel Nikonow aufkeimte. Wenn er dem schwächlichen Knaben begegnete, dachte er:

»Wegen eines so räudigen Kerls ...«

Der Knabe war ihm physisch widerwärtig. Nikonow ging mit gebücktem Rücken, sein Kopf drehte sich unruhig auf dem dünnen Hals herum, und wenn der Knabe lief, schien es Artamonow, dass er sich wie ein feiger Spitzbube heranschlich. Er arbeitete viel, er putzte Stiefel und Kleider des Stiefvaters, hackte und schleppte Holz, brachte Wasser, trug aus der Küche Eimer mit Spülicht hinaus und wusch im Fluss die Windeln seines Bruders. Er war geschäftig wie ein Spatz, schmutzig und zerlumpt und grinste alle mit einem unterwürfigen, hündischen Lächeln an; wenn er aber Artamonow sah, grüßte er ihn schon aus der Ferne, wobei er seinen Gänsehals niederbog und den Kopf auf die Brust sinken ließ. Es freute Artamonow beinahe, den Knaben im Herbstregen oder im Winter zu sehen, wie er sich beim Holzhacken die erfrorenen Finger mit dem Atem wärmte, dabei wie eine Gans auf einem Fuß stand und den zweiten, von dem der zertretene, durchlöcherte Stiefel herabrutschte, hochzog. Er hustete, fasste sich mit den blauen Pfötchen an die Brust und wand sich wie ein Korkzieher. Als Artamonow in Erfahrung brachte, dass der Junge auf dem Dachboden des Badehauses zwei Taubenpaare untergebracht hatte, befahl er Tichon, die Vögel freizulassen und aufzupassen, dass der Knabe nicht auf den Boden stieg.

»Er kann vom Dach fallen und sich verletzen. Es ist ja durch und durch morsch.«

Als er eines Abends ins Kontor kam, sah er, wie der Knabe auf dem Fußboden vergossene Tinte mit dem Messer abschabte und mit einem Scheuertuch wegwusch.

»Wer hat das verschüttet?«

»Der Vater.«

»Und nicht du?«

»Bei Gott, nicht ich!«

»Und warum ist deine Visage so verheult?«

Pawel hielt kniend den Kopf hin, wie um einen Streich zu empfangen, er antwortete nicht; da zermalmte ihn Artamonow mit einem Blick und sagte befriedigt:

»Es geschieht dir schon recht.«

Plötzlich sah er aber für einen Augenblick wieder klar, lächelte sich in den Bart und fühlte, wie kindisch und komisch seine Feindseligkeit einem nichtigen Jungen gegenüber war.

»Was tue ich da eigentlich?«, dachte er nachsichtig und warf eine schwere Kupfermünze von fünf Kopeken auf die Erde.

»Da, kauf dir Honigkuchen!«

Der Knabe streckte seine schmutzigen, knochigen Finger so vorsichtig nach der Münze aus, als fürchtete er, das Kupfer würde ihn verbrennen.

»Schlägt dich der Stiefvater?«

»Ja.«

»Nun, was ist dabei? Man schlägt alle«, tröstete Artamonow. Nach einigen Tagen klagte aber Jakow, Pawel hätte ihm etwas getan, und Pjotr, der dem Sohne doch gar nicht glaubte, ersuchte schon gewohnheitsmäßig den Kontoristen:

»Hau mal deinen Stiefsohn durch!«

»Das tue ich ja so schon«, versicherte Nikonow ehrerbietig.

Im Sommer kam Ilja zu den Ferien. Er war fremdartig gekleidet, glatt geschoren und noch breitstirniger. Artamonows Feindseligkeit Pawel gegenüber steigerte sich noch mehr, als er sah, dass der Sohn die Freundschaft mit diesem zerlumpten Schwächling fortsetzte. Ilja selbst war unangenehm höflich geworden, nannte Vater und Mutter »Sie«, hielt beim Gehen die Hände in den Taschen, benahm sich im Hause wie ein Gast, neckte den Bruder, den er zu Anfällen von Verzweiflung trieb und weinen machte, reizte die Schwester so, dass sie mit Büchern nach ihm warf und führte sich überhaupt wie ein Galgenstrick auf.

»Ich hab es gesagt!«, klagte Natalia ihrem Mann. »Alle sagen es: Das Lernen macht frech!«

Artamonow beobachtete schweigend und unruhig den Sohn. Ihm schien, dass Ilja zwar viel Unfug trieb, es aber unfroh und wie mit Absicht tat. Auf dem Dach des Badehauses erschienen wieder Tauben, die girrend auf dem Dachfirst herumspazierten, während Ilja und Pawel beim Schornstein saßen und stundenlang lebhaft über etwas plauderten, wenn sie nicht ihre Tauben fliegen ließen. Schon in den ersten Tagen nach der Ankunft des Sohnes forderte der Vater ihn auf:

»Nun, berichte mal, wie du so lebst? Ich habe dir vieles erzählt, jetzt bist du an der Reihe.«

Ilja erzählte kurz und hastig etwas Uninteressantes darüber, wie die Knaben die Lehrer neckten.

»Weshalb tun sie das?«

»Sie lassen uns nicht in Ruhe«, sagte Ilja.

»So. Das scheint nicht in Ordnung zu sein. Ist es schwer zu lernen?«

»Nein, sehr leicht sogar.«

»Lügst du auch nicht?«

»Sieh dir doch meine Zensuren an«, sagte Ilja achselzuckend, während seine Augen scharf in den Garten und nach dem Himmel spähten. Der Vater fragte:

»Was siehst du da?«

»Einen Habicht.«

Pjotr seufzte:

»Nun, laufe und spiele! Du scheinst dich bei mir zu langweilen.«

Als er allein war, erinnerte er sich, dass auch er sich in seiner Kindheit fast immer gelangweilt oder gefürchtet hatte, wenn sein Vater mit ihm sprach.

»Er neckt die Lehrer. Mir wäre so etwas nie eingefallen, – damals, als der Küster mich immer mit der Riemenpeitsche bearbeitete. Für die Kinder scheint das Leben weniger hart geworden zu sein.«

Vor der Abreise in die Stadt bat Ilja – und das war seine einzige Bitte:

»Papa, bitte erlauben Sie Pawel, auf dem Badehausboden Tauben zu halten ...«

Ohne etwas zu versprechen, sagte der Vater:

»Man kann nicht allen helfen, denen es schlecht geht.«

»Er darf also!«, stellte der Sohn fest. »Ich will es ihm sagen, er wird sich freuen.«

Pjotr Artamonow fühlte sich verletzt, weil sein Sohn für die Freuden irgendeines nichtsnutzigen Jungen sorgte, aber nicht darauf bedacht war und es auch nicht verstand, das Leben des Vaters durch etwas Freude zu erhellen. Und nach der Abreise des Sohnes fühlte er noch stärker seinen Hass gegen den Stiefsohn des Kontoristen. Jetzt kam es so weit, dass, wenn Artamonow zu Hause, in der Fabrik oder in der Stadt sich über irgendetwas ärgerte, der zerlumpte, schmutzige Junge in den Mittelpunkt all seines Ärgers trat und ihn geradezu aufzufordern schien, auf sein schwaches Wesen alle bösen Gedanken, alle schlechten Gefühle zu übertragen. Dieser Knabe wuchs tatsächlich wie Schimmel, wie ein Abendschatten, huschte wie ein diebischer Kobold vorüber und kam ihm immer öfter unter die Augen.

An einem heiteren Altweibersommertag ging Artamonow müde und verärgert in den Garten. Der Abend kam näher, auf dem grünlichen, vom Wind reingefegten Himmel schmolz, ohne zu wärmen, die ermüdete Herbstsonne dahin. In einer Gartenecke war Tichon Wialow damit beschäftigt, die abgefallenen Blätter mit einem Rechen zusammenzuscharren; das sanfte, traurige Geräusch schwebte durch den Garten; hinter den Bäumen brummte die Fabrik, der graue Rauch beschmutzte träge die durchsichtige Luft. Um Tichon nicht sehen und nicht mit ihm sprechen zu müssen, ging Pjotr in die entgegengesetzte Gartenecke zum Badehaus hin, dessen Tür nicht geschlossen war.

»Da ist ja *der!*«

Er sah vorsichtig in den Vorraum hinein und erblickte im Dunkel einer Ecke, auf der Bank ausgestreckt, die kleine Gestalt seines Feindes – mit gesenktem Kopf, die Beine weit auseinandergespreizt lag Pawel da und gab sich einem jugendlichen Laster hin. Artamonow freute sich im ersten Augenblick geradezu über den Anblick – sofort aber musste er an Jakow und Ilja denken und zischte angeekelt los:

»Was machst du da, du Lausejunge?«

Pawels Hand zuckte nicht mehr und griff nach oben; er löste sich seltsam von der Bank, öffnete leise aufkreischend den Mund, rollte sich zu einem Klumpen zusammen und warf sich vor die Füße des großen Mannes. Artamonow trat ihm mit Genuss mit dem rechten Fuß gegen die Brust und hielt dann inne; im Körper des Knaben knackte etwas, er ächzte schwach und sank auf die Seite ...

Einen Augenblick lang schien es Artamonow, als hätte er mit diesem Fußtritt seine Seele von irgendwelchen schmutzigen Lumpen und einer ihm verdrießlichen Last befreit. In der nächsten Minute sah er aber in den Garten, lauschte, schloss die Tür, beugte sich herab und sagte halblaut:

»Nun – steh auf, komm!«

Der Knabe lag da, die eine Hand vorgestreckt, während die zweite unter das Knie gepresst war; das eine Bein wirkte viel kürzer als das andere, er schien unmerklich an Pjotr heranzukriechen, und der ausgestreckte Arm sah unnatürlich und erschreckend lang aus. Artamonow fasste wankend mit der Hand nach dem Türpfosten, nahm die Mütze ab und wischte sich mit dem Futter die plötzlich in Schweiß gebadete Stirne.

»Steh auf, ich will es niemandem sagen«, flüsterte er und war sich schon bewusst, dass er den Knaben getötet hatte, als er sah, dass sich unter der an den Fußboden geschmiegten Wange ein dunkles Blutband hervorschlängelte.

»Ich habe getötet«, sprach Pjotr im Geiste. Das einfache, kurze Wort betäubte ihn. Er steckte seine Mütze in die Rocktasche und bekreuzte sich mit einem stumpfen Blick auf den kleinen, kläglich zusammengekrampften Körper. In ihm zuckte ängstlich der einfache Gedanke auf:

»Ich werde sagen – es ist zufällig geschehen. Ich hätte ihn mit der Tür gestoßen. Die Tür ist so schwer.«

Er drehte sich um und ließ sich mit seinem ganzen Gewicht auf die Bank sinken, – da stand Tichon mit einem Besen in der Hand hinter ihm, blickte Pawel mit den farblosen Augen an und kratzte sich nachdenklich seine steinartigen Backenknochen.

»Da ...«, begann Artamonow laut, sich mit den Händen am Bankrand festhaltend, aber Tichon unterbrach ihn kopfschüttelnd:

»Ein schwacher, ungeschickter Junge. Wie oft habe ich ihm gesagt: Steige nicht da hinauf!«

»Warum?«, fragte Pjotr erschrocken, aber mit einer Hoffnung.

»Du wirst mal abstürzen, sagte ich. Und auch du hast es vorausgesagt, Pjotr Iljitsch, weißt du noch? Jede Jagd erfordert Geschicklichkeit. Ist er ohnmächtig?«

Tichon kauerte sich nieder, betastete Pawels Arm und Hals, berührte die Wange, wischte den Finger an der Schürze ab, rieb ihn, als zünde er ein Streichholz an und sagte:

»Vielleicht ist er schon tot … Er war schwächlich, – da gehört nicht viel dazu!«

Tichon sprach ruhig, bewegte sich langsam und war in allem so wie immer, Pjotr traute ihm aber nicht und wartete auf strenge, verurteilende Worte. Tichon sah aber auf das in die Decke des Raumes eingeschnittene Viereck, lauschte dem Girren der Tauben und begann wieder ruhig und einfach zu sprechen:

»Er ist auf die Tür gekrochen, hat einen Fuß auf die Bank gestellt, und den andern erst auf den Türriegel und dann oben auf die Tür, von dort packte er mit den Händen den Rand und zog sich so hinauf. Seine Hände sind aber kraftlos, – da ist er abgestürzt und ist wohl mit dem Herzen gegen die Türkante gefallen.«

»Ich hab es nicht gesehen«, sagte Pjotr. Der Selbsterhaltungstrieb flüsterte ihm eilig Vermutungen zu:

»Lügt er? Heuchelt er? Stellt er mir eine Falle und will mich in seine Gewalt kriegen? Oder kommt der Dummkopf wirklich nicht darauf?«

Das letztere war wahrscheinlicher. Tichon benahm sich dumm; er neigte den Kopf so, als stoße er jemanden mit der Stirne und seufzte:

»Ach, so ein Staubkörnchen! Wozu gibt es nur so etwas? Ich will es der Mutter sagen. Der Stiefvater wird wohl nicht allzu sehr trauern; der Junge war ihm nur im Wege.«

Artamonow lauschte sehr misstrauisch den Worten Tichons und war bemüht, etwas Falsches herauszuhören; aber Tichon sprach wie immer, in dem Tone eines Menschen, dem jede Neugierde fremd ist.

»Halt!«, sagte er, die Brauen bewegend und lauschend. Irgendwo auf dem Hofe schrie zornig eine Frau:

»Paschka! Pasch-ka!«

Tichon strich sich über die Backenknochen.

»Was ist aus deinem Paschka geworden! Halte die Tränen bereit ...«

»Nein, er ist ein Dummkopf«, entschied Artamonow, zog die Mütze aus der Tasche und ging in den Garten, den zerbrochenen Mützenschirm betrachtend.

Er verlebte zwei, drei Wochen in dem Gefühl, dass in ihm eine dunkle Angst lebe und woge und ihn täglich mit einem neuen, unbekannten Unheil bedrohe. Gleich würde die Tür aufgehen, Tichon erscheinen und sagen:

»Nun also, ich weiß natürlich alles ...«

Äußerlich ging aber alles gut. Alle nahmen den Tod des Knaben ruhig und einfach auf, da sie gewohnt waren, in Demut zu gebären und zu begraben. Nikonow band sich einen neuen schwarzen Schlips um den gelben Hals, und sein verwaschenes Gesicht erhielt den Ausdruck bescheidener Wichtigkeit, als hätte er eine längst verdiente Belohnung erhalten. Die Mutter des Getöteten, eine große, magere Frau mit einem Pferdegesicht, beeilte sich, stumm und ohne Tränen den Sohn zu beerdigen, – so schien es Artamonow. Sie zupfte in einem fort an der Mullrüsche am Kopfende des Sarges herum, schob den Totenkranz auf der blauen Stirn der Leiche zurecht, drückte mit den Fingern vorsichtig die neuen, fuchsroten Kopekenstücke fest, die die Augen bedeckten, und bekreuzte sich sinnlos hastig. Pjotr bemerkte, dass sie derart müde war, dass sie während der Totenmesse zweimal die Hand nicht heben konnte, die sich immer wieder senkte, als wäre sie gebrochen.

Ja, in dieser Hinsicht lief alles glatt ab; die Nikonows bedankten sich sogar langatmig und zudringlich für die Unterstützung bei dem Leichenbegängnis, obwohl Artamonow aus Angst, durch übertriebene Freigebigkeit Tichons Verdacht zu erregen, nur wenig gespendet hatte. Er konnte doch nicht glauben, dass Tichon so dumm sei, wie er ihm damals im Badehaus erschienen war! Jetzt trat dieser Mensch schon zum zweiten Mal in Verbindung mit dem Badehaus in den Vordergrund und griff immer tiefer in Pjotrs Leben ein. Das war seltsam und unheimlich. Artamonow dachte sogar daran, das Badehaus niederzubrennen oder abzutragen und zu Brennholz zu zersägen, da es überdies schon alt und morsch war. Man müsste an einer anderen Stelle ein neues bauen.

Er beobachtete Tichon scharf und sah, dass der noch immer widerwillig und als erweise er eine Gnade, hier lebte; er war ebenso schweigsam und behandelte die Arbeiter roh wie ein Polizist; sie liebten ihn auch nicht. Mit den Frauen war er besonders grob, als ekelte er sich vor ihnen, und sprach nur mit Natalia in einer besonderen Weise, als wäre sie nicht die Hausfrau, sondern seine Verwandte, eine Tante oder ältere Schwester.

»Warum bist du zu Tichon immer so sehr freundlich?«, forschte Pjotr wiederholt. Seine Frau antwortete:

»Er hat sich bei uns schon so eingelebt.«

Wenn Tichon Freunde gehabt hätte und ausgegangen wäre, hätte man ihn für einen Sektierer halten können; in den letzten Jahren waren viele verschiedene Sekten aufgetaucht. Tichon besaß aber außer dem Schreiner Serafim keinerlei Freunde, er besuchte gern die Kirche, betete inbrünstig, riss dabei aber immer hässlich den Mund auf, als wolle er laut schreien. Zuweilen, wenn Artamonow in Tichons flimmernde Augen sah, runzelte er die Stirn, er glaubte, dass in diesen farblosen Augen eine Drohung verborgen war, und hatte den Wunsch, den Mann am Kragen zu packen und zu schütteln:

»Nun, sprich!«

Doch Tichons Pupillen erloschen und entglitten, und die steinerne Ruhe seines breitknochigen Gesichts verscheuchte Pjotrs Unruhe. Als der Narr Anton noch am Leben war, steckte er oft in Tichons Wächterhäuschen oder saß des Abends mit ihm auf der Bank am Tor, und Tichon fragte den Irrsinnigen aus:

»Schwatz nicht so sinnlos, denke nach und erkläre: Kujatyr – was ist das?«

»Kajamas«, kreischte Anton freudig und sang:

»Chiristus ist erstanden, ist erstanden ...«

»Warte!«

»Der Reisewagen hat ein Rad verloren.«

»Was willst du von ihm?«, fragte Artamonow mit ihm selbst unverständlichem Ärger.

»Dass er diese unmenschlichen Worte erklärt.«

»Das sind doch Narrenworte!«

»Auch der Narr muss seinen Verstand haben«, sagte Tichon dumm.

Es lohnte überhaupt nicht, mit ihm zu sprechen. In einer schlaflosen, vom Windgeheul durchtosten Nacht fühlte Artamonow, dass er nicht mehr die Kraft hatte, die tote Schwere auf der Seele zu tragen; er weckte seine Frau und erzählte ihr den Vorfall mit dem kleinen Nikonow. Natalia zwinkerte schweigend mit den verschlafenen Augen, hörte ihn an und sagte gähnend:

»Und ich vergesse meine Träume.«

Plötzlich raffte sie sich aber auf:

»Ach, ich fürchte, dass auch Jakow so wird.«

»Wie wird?«, fragte er erstaunt, und als sie ihm klarmachte, was sie befürchtete, dachte er, sich ärgerlich am Ohr zupfend:

»Ich hätte es ihr lieber nicht sagen sollen.«

In dieser Nacht, beim Brausen und Pfeifen des Schneesturms, vertiefte sich in ihm das Bewusstsein seiner Einsamkeit, und er legte sich zugleich etwas zurecht, das seine Tat beleuchtete und sie erklärte: Er hatte einen verdorbenen Knaben, einen gefährlichen Kameraden getötet und war durch die Kraft seiner Liebe und durch die Angst um seinen Sohn dazu getrieben worden. Das brachte in den dunklen Hass gegen den kleinen Nikonow eine verständliche Ursache und erleichterte ein wenig. Doch er wollte sich von dieser Last ganz befreien und sie auf andere Schultern abwälzen. Er bat den Popen Gleb zu sich ins Haus, weil er von dieser ungewöhnlichen Schuld nicht während der Beichte sprechen wollte, wo man nur die gewöhnlichen Sünden bekannte.

Der magere, untersetzte Pope kam abends und ließ sich still in einer Ecke nieder; er brachte seinen langen Körper immer tief in den Ecken unter, wo es möglichst dunkel und eng war; er schien sich aus Scham zu verstecken. Seine Gestalt in dem dunklen, alten Priesterrock verschwamm beinahe mit dem dunklen Leder des Sessels; auf dem düsteren Hintergrund trat nur sein Gesicht als trüber Fleck hervor; an den Schläfenhaaren glänzten Tröpfchen aufgetauten Schnees wie Glasstaub, und er hielt, wie immer, den dünnen, aber langen Bart in seine knochige Faust gepresst.

Da Artamonow nicht wagte, die Unterhaltung gleich mit der Hauptsache zu beginnen, sprach er zuerst davon, wie schnell das Volk verdorben werde und wie aufreizend es durch seine Faulheit, Trunksucht und Unzucht wirkte; dann langweilte es ihn, davon zu sprechen, – er verstummte und ging im Zimmer auf und ab. Da ertönten aus der dunklen Ecke die Worte des Popen, die sehr an eine Klage erinnerten.

»Niemand sorgt für das Volk, es ist aber nicht gewohnt und versteht es nicht, geistig für sich zu sorgen. Die Gebildeten aber, nun, ich will sie nicht verurteilen, wir besitzen auch viel zu wenig Gebildete. Sie müssen wissen, dass sie sich nicht in das alltägliche Leben und in die

Angelegenheiten des Volkes hineinleben. Sie streben zwar vieles an, aber nicht die Hauptsache. Sie neigen zur Auflehnung und werden deshalb von der Regierung verfolgt. Und überhaupt kommt bei uns alles nicht ins rechte Geleise. Nur eine einzige Stimme ist immer lauter in all dem sinnlosen Lärm zu hören, sie wendet sich an das Gewissen der Welt und ist mit Macht bemüht, es zu wecken, das ist die Stimme eines gewissen Grafen Tolstoi, eines Philosophen und Schriftstellers. Er ist ein äußerst bemerkenswerter Mensch, seine Rede ist bis zur Dreistigkeit mutig, aber da hier die orthodoxe Kirche angegriffen wird ...«

Er erzählte lange von Leo Tolstoi, und obwohl das Artamonow nicht ganz verständlich schien, lenkte ihn die seufzende, wie ein leise rauschender Bach aus dem Dunkel hervorsprudelnde Stimme des Popen, die die beinahe märchenhafte Gestalt des ungewöhnlichen Menschen erstehen ließ, von sich selbst ab.

Ohne zu vergessen, weshalb er den Popen eingeladen hatte, gab Pjotr sich allmählich einem Gefühl des Mitleids für ihn hin. Er wusste, dass die Stadtarmen Gleb für einen gottgefälligen Narren hielten, weil der Pope nicht habgierig und zu allen immer freundlich war, den Gottesdienst gut abhielt und in besonders rührender Weise die Totenmesse las. Artamonow erschien das alles selbstverständlich: so musste eben ein Pope sein. Seine Sympathie für ihn war durch die allgemeine Lieblosigkeit der städtischen Geistlichkeit und der angesehensten Bürger gegen Gleb hervorgerufen worden. Der geistliche Hirte musste aber streng sein, er hatte die Verpflichtung, besondere, durchdringende Worte zu kennen und zu sprechen und Furcht und Ekel vor der Sünde zu erwecken. Artamonow wusste, dass Gleb über diese Macht nicht verfügte, und als er seine unsichere Rede hörte, deren Worte in der Angst, jemanden zu verletzen, schwankten, sagte er plötzlich:

»Ich habe dich herbemüht, Vater Gleb, um dir mitzuteilen, dass ich in diesem Jahr das Abendmahl nicht nehmen werde.«

»Weshalb denn nicht?«, fragte der Pope sinnend, und da er keine Antwort erhielt, sagte er: »Sie sind vor Ihrem eigenen Gewissen verantwortlich.«

Es kam Artamonow vor, als hätte Gleb diese Worte ebenso herzlos gesagt, wie Tichon zu sprechen pflegte. Aus Armut trug der Pope keine Galoschen, und von seinen schweren Bauernstiefeln waren Lachen geschmolzenen Schnees herabgetropft; er patschte mit den Sohlen im Wasser herum und klagte immerzu, ohne zu verurteilen:

»Wenn man all das, was sich vor uns abspielt, betrachtet, findet man nur in dem einen Trost: Das Übel des Lebens strömt, immer mehr anwachsend, zu einem einzigen Punkt zusammen, als geschehe es zu dem Zwecke, damit seine Macht dann leichter zu überwinden sei. Ich habe das stets beobachtet: Es erscheint zuerst ein kleines Endchen eines Übels und darauf wächst, wie das Garn auf der Spindel, immer mehr und mehr Böses an. Das Zerstreute ist schwer zu bekämpfen, das Vereinigte kann aber auf einmal mit dem Schwert der Gerechtigkeit abgehauen werden ...«

Diese Worte blieben in Artamonows Erinnerung haften, er hörte darin etwas Tröstendes: Das Endchen war Pawel, alle bösen Gedanken waren zu ihm hingeströmt, er hatte sie angezogen. Und er dachte in dieser Stunde von Neuem, dass es nur gerecht wäre, einen gewissen Teil seiner Sünde auf Rechnung des Sohnes zu setzen. Er seufzte erleichtert auf und lud den Popen zum Tee ein.

Im Esszimmer war es hell und gemütlich, die warme Luft war mit appetitlichen Gerüchen gesättigt; auf dem Tisch fauchte, dampfte und kochte der Samowar; die Schwiegermutter saß im Lehnstuhl und sang mit angenehmer Stimme der vierjährigen Enkelin vor:

»Der heilige Blitz
Verschenkt seinen Besitz:
Dem Apostel Peter
Heißes Sommerwetter;
Der heilige Nikolaus
Frei auf Meer und Seen haust;
Dem Propheten Elias eine ganze
Goldene Lanze ...«

»Das ist heidnisch«, sagte der Pope, sich an den Tisch setzend und wie schuldbewusst lächelnd.

Im Schlafzimmer sagte Natalia zu Pjotr:

»Alexej ist wieder da, ich habe ihn gesehen. Moskau macht ihn immer verrückter. Ach, ich habe Angst ...«

Im Sommer waren auf Natalias weißem Halse und auf dem rotwangigen, glatten Gesicht rote Punkte erschienen; sie waren klein wie Nadelstiche, störten sie aber doch und sie schmierte sich zweimal wöchentlich vor dem Schlafengehen die Haut der Wangen eifrig mit einer honigfarbenen Salbe ein. Sie tat das jetzt, vor dem Spiegel sitzend und die nackten Ellbogen bewegend; unter dem Hemd wogten schwer die Kugeln ihrer Brüste. Pjotr lag im Bett, hielt die Hände unter dem Kopf, hob den Bart zur Decke, betrachtete seine Frau von der Seite und fand, dass sie an eine Maschine erinnerte, und dass ihre Salbe nach gekochtem Stör roch. Als Natalia mit eindringlichem Flüstern gebetet hatte, legte sie sich ins Bett und bot sich, nach der ehrlichen Gewohnheit des gesunden Körpers, ihrem Mann an; er stellte sich aber schlafend.

»Ein Endchen«, dachte er. »Ich bin ja auch eine Spindel. Ich drehe mich. Und wer spinnt? Tichon sagt: ›Der Mensch spinnt und der Teufel webt Sackleinen.‹ Eine scheußliche Fratze.«

Das von Alexej erweiterte Werk breitete sich immer mehr auf den Sandhügeln über dem Flusse aus; sie hatten ihre goldige Färbung verloren, der silbrige Glanz des Glimmers verschwand, die scharfen Quarzfunken erloschen, der Sand wurde festgestampft, im Frühling breitete sich darauf mit jedem Jahr üppiger das Unkraut mit seinem immer grelleren Grün aus, auf den Pfaden schmiegte schon der Wegerich seine Blätter an die Erde; die Klette ließ ihre großen Ohren hängen; um die Fabrik herum säten die Gartenbäume ihre Samen aus; die Herbstblätter düngten im Vermodern den fett werdenden Sand. Das Werk brummte immer lauter und atmete Unruhe und Sorgen aus; es summten Hunderte von Spindeln, es raunten die Webstühle; den ganzen Tag schnaubten atemlos die Maschinen, über der Fabrik kreisten ununterbrochen die sorgenvollen Klänge der Arbeit; es war angenehm, sich als Herrn des Ganzen zu fühlen; es war erstaunlich, wie angenehm das war, und wie stolz es machte.

Ab und zu, und zwar immer häufiger, wurde Artamonow von Müdigkeit erfasst; er erinnerte sich dann an seine Kinderjahre, an das Dorf, an den ruhigen, reinen Fluss Rat, an die weiten Fernen und das einfache Leben der Bauern. Dann hatte er das Gefühl, als hätten ihn unsichtbare, fest haftende Hände erfasst und drehten ihn herum; der Lärm des ganzen Tages erfüllte seinen Kopf und ließ keinen Raum darin für andere Gedanken, als für diejenigen, die das Werk ihm eingab; der krause Rauch des Fabrikschornsteins verdunkelte alles ringsum durch Wehmut und Öde.

In den Stunden und Tagen einer solchen Stimmung missfielen ihm die Arbeiter noch mehr als sonst; sie schienen immer schwächlicher zu werden, die bäurische Ausdauer zu verlieren und von der Reizbarkeit der Weiber angesteckt zu werden; sie waren übermäßig empfindlich und gaben freche Antworten. In ihnen machte sich etwas Unwirtschaftliches und Unverlässliches bemerkbar; vorher, unter dem Vater, hatten sie häuslicher und einiger gelebt, hatten weniger getrunken und waren nicht so schamlos liederlich gewesen. Jetzt geriet aber alles durcheinander, die Menschen wurden schlagfertiger und scheinbar klüger, verhielten sich aber nachlässiger zur Arbeit und boshafter zueinander und betrachteten und kritisierten alles hässlich und spitzbübisch. Besonders übermütig und unehrerbietig wurde die Jugend, der die Fabrik sehr bald alles Bäurische geraubt hatte.

Der Heizer Wolkow musste in das Irrenhaus der Gouvernementsstadt gebracht werden; er war erst vor fünf Jahren, als er Feuerschaden erlitten hatte, in die Fabrik gekommen, damals war er ein schöner, gesunder Mann gewesen und hatte seine lustige Frau mitgebracht. Nach einem Jahre wurde seine Frau liederlich, er fing an, sie zu prügeln, sie wurde dadurch schwindsüchtig, – und nun waren sie beide nicht mehr da. Artamonow hatte viele solche Fälle von raschem Menschenverbrauch beobachtet. In fünf Jahren ereigneten sich vier Totschläge, zwei beim Raufen, einer aus Rache, den vierten beging ein älterer Weber, der aus Eifersucht ein Mädel, eine Spulerin, erstach. Man schlug einander oft blutig und brachte sich ernstliche Verletzungen bei.

Das alles schien Alexej nicht zu berühren. Er wurde immer seltsamer. Er erinnerte an den sauberen, zu Scherzen aufgelegten Schreiner Serafim, der ebenso geschickt und fröhlich für die Kinder Flöten und Armbrüste verfertigte, wie er für sie Särge zusammennagelte. Alexejs Habichtsaugen funkelten vor Sicherheit, es ginge alles gut und würde auch in Zukunft gut gehen. Er hatte schon drei Gräber auf dem Friedhof, nur Miron hing fest und zäh am Leben, er schien eilig und unschön aus langen Knochen und Knorpeln zusammengefügt zu sein, und alles knarrte und knackte an ihm. Er hatte die Gewohnheit, sich so die Finger zu verrenken, dass sie laut krachten. Mit dreizehn Jahren trug er schon eine Brille, das verkürzte etwas seine lange Vögelnase und verdunkelte unangenehm die hellen Augen. Der Knabe ging immer mit irgendeinem Buch in der Hand herum und hielt einen Finger darin so eingeklemmt, dass das Buch an ihm festgewachsen zu sein schien. Mit Vater und Mutter sprach er, oder räsonierte er vielmehr, als wäre er ihr Altersgenosse. Das gefiel ihnen. Pjotr hatte aber das bestimmte Gefühl, dass sein Neffe ihn nicht mochte und vergalt ihm mit dem Gleichen.

In Alexejs Haus war alles nicht ernst und nicht solide; Pjotr sah, dass der Unterschied zwischen seinem Leben und dem seines Vetters beinahe ebenso groß war, wie der zwischen einem Kloster und einer Jahrmarktsbude. Alexej und dessen Frau hatten in der Stadt keine Freunde, aber in den engen Stuben, die an Rumpelkammern erinnerten und mit abgenützten alten Gegenständen gefüllt waren, versammelten sich an Feiertagen allerhand Menschen von zweifelhaften Qualitäten: der Fabriksarzt Jakowlew, ein spöttischer und böser Mensch mit goldenen Zähnen, der überlaute Techniker Koptew, ein Trunkenbold und Kartenspieler, Mirons Lehrer, ein Student, dem die Polizei das Studium verboten hatte, und seine stumpfnasige Frau, die Zigaretten rauchte und Gitarre spielte. Es kamen noch andere Menschen, die an Ruinen erinnerten, sie schimpften alle mit gleicher Frechheit über die Popen und die Obrigkeit, und es bestand kein Zweifel, dass jeder von ihnen sich für hervorragend gescheit hielt. Artamonow empfand mit seinem ganzen Wesen, dass das nicht die richtige Gesellschaft war, und begriff nicht, wozu Alexej, der Besitzer der Hälfte des großen, bedeutenden Werkes, diese Leute brauchte. Wenn er sie lärmen hörte, fiel ihm die Klage des Popen ein:

»Sie erstreben vieles, aber – nicht die Hauptsache.«

Er fragte sich nicht, was und wo diese Hauptsache wäre, er wusste nur – sie war im Werk.

Der überlaute Zigeuner Koptew schien Alexejs Liebling zu sein; er machte den Eindruck eines Betrunkenen, in ihm war etwas Ungestümes und scheinbar Gescheites. Er sagte häufiger als die andern: »Das ist alles Unsinn und Philosophie! Die Industrie, das ist das Richtige! Und die Technik.«

Pjotr vermutete aber in ihm etwas Ketzerisches und Zersetzendes.

»Ein gefährlicher Bursche«, sagte er zu Alexej. Der war ganz erstaunt:

»Koptew? Was fällt dir ein? Das ist ein Hauptkerl, ein Geschäftsmann, ein Stier, ein kluger Kopf! Es sollte Tausende solcher Menschen geben!« Und er fügte lächelnd hinzu:

»Wenn ich eine Tochter hätte, würde ich sie ihm zur Frau geben und ihn an das Werk festketten!«

Pjotr wandte sich düster von ihm ab. Wenn man nicht Karten spielte, saß er einsam in seinem wie ein Bett breiten und weichen Lieblingslehnstuhl; er betrachtete, sich am Ohr zupfend, die Menschen, und da er mit keinem von ihnen einverstanden war, hatte er Lust, mit allen zu streiten. Er wollte das nicht nur, weil alle diese Menschen ihn, den Chef des Werkes, gar nicht beachteten, sondern auch noch aus anderen Gründen. Diese Gründe waren ihm unklar, – er verstand es nicht zu reden und flocht nur selten und mit Anstrengung eine Bemerkung ein:

»Der Pope Gleb hat mir von einem Grafen erzählt ...«

Koptew bellte ihn sogleich an:

»Was geht der Graf denn eigentlich Sie an? Gerade Sie? Dieser Graf ist der letzte Seufzer des bäuerlichen Russlands ...«

Er schrie und zeigte unehrerbietig mit dem Finger in Pjotrs Richtung, und alle übrigen, die ihm lauschten, erinnerten nun auch an Zigeuner, an heimatloses, herumstreichendes Volk.

»Motten«, dachte Pjotr. »Müßiggänger.«

Eines Tages sagte er:

»Es heißt fälschlich: Die Arbeit ist kein Bär, sie läuft nicht in den Wald fort! Die Arbeit ist wohl ein Bär, sie braucht nicht davonzulaufen, sie packt und hält einen fest. Die Arbeit ist der Herr des Menschen.«

»Da haben wir's«, kläffte Koptew. »Wo spricht man so? Wer spricht so? Hier ist die Gefahr!«

Und Alexej fragte spöttisch:

»Wo hast du das her? Borgst du dir die Gedanken bei Tichon?«

Das erzürnte Pjotr sehr, und er sagte zu Hause zu seiner Frau:

»Pass auf Jelena auf! Dieser Zigeuner, der Koptew, macht sich mit ihr zu schaffen. Alexej protegiert ihn. Jelena ist ein fetter Bissen und nicht für einen solchen Kerl bestimmt. Sieh dich nach einem Freier für sie um!«

»Was für Freier gibt es denn hier für sie?«, sagte Natalia besorgt. »Da müsste man in der Gouvernementsstadt suchen. Es ist wohl auch noch zu früh ...«

»Pass auf, sonst tut man ihr noch was an«, sagte Artamonow schmunzelnd, was bei seiner Frau ein zweideutiges Lachen hervorrief.

Wenn es ihm gelang, für kurze Zeit dem beschränkten Gebiet der Fabrikssorgen zu entgleiten und sich davon loszureißen, umfing ihn wieder ein dichter Nebel von Menschenhass und von Unzufriedenheit mit sich selbst. Es gab nur einen lichten Punkt – die Liebe zu seinem Sohn, doch auf diese Liebe fiel der Schatten des kleinen Nikonow, oder sie hielt sich unter der Schwere der Tat in der Tiefe verborgen. Wenn er Ilja ansah, empfand er manchmal das Bedürfnis, ihm zu sagen:

»Das habe ich aus Angst um dich getan.«

Sein Verstand war nicht verschlagen genug und konnte die Tatsache nicht verhehlen, dass diese Angst erst einen Augenblick vor dem Totschlag aufgetaucht war, aber Pjotr begriff, dass nur diese Angst ihn ein wenig rechtfertigen konnte. Im Gespräch mit Ilja vermied er es jedoch, dessen Kameraden auch nur zu erwähnen; er fürchtete, ihm könnte zufällig etwas von dem Verbrechen entschlüpfen, das er zu einer Heldentat verklären wollte.

Er sah, wie sein Sohn schnell heranwuchs, aber sich allmählich ihm entfremdete. Ilja wurde ruhiger, er sprach sanfter mit der Mutter, neckte Jakow, der auch schon Gymnasiast war, nicht mehr, beschäftigte sich gern mit der jüngeren Schwester Tatjana, machte sich in nicht zu scharfer Weise über Jelena lustig; aber in allem, was er sprach, machte sich eine besorgte, versonnene Kühle bemerkbar. Pawel Nikonow wurde durch Miron ersetzt. Die Vettern waren fast unzertrennlich, führten nie versiegende Gespräche und fuchtelten dabei mit den Händen; sie lernten und lasen zusammen, im Garten und in der Laube sitzend. Ilja lebte beinahe gar nicht zu Hause, er tauchte des Morgens beim Tee auf, ging in die Stadt zum Onkel oder mit Miron und dem zottigen, schwarzen Gorizwetow in den Wald; dieser kleine, geschäftige Junge war stachlig wie eine Distel und hatte einen schwänzelnden Gang und spöttische, gleichsam ausgerenkte Augen, die zu schielen schienen.

»Wie kann es dir nur Spaß machen, mit einem solchen Judenjungen umzugehen?«, bemerkte Natalia mit Widerwillen gegen ihren Sohn. Pjotr Artamonow sah, dass dessen fein gezeichnete Brauen zusammenzuckten.

»Judenjunge ist ein beleidigender Ausdruck, Mama. Sie wissen, dass Alexander der Neffe unseres Priesters Gleb und folglich ein Russe ist. Er ist der Erste im Gymnasium.«

Die Mutter lachte geringschätzig:

»Die Juden drängen sich überall in die ersten Stellen ein.«

»Woher wissen Sie das?«, sagte der Sohn unnachgiebig. »In der Stadt leben vier Juden und sie sind, bis auf den Apotheker, alle arm.«

»Sie haben aber vierzig Judenkinder. Auch in Worgorod und in Nishni gibt es überall Juden ...«

Ilja wiederholte mit beleidigender Hartnäckigkeit:

»Judenjunge ist ein hässliches Wort.«

Da klopfte die Mutter mit dem Teelöffel an die Untertasse und schrie errötend:

»Willst du mich belehren? Weiß ich etwa nicht, wie man zu sprechen hat? Ich bin nicht blind, ich sehe, wie dieser Speichellecker allen, sogar Tichon, schmeichelt, darum sage ich auch: umgänglich wie ein Judenjunge. Die Umgänglichen sind aber die Gefährlichen. Ich kannte mal einen solchen Umgänglichen ...«

»Genug!«, griff Pjotr streng ein. Ihr waren aber die Tränen nahe, und sie beklagte sich:

»Was ist denn das, Pjotr Iljitsch? Darf man kein Wort mehr sagen?«

Ilja schwieg mit gerunzelter Stirne, und die Mutter erinnerte ihn:

»Ich habe dich doch geboren!«

»Ich danke«, sagte Ilja, die leere Tasse fortschiebend. Der Vater sah ihn von der Seite an und schmunzelte, sich am Ohr zupfend.

Er hörte aus den Worten seiner Frau heraus, dass sie ihren Sohn ebenso fürchtete, wie vorher die Petroleumlampen und erst kürzlich die komplizierte Kaffeemaschine, ein Geschenk von Olga; sie dachte immer, die Kaffeemaschine müsse explodieren. Etwas, das an die komische Angst der Mutter vor dem Sohn erinnerte, empfand auch der Vater selbst ihm gegenüber. Nicht zu verstehen war der Jüngling, alle drei waren sie nicht zu verstehen! Was interessierte sie an Tichon? Sie saßen des Abends mit ihm vor dem Tor, und Pjotr hörte Tichons mahnende Stimme:

»Das ist so. Je weniger man trägt, desto leichter geht man. Was aber die Winkel betrifft, glaubt das nicht! Was für Winkel gibt es im Himmel? Dort sind ja keine Wände.«

Die Gymnasiasten brachen in ein Gelächter aus. Ilja lachte wenig und mit samtartiger Stimme, Miron trocken und scharf, Gorizwetow war nicht so lachlustig, er unterbrach sich immer energisch und suchte die Freunde zu überzeugen:

»Wartet, das ist ja gar nicht komisch!«

Und wieder ertönte träge Tichons dunkle Rede:

»Kinder, ihr solltet mehr über den Menschen lernen, darüber, wie der Mensch überhaupt ist! Was für eine Bestimmung und welches Schicksal hat ein jeder? Das muss man prophezeien können. Und dann die Worte! Man muss die Worte durch und durch verstehen. Der eine und der andere von euch sagt oft: schließlich, das ist ein abgerundetes Wort; und doch ist es ja nicht der Schluss von irgendetwas!«

Und Tichon Wialow wiederholte seinen Spruch, der Pjotr schon geläufig war:

»Der Mensch spinnt das Garn, der Teufel webt Sackleinen draus, so geht es und ist nie aus.«

Die Jugend lachte laut, auch Tichon lachte mit tiefer Stimme und seufzte:

»Ach, ihr nicht gargebackenen Gelehrten!«

Im Abenddunkel erschienen die Kinder kleiner und unansehnlicher als bei Sonnenlicht, während Tichon anschwoll, unförmig wurde und noch dümmer als bei Tage redete.

Iljas Gespräche mit Tichon steigerten Artamonows Feindseligkeit diesem gegenüber und flößten ihm unklare Befürchtungen ein. Er fragte seinen Sohn:

»Was findest du an Tichon?«

»Er ist ein interessanter Mensch.«

»Was ist an ihm interessant? Seine Dummheit?«

Ilja antwortete leise:

»Man muss auch die Dummheit verstehen.«

Die Antwort gefiel Artamonow.

»Das ist richtig: Wir leben mit der Dummheit.«

Er überlegte es sich aber sogleich:

»Das sind Tichons Worte!«

Sein Sohn erregte in ihm besondere Hoffnungen; wenn er sah, dass Ilja, die Hände in den Taschen und leise pfeifend aus dem Fenster in den Hof und auf die Arbeiter blickte oder langsam durch die Weberei ging und leichtfüßig der Siedlung zuschritt, dachte der Vater befriedigt:

»Er wird mal ein scharfsichtiger Leiter des Werkes sein. Er wird auch in einer anderen Weise als ich ins Werk eintreten: Ich wurde vorgespannt und musste ziehen!«

Es kränkte ihn ein wenig, dass sein Sohn nicht gesprächig war und wenn er sprach, es kurz, mit gleichsam vorher überlegten Worten tat, die den Wunsch, das Gespräch fortzusetzen, ertöteten.

»Er ist etwas trocken«, dachte Artamonow und tröstete sich damit, dass Ilja in vorteilhafter Weise weder an den lauten Schwätzer Gorizwetow, noch an den schläfrigen, trägen Jakow, noch an Miron erinnerte, der schnell das Jugendliche verlor, wie ein Buch sprach, hochmütig wurde und einem Beamten ähnelte, der weiß, dass es für jede Lebenslage in den Büchern ein eigenes, strenges Gesetz gibt.

Die Ferienwochen entschwanden unwahrscheinlich rasch, und schon machten die Kinder sich zur Abreise bereit. Natalia versah Jakow mit guten Ratschlägen für den Weg, während der Vater zu Ilja nicht das sagte, was er eigentlich wollte. Wie konnte man es aber in Worte fassen, dass es langweilig war, in dem Mückenschwarm einförmiger Sorgen um das Werk zu leben? Man sprach nicht davon mit grünen Jungen!

Pjotr Artamonow wünschte es sich so sehr, etwas zu erleben, das dem Gewohnten und dem wie Schnee, Regen, Schmutz, Hitze und Staub Unvermeidlichen nicht ähnelte, dass er sich endlich etwas erfand. Er wurde einmal in einem öden Waldnest des Umkreises von einem Junigewitter mit Hagel, betäubendem Donnergetöse und blauem Aufflammen der Wolken überrascht. Über den schmalen Waldweg ergoss sich ein im Dunkel unsichtbarer Wasserstrom, die Erde schien zu schmelzen und unter den Füßen der Pferde fortzuströmen und überschwemmte die Wagenräder bis zu den Achsen. Es war schaurig, wenn das kalte, blaue Feuer für eine Sekunde das Sieden der zerschmolzenen Erde drohend beleuchtete, und an den Straßenseiten aus dem nassen Dunkel und durch das glasige Netz des Regens hindurch schwarze Bäume, vor Angst hüpfend, vorüberflogen. Die unsichtbaren Pferde blieben schnaubend und mit den Hufen im Wasser patschend, stehen und wurden von dem dicken, sanften Kutscher Jakim freundlich und schüchtern beruhigt. Der Hagel, der den Wald mit dem Geräusch von fallendem Eis erfüllt hatte, war schnell vorübergezogen, wurde aber von einem dichten Platzregen abgelöst, der das Laub mit Millionen feiner, schwerer Tropfen peitschte und das Dunkel mit zornigem Heulen erfüllte.

»Wir müssen zu Popows fahren«, sagte Jakim.

Und nun sitzt Artamonow in fremden, ihn fest umspannenden Kleidern, verlegen und wie im Traum mitten im angenehmen Halbdunkel des warmen, trockenen Zimmers und fürchtet sich zu bewegen; der vernickelte Samowar summt, den Tee schenkt eine große, schlanke Frau, mit einem Turban rötlicher Haare und in einem weiten dunklen Kleide ein. In ihrem blassen Gesicht leuchten anziehend die grauen Augen; sie erzählt mit sanfter Stimme sehr schlicht, voll Demut und ohne zu klagen, von dem kürzlich erfolgten Tod ihres Mannes und von ihrem Wunsch, den Gutshof zu verkaufen, in die Stadt zu übersiedeln und dort ein Progymnasium zu eröffnen.

»Dazu hat mir Ihr Bruder geraten. Er ist ein interessanter Mensch, so lebendig und eigenartig.«

Pjotr räusperte sich voll Neid und betrachtete genau alles, was ihn umgab. Als er in der Jugend mit dem Vater durchs Gouvernement gereist war, hatte er oft herrschaftliche Häuser besucht, ohne aber darin etwas Besonderes zu bemerken; er hatte nur das Gefühl gehabt, dass die Menschen und die Gegenstände ihn beengten, das war aber in diesem Hause nicht der Fall; hier fühlte man etwas Freundliches und Rechtschaffenes. Die große Lampe mit der matten Glocke bestrahlte mit milchigem Licht sowohl das Geschirr und das Silber auf dem Tisch als auch das glatt gekämmte, dunkle Köpfchen eines kleinen Mädchens mit grünem Augenschirm; vor dem Mädchen lag ein Heft, es zeichnete mit einem dünnen Bleistift und summte leise vor sich hin, ohne Pjotr aber dadurch zu hindern, dem gleichmäßigen Sprechen der Mutter zu lauschen. Das Zimmer war nicht groß und dicht mit Möbeln gefüllt, alle Gegenstände schienen mit dem Raum verwachsen zu sein, doch hatte jeder einzelne sein eigenes Leben und erzählte etwas von sich, ebenso wie die drei sehr grellen Bilder an den Wänden; auf dem Bilde Pjotr gegenüber bog ein Märchenschimmel stolz den Hals; seine Mähne war unwahrscheinlich lang und reichte fast bis an die Erde. Alles war merkwürdig anheimelnd und ruhig, und die schöne Stimme der Hausfrau klang wie ein aus der Ferne herübertönendes, nachdenkliches Lied. Ja, in einer solchen Umgebung konnte man das ganze Leben verbringen, ohne Unruhe zu empfinden und ohne etwas Böses zu tun; wenn man ein solches Weib zur Frau besitzt, kann man sie achten und mit ihr über alles sprechen.

Hinter der auf die Terrasse führenden Tür mit dem Halbkreis bunter Scheiben wurde der schwarze Himmel durch bläulichen Schein gesprengt und flammte auf, ohne aber die Seele zu erschrecken.

Bei Tagesanbruch fuhr Artamonow weg und bewahrte sorgsam den Eindruck der freundlichen Ruhe, der Behaglichkeit und das fast körperlose Bild der grauäugigen, stillen Frau, der man diese Behaglichkeit verdankte. Im Jagdwagen durch die Pfützen schwimmend, die ohne Unterschied sowohl das Gold der Sonne, als auch die schmutzigen Flecken der vom Wind zerfetzten Wolken widerspiegelten, dachte er voll Trauer und Neid:

»So lebt man also.«

Er sagte aus irgendeinem Grunde seiner Frau nichts von dieser Bekanntschaft und verheimlichte sie auch vor Alexej; umso peinlicher war es ihm nach einigen Wochen, als er zu ihm kam und dort die Popowa auf dem Sofa neben Olga antraf. Alexej führte ihn zum Sofa hin:

»Hier – das ist mein Bruder, Wera Nikolajewna.«

Die Frau streckte ihm lächelnd die Hand hin:

»Wir sind schon miteinander bekannt.«

»Wieso denn?«, rief Alexej erstaunt aus. »Seit wann denn? Warum hast du es nicht gesagt?«

Pjotr fühlte in Alexejs Erstaunen etwas Hässliches, und seine Barthaare bewegten sich seltsam; er zupfte sich am Ohr und erwiderte:

»Ich habe es vergessen.«

Alexej wies mit dem Finger schamlos auf ihn hin und schrie:

»Seht doch, er ist ganz rot geworden, nicht? Du hast geschickt geantwortet, Kindchen! Ja, kann man denn eine so liebe Dame vergessen, wenn man sie einmal gesehen hat? Seht, seine Ohren jucken, sie wachsen!«

Die Popowa lächelte freundlich und ohne ihn zu kränken.

Man trank Met mit Eis aus hohen, geschliffenen Pokalen; die Besucherin hatte Olga diesen Met als Geschenk mitgebracht, er war goldig wie Bernstein, prickelte lustig auf der Zunge und gab Pjotr sehr unternehmende Worte ein, die er jedoch nirgends einschalten konnte, da Alexej ununterbrochen und unruhig schnatterte:

»Nein, Wera Nikolajewna, beeilen Sie sich nicht zu verkaufen! Das muss man einem Liebhaber der Stille anbieten, es ist ein Ort, wo die Seele ausruhen kann. Was wird Ihnen aber unsereiner bieten? Sie haben keinen Grund und Boden und nur wenig Wald, der außerdem nicht viel wert ist; wer, außer den Hasen, braucht hier überhaupt Wald?«

Pjotr sagte:

»Es ist nicht ratsam, zu verkaufen.«

»Warum denn?«, fragte die Popowa, an dem Met nippend und seufzte:

»Es ist wohl nötig.«

Pjotr missfiel Olgas aufmerksamer Blick und das Zucken ihrer ein Lächeln verbergenden Lippen: Er trank düster den Met aus und schwieg zur Bemerkung der Popowa.

Nach zwei Tagen erklärte ihm Alexej im Kontor, er beabsichtige, der Popowa Geld gegen Pfand zu geben.

»Ihr Gutshof ist sieben Rubel wert, aber ihre Sachen ...«

»Gib ihr nichts«, sagte Pjotr sehr energisch.

»Warum? Ich kenne den Wert der Sachen ...«

»Tue es nicht.«

»Ja, aber warum?«, rief Alexej. »Ich werde mit einem Sachverständigen zu ihr hinfahren und alles abschätzen lassen.«

Pjotr schüttelte verneinend den Kopf; er wollte den Bruder gern von dieser Transaktion abbringen, da ihm aber kein Einwand einfiel, schlug er plötzlich vor:

»Wir wollen es ihr gemeinsam geben; du und ich je zur Hälfte.«

Alexej sah ihn unverwandt an und lächelte:

»Du wirst wunderlich.«

»Es scheint jetzt wohl die Zeit dafür gekommen zu sein«, sagte Pjotr Artamonow laut.

»Pass auf, du irrst dich in der Adresse«, warnte der Bruder. »Ich hab's versucht, sie ist ein Fisch.«

Nach zwei, drei Begegnungen mit der Popowa hatte Artamonow durch sie das Träumen gelernt. Er dachte sich diese Frau an seiner Seite, und sofort erstand vor ihm ein wunderbar leichtes und behagliches Leben, das äußerlich schön und innerlich angenehm still war. Es bestand nicht mehr die Notwendigkeit, täglich Dutzende von Menschen zu sehen, die ihre Arbeit fahrlässig behandelten, die stets mit irgendetwas unzufrieden waren und bald schrien und sich beklagten und bald in dem Bestreben, zu betrügen, logen. Ihre aufdringliche Schmeichelei war ebenso aufreizend wie die schlecht verborgene, aber immer mehr anwachsende Feindseligkeit. Es war so leicht, sich ein Bild des Lebens fern von alledem zu schaffen, außerhalb des Bereichs der roten, fetten Spinne des Werks, die ihr Netz immer weiter ausdehnte. Er selbst kam sich dann wie ein großer Kater vor; ihm war warm und behaglich, die Hausfrau liebte ihn, liebkoste ihn gerne und er brauchte sonst nichts. Gar nichts.

Ebenso wie früher der kleine Nikonow für ihn jener dunkle Punkt gewesen war, um den sich alles Schwere und Unangenehme verdichtet hatte, so wurde jetzt die Popowa der Magnet, der nur die schönen, unbeschwerten Gedanken und Absichten anzog. Er weigerte sich, mit seinem Bruder und einem schlauen, bebrillten Alten auf den Gutshof der Popowa zu fahren, um ihren Besitz abzuschätzen. Als aber Alexej die Pfandverschreibung geregelt hatte und zurückkehrte, schlug er vor:

»Verkauf mir den Pfandbrief!«

Alexej war unangenehm überrascht, fragte ihn lange aus, wozu er das brauchte und sagte endlich:

»Hör mal, das ist für mich ungünstig! Sie hat nicht so viel, um zu bezahlen, die Sachen sind aber von großem Wert, verstehst du? Gib noch was drauf!«

Sie wurden handelseinig; Alexej sagte, das Gesicht verziehend:

»Ich wünsche Erfolg. Es ist eine gute Tat.«

Auch Pjotr fühlte, dass er etwas Gutes getan hatte: Er hatte sich ein Plätzchen zum Ausruhen geschenkt.

»Soll ich deiner Frau nichts sagen?«, fragte der Bruder zwinkernd.

»Das ist deine Sache.«

Alexej betrachtete ihn prüfend und sagte:

»Olga glaubt, du wärest in die Popowa verliebt.«

»Auch das ist meine Sache.«

»Brumme nicht. In unserem Alter machen alle Männer Seitensprünge.«

Pjotr erwiderte grob und zornig:

»Lass mich in Ruh' ...«

Bald darauf fühlte er, dass Olga mit ihm noch wohlwollender, aber mitleidig zu sprechen begann; das missfiel ihm, und er fragte, als er an einem Herbstabend bei ihr saß:

»Hat dein Mann dir irgendetwas über die Popowa vorgeflunkert?«

Sie streichelte mit ihrer leichten Hand die seine, haarige, und sagte:

»Ich werde es nicht weiter verbreiten.«

»Das darf auch nicht geschehen«, sagte Artamonow, mit der Faust auf das Knie schlagend. »Es wird bei mir bleiben. Das kannst du nicht verstehen. Sage ihr nichts davon.«

Die Popowa erweckte in ihm keine Begierden, sie erschien ihm in den Träumen nicht als das von ihm begehrte Weib, sondern als eine notwendige Ergänzung zum freundlichen Behagen des Hauses und zu einem guten, rechtschaffenen Leben. Als diese Frau aber in die Stadt übersiedelt war, sah er sie häufig bei Alexej und fühlte sich auf einmal betroffen. Er sah sie am Bett der erkrankten Olga; sie neigte sich mit aufgekrempelten Blusenärmeln über das Waschbecken, benetzte ein Handtuch mit Wasser, bückte sich und richtete sich wieder auf; in ihrer erstaunlichen Schlankheit, mit den kleinen Mädchenbrüsten war sie unwiderstehlich verführerisch. Artamonow stand an der Tür und betrachtete schweigend, mit krauser Stirn ihre weißen Arme, die straffen

Waden und die Schenkel; ihn umfing plötzlich der heiße Nebel des Begehrens so heftig, dass er ihre Arme um seinen Körper fühlte. Statt ihren Gruß zu beantworten, schritt er, mit Mühe den Hals wegwendend, zum Fenster, setzte sich dort schnaufend hin und fragte düster:

»Was hast du denn, Olga? Das ist nicht schön ...«

Zum ersten Mal wirkte ein Weib so mächtig und vernichtend auf ihn ein; er erschrak sogar, da er darin dunkel etwas Gefährliches und Drohendes fühlte. Er schickte seinen Kutscher nach dem Arzt und ging sogleich zu Fuß den Weg zum Werk entlang.

Es war Ende Februar; das Tauwetter drohte mit einem Schneesturm; ein grauer Nebel hing über der Erde und verbarg den Himmel, indem er den Luftraum bis zu dem Ausmaß einer über Artamonow umgestülpten Schale verengte; daraus sprühte langsam feuchter, kalter Staub herab, der sich schwer auf die Schnurrbart- und Barthaare setzte und am Atmen hinderte. Während Artamonow über den weichen Schnee schritt, fühlte er sich ebenso zertreten und vernichtet, wie in der Nacht von Nikitas Selbstmordversuch und wie damals, als er Pawel Nikonow tötete. Die Ähnlichkeit der Schwere dieser beiden Momente wurde ihm klar, und umso gefährlicher erschien ihm der dritte. Er wusste genau, dass er diese Frau niemals zu seiner Geliebten machen würde. Er sah schon zu dieser Stunde, dass die plötzlich entflammte Neigung zur Popowa in ihm etwas Liebes vernichtete und verdunkelte und diese Frau in das Gebiet des Alltäglichen hinüberschob. Er wusste nur zu gut, was eine Ehefrau bedeutete, und er hatte keine Gründe zur Annahme, dass eine Geliebte etwas besseres als jenes Weib sein könnte, dessen fade, pflichtmäßige Liebkosungen ihn fast gar nicht mehr erregten.

»Was willst du?«, fragte er sich. »Willst du Unzucht treiben? Du hast eine Frau.«

In den Stunden, da ihn etwas bedrohte, fühlte er stets den gespannten Drang, möglichst rasch an der Gefahr vorbeizukommen, sie hinter sich zu lassen und sich nicht mehr umzusehen. Etwas Drohendes vor sich zu haben, ist dasselbe, wie im nächtlichen Dunkel über einem tiefen Fluss auf aufgeweichtem Frühlingseis zu stehen; er hatte dieses Entsetzen als heranwachsender Knabe erlebt und erinnerte sich noch mit dem ganzen Körper daran. Nach einigen, in einer schweren, unklaren Abgestumpftheit verbrachten Tagen ging er nach einer schlaflosen Nacht früh am Morgen auf den Hof hinaus und sah dort den Kettenhund Tulun im Blut auf dem Schnee liegen. Es war noch so dunkel, dass das

Blut schwarz wie Pech erschien. Er berührte die zottige Leiche mit dem Fuß, Tulun bewegte die zähnefletschende Schnauze und sah mit dem herausgequollenen Auge auf den Fuß des Menschen. Artamonow zuckte zusammen, öffnete die niedrige Tür von Tichons Wächterhäuschen und fragte, auf der Schwelle stehen bleibend:

»Wer hat den Hund getötet?«

»Ich«, sagte Tichon, während er die Untertasse mit Tee auf den auseinandergespreizten Fingern hielt.

»Warum denn?«

»Er hat wieder einen Menschen gebissen.«

»Wen?«

»Sinaïda, Serafims Tochter.«

Pjotr sann über etwas nach und sagte nach einem Schweigen:

»Es ist schade um den Hund.«

»Ja, gewiss. Ich habe ihn aufgezogen. Er hat aber auch mich angeknurrt. Übrigens würde auch jeder Mensch toll werden, wenn man ihn an die Kette legte.«

»Das stimmt«, sagte Artamonow, schloss die Tür sehr fest hinter sich, ging und dachte:

»Manchmal spricht der auch vernünftig.«

Er blieb auf dem Hof stehen und lauschte den Geräuschen der Fabrik. In einer entfernten Ecke leuchtete ein gelber Fleck: das Licht im Fenster von Serafims Wohnung, die an die Stallwand angebaut war. Artamonow ging auf das Licht zu und blickte durch das Fenster, Sinaïda saß im bloßen Hemd am Tisch vor der Lampe und stocherte in irgendetwas mit der Nadel herum. Als er in das Zimmer trat, fragte sie, ohne den Kopf wegzuwenden:

»Warum bist du zurückgekehrt?«

Als sie aber die Augen erhob, warf sie die Näharbeit auf den Tisch, stand lächelnd auf und rief aus:

»O Gott! Ich dachte, es wäre der Vater ...«

»Ich habe gehört, dass Tulun dich gebissen hat?«

»Ja, und wie!«, sagte sie gleichsam prahlend, stellte den Fuß auf den Stuhl und hob den Hemdsaum: »Sehen Sie doch!«

Artamonow blickte flüchtig auf das weiße, unter dem Knie verbundene Bein, ging dicht an das Mädchen heran und fragte mit gedämpfter Stimme:

»Warum läufst du im Morgengrauen auf dem Hof herum? Warum, he?«

Sie blickte ihm fragend ins Gesicht, lächelte sogleich verständnisvoll, blies heftig in den Zylinder, löschte die Lampe aus und sagte:

»Wir müssen die Tür schließen.«

Nach einer halben Stunde ging Pjotr Artamonow bedächtig in die Fabrik, er war angenehm erschöpft; er zupfte sich am Ohr, spuckte aus, erinnerte sich erstaunt der schamlosen Liebkosungen der Spulerin und lächelte: Ihm schien, er hätte jemanden sehr geschickt betrogen und umgangen ...

Er war in das liederliche Leben der Fabrikmädchen wie der Bär in eine Imkerei eingebrochen. Zuerst hatte dieses Leben, das alles, was er davon gehört hatte, bei Weitem übertraf, ihn durch die freche Nacktheit der Worte und Gefühle verblüfft; alles darin war entblößt und wurde mit einer herausfordernden Schamlosigkeit gezeigt. Von dieser Schamlosigkeit sangen und weinten die Lieder; Sinaïda und ihre Freundinnen nannten sie – Liebe, und darin war etwas Scharfes, Bitteres, das stärker als Wein berauschte.

Artamonow wusste, dass die Fabrikangestellten die an die Stallwand angelehnte Hütte Serafims »die Falle« nannten und Sinaïda den Spitznamen »die Pumpe« gaben. Der Schreiner selbst nannte seine Wohnung »das Kloster«. Er saß auf der Ofenbank, hielt stets die Gusli auf dem gestickten, über die Schulter und um den Hals gelegten Handtuch, warf keck den kleinen kraushaarigen Kopf in die Höhe, schauspielerte mit dem rosigen Gesichtchen, zwinkerte und schrie:

»Seid lustig, ihr Nonnen! Das ist doch Pjotr Iljitsch, ihr Nonnen. Was glaubst du denn? Sie sind Novizen des fröhlichen Teufels, und ich bin ihr Abt, so wie ein Pope, und lasse meine Knöchelchen tönen! Wirf ein Rubelchen für das fröhliche Leben hin!«

Wenn er das Geld erhielt, schob er es hinter den Fußlappen und sang verwegen, sich auf der Gusli begleitend:

»Sitzt die Dame in der Hölle,
Will gebratnes Eis recht schnelle,
Doch die Teufel mit dem Hacken
Werden fest die Dumme packen.«

»Du kennst viele Scherzlieder«, staunte Pjotr. Der Alte schwatzte aber prahlend:

»Ich bin ein Sieb! Ich bin wie ein Sieb, du kannst in mich jeden beliebigen Unrat schütten, ich werde dir ein Lied heraussieben. Ich bin schon einmal so ein Mensch – das reine Sieb!«

Und er erzählte:

»Das haben mich die Herrschaften gelehrt; es gab eine merkwürdige Herrschaft, die Kutusows, und dann einen Herrn Japuschkin, der war auch ein Saufbold. Der Schlaue stellte sich arm und ging mit einem Korb auf dem Rücken, als ob er mit Kleinigkeiten handle, – dabei schrieb er aber alles, was er sah und hörte, auf. Er schrieb und schrieb und ging zum Zaren: ›Schau, Majestät‹, sagte er, ›woran unsere Bauern denken!‹ Der Zar sah hin, las das Aufgeschriebene, seine Seele wurde unruhig, und er ließ den Bauern die Freiheit geben, für Japuschkin aber in Moskau ein Denkmal aus Bronze aufstellen. Ihm selbst durfte man nichts tun, man sollte ihn lebend nach Susdal schicken und ihm dort so viel Wein auf Staatskosten zu trinken geben, wie er wollte. Denn, siehst du, Japuschkin hatte noch viel Geheimes über das Volk aufgeschrieben, nur war das für den Zaren nicht vorteilhaft und musste verheimlicht werden. Dort in Susdal trank sich Japuschkin zu Tode, und man hat ihm, natürlich, seine Schriften gestohlen.«

»Du lügst da was Rechtes zusammen«, bemerkte Artamonow.

»Außer den Mädchen habe ich nie jemanden etwas vorgelogen, das ist nicht mein Handwerk«, sagte der Alte, und es war schwer, festzustellen, ob er nicht scherze.

»Nur derjenige lügt, der die Wahrheit kennt«, schwatzte er. »Ich kann aber nicht lügen, ich kenne die Wahrheit nicht. Das heißt, wenn du willst, werde ich es dir sagen: Ich habe viel Wahrheit gesehen und mein Vers klingt so: Die Wahrheit ist wie ein Weib, – sie ist schön, solange sie jung ist.«

Aber obwohl er angeblich die Wahrheit nicht kannte, wusste er doch unendlich viele Geschichten von den Herrschaften, von ihren Amüsements und von ihrem Unglück, von ihrer Grausamkeit und ihrem Reichtum, und während er davon sprach, fügte er stets mit sichtlichem Bedauern hinzu:

»Und doch ist es mit ihnen aus! Sie haben jeden Halt im Leben verloren und verstehen sich selbst nicht mehr! Sie sind ins Gleiten gekommen ...«

Er beschrieb mit dem Finger einen Kreis über seinem Kopf und zeichnete, die Hand rasch senkend, einen ebensolchen Kreis über den Fußboden.

»Sie haben zu lange gespielt!«, sagte er zwinkernd und sang:

»Einstmals lebten Herren fein,
Aßen Kalbfleisch Jahr für Jahr
Und sie hielten dann erst ein,
Als das Erbe alle war!«

Serafim erzählte von Räubern und Hexen, von Bauernaufständen, von verhängnisvollen Liebschaften, davon, wie des Nachts zu untröstlichen Witwen Feuerdrachen herabfliegen, und er sprach von allem so spannend, dass selbst seine nicht zu bändigende Tochter diesen Märchen schweigend und mit der nachdenklichen Gier eines Kindes lauschte.

Artamonow beobachtete bei Sinaïda voll Ekel die Vereinigung zügelloser Liederlichkeit und geschäftsmäßiger Berechnung. Er erinnerte sich mehr als einmal an die Verleumdung Pawel Nikonows, die sich als Prophezeiung erwiesen hatte.

»Warum habe ich grad' diese gewählt?«, fragte er sich. »Es gibt Schönere. In welchem Licht werde ich erscheinen, wenn mein Sohn es erfährt?«

Er hatte auch bemerkt, dass sowohl Sinaïda, als deren Freundinnen ihren Zeitvertreib als eine unentrinnbare Pflicht betrachteten, wie die Soldaten ihren Dienst, und er dachte manchmal, dass sie durch ihre Schamlosigkeit sowohl sich selbst, als auch andere betrogen. Bald stieß ihn Sinaïdas zudringliche Geldgier und Bettelei ab; das war bei ihr schärfer ausgeprägt, als bei Serafim, der nur für den süßen Teneriffawein, den er aus irgendeinem Grunde »Rübenwein« nannte, für seine Lieblingswurst mit Knoblauch, für Fruchtpasten und Butterteigsemmeln Geld ausgab.

Artamonow gefiel der leichtfertige, amüsante Alte sehr, er wusste, dass Serafim ein kunstvoller Arbeiter und bei allen beliebt war, man nannte ihn im Werk »der Tröster«, und Pjotr sah, dass dieser Spitzname mehr Wahrheit als Spott enthielt, und dass auch der Spott freundlich klang.

Umso unerklärlicher und unangenehmer kam ihm Serafims und Tichons Freundschaft vor, und Tichon schien seine Feindseligkeit wie mit

Absicht noch mehr zu vertiefen. Natalia beschloss, Wialows Namenstag im zwanzigsten Jahr seiner Dienstzeit bei den Artamonows für ihn besonders feierlich zu gestalten.

»Denke doch daran, was für ein seltener Mensch er ist«, sagte sie zu ihrem Mann. »Wir haben während der zwanzig Jahre nichts Schlechtes an ihm gesehen. Er leuchtet gleichmäßig wie eine Wachskerze.«

Da Pjotr also Tichon besonders ehren wollte, trug er ihm selbst die Geschenke hin. Er wurde im Wächterhaus von dem herausgeputzten Serafim empfangen, hinter ihm stand Tichon mit gesenktem Kopf und sah auf die Stiefel seines Herrn.

»Da hast du von mir eine Uhr! Und von meiner Frau Tuch für ein Wams. Und da ist noch Geld.«

»Das Geld ist überflüssig«, murmelte Tichon und sagte dann:

»Danke.«

Er forderte den Herrn auf, den von Serafim geschenkten Teneriffawein zu trinken, und der Alte begann sogleich mit den Worten zu spielen:

»Du kennst unseren Wert, Pjotr Iljitsch, und wir den deinigen. Wir verstehen es wohl: Der Bär liebt Honig und der Schmied hämmert das Eisen; die Herrschaft war für uns der Bär und du bist der Schmied. Wir sehen: Du hast ein großes, schweres Werk vor dir.«

Jetzt erklärte Wialow, die silberne Uhr zwischen den Fingern drehend und sie anblickend:

»Die Arbeit ist ein Geländer für den Menschen; wir gehen am Rand einer Grube und halten uns daran fest.«

»So ist es!«, rief Serafim erfreut aus. »Richtig! Das bedeutet, dass man sonst fallen würde!«

»Nun, das stimmt nicht«, sagte Artamonow. »Denn ihr seid keine Herren. Ihr könnt das nicht verstehen ...«

Er fand keine entsprechend kräftigen Ausdrücke, obwohl Tichons Worte ihn gleich erzürnt hatten. Nicht zum ersten Male umkleidete Tichon mit solchen Worten seinen eigensinnigen, dunklen Gedanken, und dieser reizte den Herrn immer mehr. Er sah auf Tichons reichlich mit Butter eingefetteten, steinernen Kopf, suchte nach vernichtenden Worten und zupfte sich schnaufend am Ohr.

»Es gibt natürlich verschiedene Arbeit«, begann Serafim versöhnlich, »es gibt gute und schlechte ...«

»Auch ein gutes Messer ist für die Kehle nicht besser«, brummte Tichon.

Pjotr hatte Lust, den Jubilar tüchtig zu beschimpfen, er konnte diesen Wunsch nur mit Mühe bezwingen und fragte streng:

»Warum brummst du, wie immer, so unvernünftig über die Arbeit? Man kann nichts verstehen ...«

Tichon gab es zu und blickte dabei unter den Tisch:

»Es ist schwer, das zu verstehen.«

Der Schreiner begann von Neuem:

»Er will nur harmlose Geschäfte gelten lassen, Pjotr Iljitsch ...«

»Lass ihn, Serafim, er soll es selbst sagen.«

Da seufzte Tichon, ohne sich zu bewegen und wandte Pjotr die graue, handgroße Glatze auf dem Scheitel zu.

»Der Teufel hat Kain die Geschäfte gelehrt ...«

»Da will er also hinaus!«, rief Serafim aus und schlug sich mit der Hand auf das Knie.

Artamonow erhob sich vom Stuhl und riet Tichon zornig:

»Du solltest lieber nicht von Dingen sprechen, die du nicht verstehen kannst. Jawohl.«

Er verließ entrüstet das Wächterhaus und dachte wieder, er müsse Tichon entlassen. Er würde ihn gleich morgen entlassen. Und wenn nicht morgen, dann in einer Woche. Im Kontor erwartete ihn die Popowa. Sie grüßte kühl wie eine Fremde, setzte sich auf einen Stuhl, schlug mit dem Schirm auf den Fußboden und begann davon zu sprechen, dass sie die Zinsen für ihre Hypothek nicht auf einmal bezahlen könnte.

»Das ist ja eine Lappalie«, sagte Pjotr leise, ohne sie anzublicken und vernahm ihre Worte:

»Wenn Sie sie mir nicht stunden wollen, haben Sie das Recht, mir zu kündigen.«

Sie sagte das in beleidigendem Ton, klopfte wieder mit dem Schirm auf und ging so unerwartet schnell, dass er erst dazu kam, sie anzublicken, als sie gerade die Tür hinter sich schloss.

»Sie ist zornig«, sagte sich Artamonow. »Weswegen denn?«

Eine Stunde später saß er bei Olga, schlug mit der Mütze auf das Sofa und sprach:

»Sage ihr: Ich brauche keine Zinsen und kein Geld von ihr. Was ist denn das für Geld? Sie soll sich keine Sorgen machen, verstehst du?«

Olga suchte zwischen den bunten Seidenknäueln herum, schob die Schachteln mit den Perlen auf dem Tisch hin und her und sagte nachdenklich:

»*Ich* verstehe es ja, aber *sie* wird es wohl kaum verstehen.«

»Sorge dafür, dass *sie* es auch tut. Was liegt mir daran, dass *du* es verstehst?«

»Danke«, sagte Olga, mit der Brille funkelnd. Dieses gläserne Lächeln wirkte auf Pjotr aufreizend.

»Scherze nicht!«, sagte er etwas grob. »Ich beabsichtige nicht, mein Schwein in ihrem Gemüsegarten weiden zu lassen, ich habe das nicht im Sinn, glaube so etwas nicht!«

»Ach, du bist ein Bauer«, sagte Olga seufzend und schüttelte zweifelnd den glatt gekämmten Kopf.

Pjotr rief aus:

»Du musst mir glauben! Ich weiß, was ich sage ...«

»Weißt du es wirklich?«

Sie seufzte voll Mitgefühl, Artamonow hörte es. Er sah, dass ihre Augen ihn mitleidig und fast zärtlich durch die Brille betrachteten, das erboste ihn aber nur. Er wollte ihr irgendetwas Überzeugendes und Deutliches sagen, fand aber die erforderlichen Worte nicht und blickte auf das Fensterbrett, wo zwischen den fleischigen, an Tierohren erinnernden Begonienblättern graziöse Blütendolden herabhingen.

»Mir ist um ihren Gutshof leid. Das ist ein wundervoller Besitz, jawohl! Sie ist dort – geboren ...«

»Nein, sie ist in Riasan geboren ...«

»Das bleibt sich gleich, sie hat sich dort eingelebt! Meine Seele ist dort zum ersten Mal ganz zur Ruhe gekommen ...«

»Sie ist erwacht«, verbesserte Olga.

»Das ist für die Seele dasselbe, ob sie zur Ruhe gekommen oder erwacht ist.«

Er sprach lange über etwas, das ihm selbst nicht klar war. Olga lauschte, die Ellbogen auf den Tisch stützend, und sagte, als bei ihm die Worte versiegten:

»Höre mir jetzt zu ...«

Und sie teilte ihm mit, Natalia hätte erfahren, dass er es mit der Spulerin hielte –, sie wäre gekränkt, weinte und klagte über ihn. Doch das rührte Artamonow nicht.

»Sie ist schlau«, sagte er lächelnd, »sie hat mir auch nicht durch ein Wort verraten, dass sie es weiß. Sie hat sich bei dir beklagt? So? Und dabei mag sie dich nicht ...«

Er dachte nach und fügte hinzu:

»Sinaïda trägt den Spitznamen ›die Pumpe‹, das ist richtig! Sie hat aus mir den ganzen Unrat herausgepumpt.«

»Du sprichst hässliche Dinge«, sagte Olga seufzend und das Gesicht verziehend. »Ich erinnere mich, dir einmal gesagt zu haben, dass deine Seele ein angenommenes Kind ist. Es ist auch so, Pjotr, du fürchtest dich vor dir selbst wie vor einem Feind ...«

Diese Worte verletzten ihn.

»Du sprichst keck mit mir; bin ich denn ein grüner Junge? Du solltest Folgendes bedenken: Wenn ich mit dir spreche, öffne ich dir meine Seele, sonst kann ich aber mit niemandem so sprechen. Mit Natalia kommt man nicht zum Sprechen. Ich habe manchmal den Wunsch, sie zu schlagen. Und du ... Ach, ihr Weiber!«

Er setzte die Mütze auf und ging, von einer plötzlichen, stumpfen Traurigkeit erfasst und an seine Frau denkend, – er hatte schon lange nicht an sie gedacht und bemerkte sie fast gar nicht, obwohl sie sich jede Nacht, nachdem sie mit Gott geflüstert hatte, in einer eingelernten, entgegenkommenden Weise an die Seite ihres Mannes legte.

»Sie weiß es und drängt sich doch auf«, dachte er zornig. »Das Schwein!«

Seine Frau war wie ein ausgetretener Pfad, über den Pjotr auch als Blinder, ohne zu stolpern, hätte gehen können; er hatte keine Lust, an sie zu denken. Ihm fiel aber ein, dass die Schwiegermutter, die ganz verschwollen, mit einem scheußlich aufgedunsenen, puterroten Gesicht langsam im Lehnstuhl dahinstarb, ihn immer feindseliger betrachtete. Aus ihren einst so schönen, jetzt aber trüben und nassen Augen fließen jämmerliche Tränen, die schief gezogenen Lippen bewegen sich, aber die gelähmte Zunge hängt stumm aus dem Munde und hat nicht die Kraft, etwas zu sagen; Uljana Bajmakowa klemmt sie mit den Fingern der halb lebendigen linken Hand wieder ein.

»Diese da fühlt aber. Sie tut mir leid.«

Es kostete ihn große Willensanstrengung, das schamlose Getue mit Sinaïda zu beenden. Und wie er das erledigt hatte, erstanden in ihm, zugleich mit den Katzenjammer hervorrufenden Erinnerungen an die Spulerin, allerlei schmerzliche Gedanken. Als wäre noch ein zweiter

Pjotr Artamonow zur Welt gekommen, der Seite an Seite mit dem ersten lebte und hinter seinem Rücken ging. Er fühlte, dass dieser Doppelgänger wuchs, greifbarer wurde und ihn bei allem störte, wozu er, der wirkliche Pjotr Artamonow, berufen war, und was er tun musste. Dieser zweite nützte geschickt die Minuten der ihn mit der Plötzlichkeit eines um die Ecke wehenden Windes überkommenden Nachdenklichkeit aus und flüsterte ihm ärgerliche, ätzende Gedanken zu.

»Du arbeitest wie ein Pferd und wozu? Du hast genug, um das ganze Leben satt zu sein! Es ist Zeit, dass dein Sohn arbeitet. Du hast aus Liebe zu deinem Sohn einen Jungen getötet! Dir hat eine Frau gefallen und du hast Unzucht getrieben.«

Jedes Mal, wenn ein solcher Gedanke vorübergeglitten war, wurde das Leben dunkler und öder.

Er hatte es übersehen, wann eigentlich Ilja sich in einen erwachsenen Menschen verwandelt hatte. Das war nicht das einzige Ereignis, das unbemerkt vorüberging; ebenso unmerklich hatte Natalia ihre Tochter Jelena mit einem gewandten Burschen mit einem schwarzen Schnurrbart, dem Sohn eines reichen Juweliers in der Gouvernementsstadt, verlobt und verheiratet; ebenso nebenbei erstickte und starb endlich die Schwiegermutter an einem schwülen Junimittag, kurz vor einem Gewitter; man hatte sie noch nicht aufs Bett legen können, als es in der Nähe donnerte, was alle sehr erschreckte.

»Schließt Türen und Fenster!«, schrie Natalia, die Hände zu den Ohren hebend. Das ungeheure Bein der Mutter entglitt ihren Händen und schlug mit der Ferse dumpf gegen den Fußboden ...

Es kam Pjotr Artamonow so vor, als erkenne er seinen Sohn nicht gleich in dem großen, schlanken Menschen mit schon sichtbarem Schnurrbart auf dem mageren, dunklen Gesicht, in leichtem, grauen Anzug, der eines Tages ins Zimmer trat. Der breite und dicke Jakow in einer Gymnasiastenbluse war noch eher wiederzuerkennen. Die Söhne grüßten höflich und setzten sich.

»Und nun«, sagte der Vater, durch das Kontor schreitend, »nun ist auch die Großmutter tot.« Ilja schwieg darauf und zündete sich eine Zigarette an, während Jakow nicht mehr mit seiner eigenen, sondern mit einer fremden Stimme sagte:

»Gut, dass es zu den Ferien geschehen ist, sonst wäre ich nicht gekommen.«

Artamonow ließ die törichten Worte des Jüngeren unbeachtet und betrachtete Iljas Gesicht; es hatte sich bedeutend verändert und gefestigt; die mit nachgedunkelten Haarsträhnen bedeckte Stirn war jetzt weniger hoch, und die blauen Augen hatten sich vertieft. Es war komisch, und peinlich, sich zu erinnern, dass er diesen nachdenklichen, solide gekleideten Menschen an den Haaren gerissen hatte; man konnte einfach nicht glauben, dass es tatsächlich geschehen war. Jakow war bloß gewachsen, er war nur größer geworden und war ebenso rundlich wie früher geblieben, er hatte auch noch dieselben regenbogenfarbigen Augen. Auch sein Mund war noch kindlich.

»Du bist stark gewachsen, Ilja«, sagte der Vater. »Nun, sieh dich nur im Werk um. Nach etwa drei Jahren wirst du dich ans Steuer stellen.«

Ilja spielte mit der Zigarettendose aus Wurzelholz, an der eine Ecke abgeschlagen war, und sah dem Vater ins Gesicht:

»Nein, ich möchte noch weiter lernen.«

»Noch lange?«

»Vier, fünf Jahre.«

»Sieh mal an! Was denn?«

»Geschichte.«

Es missfiel Artamonow, dass der Sohn rauchte, auch hatte er eine hässliche Zigarettendose, er hätte sich eine schönere kaufen können. Noch mehr missfiel ihm Iljas Absicht, zu studieren, und der Umstand, dass er gleich in den ersten Minuten davon zu sprechen begann.

Er wies durch das Fenster auf das Fabrikdach hin, wo ein dünnes Rohr fauchend Dampf ausströmen ließ, und von wo das brummige Dröhnen der Arbeit herübertönte, und sagte eindringlich, in dem Bestreben, freundlich zu sprechen:

»Da schnaubt die Geschichte! Diese da muss man lernen. Es ist unsere Bestimmung, Leinen zu weben, Geschichte ist aber nicht unsere Sache. Ich bin ein Fünfziger, es ist Zeit, mich abzulösen.«

»Miron wird Sie ablösen, auch Jakow. Miron wird Ingenieur werden«, sagte Ilja, streckte die Hand zum Fenster hinaus und streifte die Zigarettenasche ab. Der Vater warf ein:

»Miron ist mein Neffe und nicht mein Sohn. Nun, wir werden später noch darüber sprechen.«

Die Kinder standen auf und gingen; der Vater folgte ihnen mit einem gekränkten und erstaunten Blick. Wie war das, hatten sie ihm nichts zu sagen? Sie saßen fünf Minuten da, der eine gab eine Dummheit von sich und gähnte schläfrig, der zweite rauchte alles voll und kränkte ihn gleich beim ersten Mal. Da gehen sie über den Hof, man hört Iljas Stimme:

»Komm, wir wollen uns den Fluss ansehen!«

»Nein, ich bin müde. Die Fahrt hat mich durchgerüttelt.«

Der Fluss würde bis morgen nicht wegfließen, die Mutter aber war über den Tod der Großmutter betrübt und durch das Leichenbegängnis ermüdet!

Pjotr Artamonow blieb seiner Gewohnheit getreu, das Unangenehme vorwegzunehmen, um es schnell von sich abzustoßen und es zu umgehen, und gab seinem Sohn eine Woche Zeit zum Ausruhen; er stellte unterdessen fest, dass Ilja zu den Arbeitern »Sie« sagte und sich des Nachts, am Tore sitzend, lange über etwas mit Tichon und Serafim unterhielt. Er horchte sogar durch das Fenster, wie Tichon mit seiner hohen Stimme dumme Worte formte:

»Ja, ja! Als Habenichts leben, heißt von nichts leben. Es stimmt, Ilja Petrowitsch, wenn man nicht gierig ist, wird alles für alle reichen.«

Und Serafim gackerte fröhlich:

»Ich weiß es! Das habe ich schon längst gehört ...«

Jakow benahm sich weniger unverständlich: Er lief durch die Fabriksgebäude, blickte freundlich die Mädchen an und schaute vom Stalldach auf den Fluss, wenn dort um die Mittagszeit die Frauen badeten.

»Ein junger Stier«, dachte der Vater düster. »Ich muss Serafim sagen, dass er auf ihn aufpasst, damit er sich nicht ansteckt ...«

Der Dienstag war ein grauer, versonnener und stiller Tag. Am frühen Morgen fiel eine Stunde lang ein feiner Regen spärlich und träge auf die Erde, gegen Mittag kam die Sonne zum Vorschein, blickte wie unwillig auf das Werk und auf den Keil zwischen den beiden Flüssen, verbarg sich in den grauen Wolken und vergrub sich in ihren weichen Flaum ebenso, wie Natalia des Nachts ihr rotwangiges Gesicht in die Daunenkissen versenkte.

Vor dem Abendtee fragte Artamonow Jakow:

»Wo ist denn Ilja?«

»Ich weiß nicht; er saß dort auf dem Hügel unter der Fichte.«

»Rufe ihn. Nein, es ist nicht nötig. Wie ist's bei euch, vertragt ihr euch?«

Es kam ihm so vor, als ob der jüngere Sohn kaum merklich lächelte, als er sagte:

»Es geht, wir sind einig.«

»Und vielleicht doch nicht ganz? Sprich die Wahrheit ...«

Jakow sann mit gesenkten Augen nach:

»In unseren Gedanken sind wir nicht ganz einig.«

»In welchen Gedanken?«

»Im Allgemeinen, über alles.«

»Worüber denn?«

»Er hält sich bei allem an die Bücher, ich gehe aber einfach vom Verstande aus. Wie ich die Dinge sehe.«

»So«, sagte der Vater und verstand es nicht, ihn eingehender auszufragen.

Er warf sich den Leinenmantel über die Schultern, nahm den Stock, ein Geschenk Alexejs, dessen Griff eine silberne Vogelkralle mit einer Malachitkugel darstellte, und blickte, als er aus dem Tor gegangen war, unter der vorgehaltenen Handfläche auf den Hügel am Fluss, – dort lag unter einem Baum Ilja im weißen Hemd.

»Der Sand ist heute etwas feucht. Er ist unvorsichtig und kann sich erkälten.«

Der Vater ging ohne Eile zu ihm und erwog ehrlich die Schwere all der Worte, die er dem Sohn unbedingt sagen musste; dabei trat er die grauen Grashalme nieder, die brüchig knisterten. Der Sohn lag mit dem Rücken nach oben, las in einem dicken Buch und klopfte mit einem Bleistift auf die Seiten; beim Geräusch der Schritte bog er gelenkig den Hals, sah den Vater an und, nachdem er den Bleistift zwischen die Seiten des Buches gelegt hatte, klappte er es geräuschvoll zu; dann setzte er sich hin, lehnte seinen Rücken an den Fichtenstamm und streifte das Gesicht des Vaters mit einem freundlichen Blick. Artamonow setzte sich schnaufend auf eine nackte, bogenförmige Wurzel.

»Wir wollen heute nicht vom Werk sprechen, das hat noch Zeit, wir wollen einfach plaudern.«

Aber Ilja umfing die Knie mit den Armen und sagte halblaut:

»Papa, ich habe also beschlossen, mich der Wissenschaft zu weihen.«

»Zu weihen«, wiederholte der Vater. »Als ob du Pope werden wolltest.« Er wollte scherzhaft sprechen, hörte jedoch, dass seine Worte düster und beinahe zornig klangen; er ärgerte sich über sich selbst und schlug mit dem Stock auf den Sand. Und sofort begann etwas Unverständliches und Unnötiges; Iljas blaue Augen verdunkelten sich, die scharf gezeichneten Brauen zogen sich zusammen, er warf die Haare aus der Stirn zurück und begann mit hässlicher Hartnäckigkeit zu sprechen:

»Ich will kein Fabrikant werden, ich tauge nicht für diese Beschäftigung.«

»Ganz ebenso spricht Tichon«, bemerkte der Vater lächelnd.

Der Sohn begann, ohne seine Worte zu beachten, auseinanderzusetzen, weshalb er weder ein Fabrikant, noch der Leiter irgendeines Unternehmens sein wollte; er sprach lange, etwa zehn Minuten, und ab und zu fing der Vater in seinen Worten etwas scheinbar Richtiges auf, das sogar in angenehmer Weise seinen eigenen verworrenen Gedanken entsprach; im Großen und Ganzen sah er jedoch klar, dass der Sohn unvernünftige und kindische Ansichten äußerte.

»Worte«, sagte er, den Stock neben dem Fuß des Sohnes in den Sand steckend. »Worte! Das ist alles nicht so. Das ist Unsinn. Man muss kommandieren. Ohne Kommando kann das Volk nicht leben. Ohne Nutzen wird niemand arbeiten. Man sagt immer: ›Welchen Nutzen habe ich davon?‹ Alles dreht sich um diese Spindel. Sieh doch, wie viel Sprüche es gibt: ›Der Gevatter wär' ein heiliger Mann, doch sein Herz nicht ohne Gewinn sein kann!‹ Oder ›Auch der Heilige betet um des Nutzens willen.‹ Die Maschine ist ein totes Ding, doch auch sie will geschmiert sein.«

Er sprach ohne Erregung und suchte sich an passende Sprichwörter zu erinnern, mit deren Weisheit er seine Rede reichlich würzte. Es gefiel ihm, dass er ruhig sprach, ohne dass die Worte, die er leicht fand, ihm Schwierigkeiten bereiteten, und er war sicher, dass die Unterredung gut enden würde. Der Sohn schüttete schweigend Sand aus einer Hand in die andere, siebte die roten Baumnadeln durch und blies sie von der Handfläche weg. Plötzlich sagte er aber ebenfalls ruhig:

»Das alles überzeugt mich nicht. Mit dieser Weisheit kann man nicht länger leben.«

Pjotr Artamonow stand auf, indem er sich auf den Stock stützte. Der Sohn half ihm nicht dabei.

»So. Der Vater spricht also nicht die Wahrheit?«

»Es gibt eine andere Wahrheit.«

»Du lügst. Es gibt keine andere.«

Und der Vater sagte, mit dem Stock in der Richtung der Fabrik hinweisend:

»Da ist die Wahrheit! Dein Großvater hat damit begonnen, ich habe mein ganzes Leben dafür hingegeben und jetzt ist die Reihe an dir. Das ist alles. Und was willst du? Wir haben gearbeitet, und du willst dich unterhalten? Du willst durch fremde Mühe als Heiliger leben? Das ist nicht übel erdacht! Geschichte! Pfeif auf die Geschichte! Die Geschichte ist kein Mädchen, man kann sie nicht heiraten. Und was soll diese dumme Geschichte? Wozu ist sie gut? Ich werde dir aber nicht erlauben, zu faulenzen ...«

Da Pjotr Artamonow fühlte, dass er übermäßig zornig zu sprechen begann, versuchte er, seine Worte abzuschwächen:

»Ich verstehe, du willst in Moskau leben; dort ist es lustiger. Auch Alexej ...«

Ilja hob das Buch auf, blies die Sandkörnchen weg und sagte:

»Erlauben Sie mir zu studieren.«

»Ich erlaube es nicht!«, schrie der Vater auf und steckte den Stock in den Sand. »Bitte nicht darum.«

Da stand auch Ilja auf und sagte halblaut, indem er mit farblos gewordenen Augen über die Schulter des Vaters blickte:

»Nun gut, dann werde ich ohne die Erlaubnis auskommen müssen.«

»Du wirst es nicht wagen!«

»Man kann einem Menschen nicht verbieten zu leben, wie er will«, sagte Ilja, den Kopf schüttelnd.

»Einem Menschen? Du bist mein Sohn und kein Mensch. Was bist du für ein Mensch? Alles, was du hast, ist von mir.«

Das entschlüpfte ihm ganz von selbst, das durfte nicht gesagt werden. Pjotr dämpfte seine Stimme und sagte, vorwurfsvoll den Kopf wiegend:

»So vergiltst du mir meine Sorgen um dich? Ach, du Narr ...«

Er sah, dass Ilja errötete, und dass ihm die Hände zitterten, der Sohn wollte sie in die Hosentaschen verstecken, doch die Hände fanden die Taschen nicht. Und da Pjotr fürchtete, der Sohn könnte irgendetwas Überflüssiges und nicht wieder Gutzumachendes bemerken, sagte er selbst eilig:

»Ich habe deinetwegen einen Menschen getötet … vielleicht ...«

Artamonow fügte »vielleicht« hinzu, weil er, nachdem die ersten Worte ausgesprochen waren, sofort begriff, dass man sie in einem solchen Augenblick einem Jungen, der ihn sichtlich nicht verstehen wollte, nicht sagen durfte.

»Er wird gleich fragen: was für einen Menschen?«, dachte er und schritt schnell über den sandigen Hügelabhang hinunter, während der Sohn gellend laut hinter seinem Nacken schrie:

»Sie haben nicht nur *einen* getötet, – dort ist ein ganzer Kirchhof der von dem Werk Ermordeten.«

Artamonow blieb stehen und wandte sich um; Ilja hatte die Hand ausgestreckt und wies mit dem Buch auf die in den grauen Himmel ragenden Kreuze. Der Sand knirschte unter den Füßen des Vaters, es fiel Artamonow ein, dass er schon vor einigen Minuten etwas Beleidigendes über das Werk und den Kirchhof gehört hatte. Er wollte das, was ihm entschlüpft war, vertuschen, es war nötig, dass der Sohn es vergaß, und Artamonow schritt auf Bärenart rasch auf ihn zu, schwang, in dem Bestreben, ihn zu erschrecken, den Stock und schrie:

»Was hast du gesagt, Schuft?«

Ilja sprang hinter den Baumstamm:

»Kommen Sie zur Vernunft! Was haben Sie?«

Pjotr schlug auf den Stamm ein, bis der Stock zerbrach; dann schleuderte er ein Bruchstück zu den Füßen des Sohnes so hin, dass das Stück, die grüne Kugel nach oben wendend, schräg in den Sand eindrang. Er drohte:

»Ich werde dich zwingen, die Aborte zu reinigen!«

Er ging und eilte wankend davon – und fühlte, dass sein Verstand durch Worte des Kummers und Zornes irrte, wie ein Weberschiffchen durch eine verworrene Kette. »Ich werde ihn fortjagen. Die Not wird ihn zurückzukehren zwingen. Dann soll er die Aborte reinigen. Mache eben keinen Unsinn!«, riss er von dem sich rasch drehenden Knäuel kurze Gedanken ab und begriff zugleich dunkel, dass er sich nicht so benommen hatte, wie es sich gehörte, und dass er seine Kränkung übertrieben und angefacht hatte.

Als er das Ufer der Oka erreicht hatte, setzte er sich ermüdet auf den sandigen Abhang, wischte sich den Schweiß vom Gesicht und begann auf den Fluss zu schauen. In der kleinen seichten Bucht schwamm ein Plötzenschwarm, als wären es Stahlnadeln, die das Wasser durchstocherten. Darauf erschien, würdevoll mit den Flossen ausholend, eine Brachse, schwamm herum, drehte sich auf die Seite, blickte mit dem roten Äuglein nach oben in den trüben Himmel und ließ zerfließende Ringe, wie hellen Rauch, durch das Wasser gleiten.

Artamonow drohte der Brachse mit dem Finger und sagte laut:

»Ich werde dir dein Schicksal schon zurecht zimmern!«

Und er sah sich um, da er hörte, dass die Worte unecht klangen. Das ruhige Strömen des Flusses wusch den Zorn hinweg; die trübe und warme Stille sagte Gedanken vor, die voll stumpfen Staunens waren. Das Seltsamste war, dass jetzt der Sohn, den er liebte, an den er zwanzig Jahre lang ununterbrochen voll Unruhe gedacht hatte, plötzlich, im Laufe weniger Minuten seiner Seele entglitten war und darin einen bösen Schmerz hinterlassen hatte. Artamonow war überzeugt, dass er die ganzen zwanzig Jahre täglich und unermüdlich nur an den Sohn gedacht, nur in der Hoffnung auf ihn und dank der Liebe zu ihm gelebt und von ihm etwas Außergewöhnliches erwartet hatte.

»Wie ein Streichholz, das aufflammt und verschwindet! Was ist denn das?«

Der graue Himmel rötete sich ein ganz klein wenig; an einer Stelle erschien ein heller Fleck, der an den Fettglanz von abgetragenem Tuch erinnerte. Dann sah der gestutzte Mond hervor; es wurde frisch und feucht; der Nebel schwamm als ein leichter Rauch über den Fluss hin. Artamonow kehrte nach Hause zurück, als seine Frau sich schon entkleidet hatte, den linken Fuß auf das runde rechte Knie stützte und sich, das Gesicht verziehend, die Nägel schnitt. Sie sah den Mann von der Seite an und fragte:

»Wohin hast du denn Ilja geschickt?«

»Zum Teufel«, antwortete er, sich auskleidend.

»Du bist immer so böse«, seufzte Natalia. Er antwortete nicht, schnaufte und machte sich mit irgendetwas absichtlich geräuschvoll zu schaffen. Der Regen begann die Fensterscheiben mit Tropfen zu bedecken, ein rieselndes Geflüster schwebte durch den Garten.

»Ilja wird zu stolz auf seine Gelehrsamkeit.«

»Er hat eine dumme Mutter.«

Die Mutter zog die Luft durch die Nase ein, bekreuzte sich und legte sich ins Bett, während Pjotr sich auskleidete und sie dabei mit Genuss beleidigte:

»Was verstehst du? Gar nichts. Die Kinder fürchten dich nicht. Was hast du sie gelehrt? Du kannst nur das eine: essen und schlafen. Und dir die Fratze beschmieren.«

Die Frau sprach in das Kissen hinein:

»Und wer hat sie lernen lassen? Ich sagte ja ...«

»Schweig!«

Auch er schwieg und lauschte, wie der Regen immer heftiger auf die Blätter des von Nikita gepflanzten Faulbaums fiel. »Der Bucklige hat sich ein schönes Los erwählt. Hat weder Kinder, noch ein Unternehmen. Nur Bienen. Ich würde nicht einmal Bienen züchten, jeder soll sich, wie er will, selbst Honig verschaffen.«

Natalia drehte sich mit der Brust so behutsam nach oben, als liege sie auf Eis und berührte mit der warmen Wange die Schulter ihres Mannes.

»Hast du mit Ilja gestritten?«

Er schämte sich zu erzählen, was sich zwischen ihm und dem Sohn abgespielt hatte; er brummte:

»Mit den Kindern streitet man nicht, man schilt sie aus.«

»Er ist in die Stadt gefahren.«

»Er wird zurückkehren. Man wird nirgends umsonst gefüttert. Er wird spüren, wie die Not riecht und wird zurückkehren. Schlaf, störe mich nicht.«

Nach einer Weile sagte er:

»Jakow braucht nicht mehr zu lernen.«

Und nach einer weiteren Minute:

»Übermorgen fahre ich zur Messe nach Nischni Nowgorod. Hörst du?«

»Ich höre.«

»Was war das bloß?«, überlegte Artamonow und schloss die Augen, er sah aber das Gesicht mit der breiten Stirne vor sich und erinnerte sich des unerträglich kränkenden Glanzes in Iljas Augen.

»Er hat seinen Vater wie einen Arbeiter entlassen, der Schuft! Er hat ihn wie einen Bettler von sich gestoßen.«

Die unbegreifliche Schnelligkeit des Bruches war verblüffend; es war so, als hätte Ilja schon längst beschlossen, sich loszureißen. Was hatte ihn aber zu dieser Handlung bewogen? Und Artamonow dachte, sich Iljas scharfe, verurteilende Worte vergegenwärtigend:

»Miron, dieser Windhund, hat ihn beeinflusst! Und dass die Geschäfte dem Menschen schaden, das sind Tichons Gedanken. Der Dummkopf, der Dummkopf! Auf wen hat er gehört? Und dabei hat er ja noch gelernt! Was hat er denn gelernt? Die Arbeiter tun ihm leid, aber nicht der Vater. Und er läuft davon, um in der Ferne seine Heiligkeit großzuziehen.«

Dieser Gedanke ließ die ihm von Ilja zugefügte Kränkung noch heller aufflammen.

»Nein, du irrst dich, du entrinnst mir nicht!«

Hier fiel ihm Nikita ein, der abseits, in einen stillen Winkel geflohen war:

»Alle spannen mich zur Arbeit ein und laufen selbst davon.«

Artamonow überführte sich aber sogleich: Das stimmte nicht, Alexej war ja nicht fortgelaufen, der liebte das Werk, wie der Vater es geliebt hatte. Der ist gierig, unersättlich gierig, und alles an ihm ist geschickt und einfach. Er erinnerte sich, dass er einmal nach einer Rauferei von Betrunkenen in der Fabrik zu seinem Bruder gesagt hatte:

»Das Volk wird verdorben.«

»Merklich«, stimmte Alexej bei.

»Alle sind aus irgendeinem Grunde erbost. Als ob sie alle mit einem einzigen Augenpaar sähen ...«

Alexej war damit ebenfalls einverstanden und sagte lächelnd:

»Auch das stimmt. Manches Mal fällt mir ein, dass Tichon mit ebensolchen Augen den Vater betrachtete, als er auf deiner Hochzeit mit den Soldaten boxte. Dann fing er selbst zu boxen an. Weißt du es noch?«

»Nun, was liegt an Tichon? Das ist ein armseliger Kerl.«

Da begann Alexej ernst:

»Du sprichst zu oft davon, dass die Menschen verdorben werden. Das ist aber nicht unsere Sache; das ist die Sache der Popen, der Lehrer und wessen noch? Die Sache verschiedener dafür bestimmter Ärzte, und vor allem die Sache der Obrigkeit. Sie haben aufzupassen, dass das Volk nicht verdorben wird, das ist ihre Ware, wir beide sind aber die Käufer. Alles verdirbt nach und nach, Bruder. Du alterst, und ich auch. Und doch wirst du ja einem Mädel nicht sagen: Lebe nicht, Mädchen, du wirst eine alte Frau werden!«

»Er ist klug, dieser Teufel«, dachte Pjotr Artamonow. »Er hat gesunden Menschenverstand.«

Und als er der gewandten, durch irgendwelche neuen Späße ausgeschmückten Redeweise Alexejs lauschte, beneidete er ihn um seine Lebhaftigkeit und erinnerte sich wieder an Nikita; der Vater hatte den Buckligen zum Tröster bestimmt, er hatte sich aber in eine dumme Weibersache verwickelt und war nicht mehr da.

Pjotr Artamonow durchdachte vieles in dieser regnerischen Nacht.

Durch die Bitternis seiner Betrachtungen drangen wie Rauchwölkchen noch andere, fremde Gedanken, die ihm das dumpfe Geräusch des Regens zuzuflüstern schien, und die ihn daran hinderten, sich zu rechtfertigen.

»Und worin besteht denn meine Schuld?«, fragte er jemanden, und obwohl er keine Antwort fand, fühlte er, dass diese Frage nicht überflüssig war. Als es tagte, beschloss er, zu Nikita ins Kloster zu fahren; vielleicht würde er dort, bei einem Menschen, der fern von der Versuchung und der Unruhe lebte, irgendetwas Tröstendes und sogar etwas Entscheidendes finden.

Als er aber auf einem Postpferdegespann vor dem Kloster vorfuhr und von dem Schütteln auf der Dorfstraße zerschlagen war, dachte er:

»Es ist sehr leicht, in einem Winkel zu stehen. Nein, versuche einmal über die Straße zu laufen! Im Keller verdirbt die Gurke nicht, in der Sonne fault sie aber schnell.«

Er hatte Nikita schon vier Jahre nicht gesehen; die letzte Zusammenkunft mit Nikita war langweilig und wenig herzlich verlaufen: Pjotr hatte den Eindruck, als wäre der Bucklige verlegen und über seinen Besuch ärgerlich; er duckte sich, kauerte sich zusammen und versteckte sich, wie eine Schnecke in ihr Haus; er sprach mit säuerlicher Stimme nicht von Gott, nicht von sich und den Verwandten, sondern nur von den Nöten des Klosters, von den Wallfahrern und der Armut des Volkes; er erzählte ungern und mit sichtlicher Anstrengung. Als Pjotr ihm Geld anbot, sagte er leise und nachlässig:

»Gib das dem Prior, ich brauche es nicht.«

Man sah, dass alle Mönche »Vater Nikodim« mit Ehrerbietung umgaben; der übergroße, knochige, haarige und auf einem Ohr taube Prior sah aus wie ein Waldteufel in einem Priesterrock; er sah Pjotr mit einem unheimlichen Blick der schwarzen Augen ins Gesicht und sagte übertrieben laut:

»Vater Nikodim ist die Zierde unserer armen Einsiedelei.«

Das auf einem niederen Hügel, inmitten einer Einfriedung von bronzefarbenen Fichten gelegene und unter deren dichten Kronen versteckte Kloster empfing Artamonow mit dem dünnen Werktagsgeläute der Glocken, die zur Abendmesse riefen. Der Torwart, aufrecht und lang wie eine Stange, mit einem kleinen, überflüssigen Kinderköpfchen in einem verblichenen, zerdrückten Käppchen, öffnete das Tor und murmelte stotternd und sich verschluckend:

»W-wi-l-l ...«

Und hauchte dann mit einem Mal pfeifend:

»-K-kom-men.«

Die schillernde blaue Wolke, die den halben Himmel bedeckte, hing unbeweglich über dem Kloster und verbreitete ringsum eine bedrückende, undurchdringliche, feuchte und schwüle Wehmut, die das metallische Schreien der Glocken nicht zu erschüttern vermochte.

»Das kann ich allein nicht heben«, sagte schuldbewusst der Herbergsknecht, als er die Kiste mit den Geschenken für Nikita aus dem Wagen herauszuschleppen versuchte und klopfte mit der kleinen, schwarzen Faust auf die Kiste. Müde und staubbedeckt begab sich Pjotr langsam in den Garten zu Nikitas weißer Zelle, die anheimelnd zwischen Kirsch- und Apfelbäumen versteckt lag; er dachte im Gehen, dass er gar nicht hätte herkommen sollen, es wäre besser gewesen, nach Nishni zu fahren. Die unebene, von Wurzeln umsponnene Waldstraße hatte alle seine kummervollen Gedanken aufgewühlt und durcheinandergebracht und sie durch bedrückende Traurigkeit und die Sehnsucht nach Ruhe und Vergessen ersetzt.

»Man müsste sich einmal einen guten Tag antun.«

Er erblickte Nikita auf einer Bank im Halbkreis junger Linden; vor ihm hatten sich, wie auf irgendeinem Bilde, etwa zehn Wallfahrer gelagert: ein schwarzbärtiger Kaufmann in einem Leinenmantel und mit einem mit Lappen umwickelten, in einem Gummischuh steckenden Fuß; ein dicker Greis, der an einen Wechsler der Kastratensekte erinnerte; ein langhaariger Bursche in einem Soldatenmantel, mit breiten Backenknochen und Fischaugen; wie eine Säule oder wie ein Dieb vor dem Richter, stand der Driomower Bäcker Mursin, ein Trinker und Raufbold da, und sagte heiser:

»Das stimmt: Gott ist weit.«

Nikita zeichnete etwas mit dem weißen Stab auf die festgestampfte Erde und belehrte, ohne die Leute anzusehen:

»Und je tiefer der Mensch steht, desto höher schwebt Gott über ihm, vom Gestank unserer Verwesung im Sündenpfuhl vertrieben.«

»Er tröstet«, dachte Artamonow senior und schmunzelte im Geiste.

»Gott sieht: Wir glauben tatenlos; wozu braucht er aber den Glauben ohne Taten? Wo bleibt unsere gegenseitige Hilfe, und wo bleibt die Liebe? Und was erflehen wir? Lauter kleinliche Nichtigkeiten. Man muss wohl beten, aber doch ...«

Er schlug die Augen auf und betrachtete eine Minute lang unverwandt, von unten herauf seinen Bruder. Und er hob langsam den Stab, wie eine große Last, als beabsichtigte er damit jemanden zu schlagen. Der Bucklige stand auf, ließ kraftlos den Kopf sinken, segnete die Leute mit dem Kreuz, sagte aber, statt zu beten:

»Da ist mein Bruder zu mir gekommen.«

Der bartlose Alte machte seine Messingaugen auf eine hässliche Weise rund, blickte Pjotr an und bekreuzte sich schwungvoll und mit deutlicher Absichtlichkeit.

»Geht mit Gott«, fügte Nikita hinzu.

Die Leute gingen alle durcheinander, wie eine von der Weide zurückkehrende Herde; der Alte hatte den Kaufmann mit dem kranken Fuß bei dem einen Ellbogen gepackt, der Bäcker Mursin stützte ihm den zweiten.

»Nun, Guten Tag. Segne mich!«

Vater Nikodim schob mit dem langen, vom schwarzen Ärmel der Mönchskutte beflügelten Arm die sich ihm entgegenstreckenden, hohl gefalteten Hände des Bruders beiseite und sagte leise und ohne Freude:

»Ich habe dich nicht erwartet.«

Er hob den Stab in der Richtung der Zelle und schritt vor seinem Bruder her, er ging ruckweise, seine schiefen Beine spreizend und hielt die eine Hand auf der Brust am Herzen.

»Du bist gealtert«, bemerkte Pjotr verlegen.

»Dazu leben wir ja. Die Füße tun mir weh. Hier bei uns ist es feucht.«

Nikita schien noch buckliger geworden zu sein, der Winkel seines Rückens und die rechte Schulter hatten sich gehoben, sie beugten den Körper tiefer zur Erde hin und machten ihn niedriger und breiter; der Mönch erinnerte an eine Spinne, der man den Kopf abgerissen hat und die nun blind und schief über den Weg und den knisternden Kies kriecht. In der engen, sauberen Zelle wirkte »Vater Nikodim« etwas größer, aber noch schrecklicher; als er die Kapuze abnahm, glänzte sein halb nackter, gleichsam hautloser, knochiger Schädel matt wie der einer Leiche; auf den Schläfen, hinter den Ohren und auf dem Hinterkopf hingen ungleiche graue Haarsträhnen herab. Auch sein Gesicht war mager und wächsern; überall auf den Gesichtsknochen war zu wenig Fleisch; die verblichenen Augen erleuchteten es nicht, ihr Blick schien auf die Spitze der großen, aber schwammigen Nase gerichtet zu sein, unter der Nase bewegten sich lautlos die dunklen Striche der vertrockneten Lippen; der Mund war noch größer geworden und zerteilte das Gesicht durch einen tiefen Spalt, besonders unheimlich und unangenehm war aber der graue Schimmel der Haare auf der Oberlippe.

Der Mönch sagte leise, als lauschte er auf etwas, und langsam, als fände er nur mühsam die Worte, zu dem pausbackigen Klosterknecht, der wie ein Badediener aussah:

»Den Samowar! Brot! Honig!«

»Wie leise du sprichst.«

»Die Zähne bröckeln mir ab.«

Der Mönch setzte sich auf einen weiß gestrichenen Holzsessel an den Tisch.

»Lebt ihr alle noch?«

»Ja, wir leben noch.«

»Ist Tichon noch am Leben?«

»Er ist am Leben. Ihm fehlt ja nichts!«

»Er war schon lange nicht bei mir.«

Sie schwiegen. Nikita bewegte die Hand, und die Mönchskutte raschelte. Dieses an Küchenschaben erinnernde Geräusch verdichtete noch mehr Pjotrs Bedrücktheit.

»Ich habe dir Geschenke mitgebracht. Lass die Kiste herschaffen. Es ist Wein drin. Ist bei euch Wein gestattet?«

Nikita antwortete mit einem Seufzer:

»Bei uns geht es nicht streng zu. Das wäre schwierig. Es kommen sogar Trunkenbolde vor, seit das Volk so eifrig das Kloster besucht. Man trinkt. Was kann man tun? Die Welt vergiftet mit ihrem Atem. Auch Mönche sind Menschen.«

»Ich hörte, dass zu dir viele Leute kommen?«

»Das geschieht aus Unverstand«, sagte der Mönch. »Ja, sie kommen. Sie drehen sich im Kreise. Sie suchen nach Heiligkeit und nach einem Heiligen. Nach einem Hinweis, wie man leben soll. Wir lebten und lebten, und auf einmal ... Wir kennen uns nicht aus. Wir haben keine Geduld.«

Pjotr Artamonow fühlte, dass die Worte des Mönches ihn beunruhigten, und er brummte:

»Das ist Übermut. Sie haben die Leibeigenschaft ertragen und ertragen die Freiheit nicht! Man hält sie nicht genügend im Zaum.«

Nikita schwieg dazu.

»Unter den Herrschaften strichen sie nicht herum und vagabundierten nicht.«

Der Bucklige streifte ihn mit einem Blick und senkte die Augen.

Sie fanden mit Mühe die nötigen Worte, unterbrachen die Unterhaltung durch lange Pausen und sprachen miteinander so lange, bis der Klosterdiener den Samowar, Lindenblütenhonig und warmes Brot brachte, dem noch gärender Dampf entströmte. Sie sahen aufmerksam dem blonden Diener zu, der sich auf dem Fußboden mit dem Öffnen des Kistendeckels ungeschickt zu schaffen machte. Pjotr stellte eine Büchse mit frischem Kaviar und zwei Flaschen auf den Tisch.

»Portwein«, las Nikita. »Der Prior liebt diesen Wein. Er ist ein kluger Mensch. Er versteht viel.«

»Und ich verstehe wenig«, gestand Pjotr herausfordernd.

»Auch du verstehst das, was nötig ist. Wozu braucht man mehr? Es ist schädlich, mehr zu verstehen, als nötig ist.«

Der Mönch seufzte behutsam. Pjotr hörte aus seinen Worten etwas Bitteres heraus. Die Mönchskutte glänzte schmutzig und ölig im Dunkel, das durch das ewige Licht in der Ecke und den Schein der billigen gelben Glaslampe auf dem Tisch spärlich beleuchtet wurde. Als Pjotr bemerkte, mit welcher Gier sein Bruder ein Glas Wein aussaugte, dachte er spöttisch:

»Er weiß Bescheid.«

Nach jedem Glas zupfte Nikita mit den dürren und sehr weißen Fingern Brotkrumen ab, tauchte sie in Honig und kaute bedächtig daran; sein graues, gleichsam ausgerupftes Bärtchen zitterte. Es war nicht zu merken, dass der Wein den Mönch berauschte, aber die trüben Augen wurden heller und blieben noch immer auf die Nasenspitze gerichtet. Pjotr trank vorsichtig, da er dem Bruder nicht betrunken erscheinen wollte; er dachte dabei:

»Er fragt nicht nach Natalia. Er hat auch voriges Mal nicht gefragt. Er schämt sich. Er fragt nach niemandem. Das sind Weltmenschen. Er ist aber ein Heiliger. Ihn suchen die Leute auf ...«

Er strich erbost mit dem Bart über die Weste und sagte, sich am Ohr zupfend:

»Du hast dich hier geschickt versteckt. Das hast du gut gemacht.«

»Früher war es schön, jetzt wird es schlechter, es gibt zu viele Wallfahrer. Und diese Empfänge ...«

»Die Empfänge?« Pjotr lächelte. »Wie bei einem Zahnarzt.«

»Ich will mich irgendwohin versetzen lassen, wo es einsamer ist«, sagte der Mönch, vorsichtig Wein in die Gläser einschenkend.

»Wo es ruhiger ist«, fügte Pjotr hinzu und lächelte wieder. Der Mönch saugte den Wein aus, benetzte sich mit der dunklen, an einen Lappen erinnernden Zunge die Lippen und sagte, den knochigen Kopf wiegend:

»Die Zahl der beunruhigten Menschen wächst sehr merklich. Sie verstecken sich und wollen der Sorge entgehen ...«

»Ich merke es nicht«, erwiderte Pjotr und wusste, dass er die Unwahrheit sprach. »Du hast dich versteckt«, wollte er sagen.

»Doch die Unruhe folgt ihnen wie ein Schatten ...«

Auf Pjotrs Zunge schwollen von selbst Worte des Vorwurfs an; er wollte streiten und seinen Bruder sogar anschreien, und er sagte, an den Sohn denkend, mit zorniger Stimme:

»Der Mensch sucht selbst nach Unruhe und will selbst seine Not! Tue deine Arbeit, prahle nicht mit dem Verstand und du wirst ruhig leben!«

Nikita schien seine Worte aber nicht zu hören, als wäre er von den eigenen Gedanken betäubt; er schüttelte plötzlich seinen eckigen Körper, als erwachte er; die Mönchskutte umfloss ihn in schwarzen Wogen, er verzog die Lippen und sagte mit Nachdruck und scheinbar ebenfalls erzürnt:

»Sie kommen und bitten: Lehre uns! Was weiß ich aber, was kann ich sie lehren? Ich bin kein Weiser. Mich hat der Prior auserwählt. Ich weiß selbst nichts und bin ein unschuldig Verurteilter. Man hat mich zu lehren verurteilt! Wofür hat man mich aber so bestraft?«

»Er macht Andeutungen«, erriet Pjotr Artamonow. »Er will sich beklagen.«

Er begriff, dass Nikita Ursache hatte, sich über sein Schicksal zu beklagen, er hatte schon bei seinen früheren Besuchen diese Klagen erwartet. Er zupfte sich am Ohr und warnte eindringlich den Bruder:

»Viele beklagen sich über das Schicksal, das führt aber zu nichts.«

»Jawohl; man sieht keine Zufriedenen«, sagte der Bucklige und richtete die Augen in die Ecke auf das Licht des Lämpchens.

»Der selige Vater hat dir schon eingeschärft: Tröste! Sei also ein Tröster!«

Nikita verzog den Mund zu einem Lächeln, umfasste sein graues Bärtchen mit der Hand, verbarg sein Schmunzeln und ließ wieder in das Dunkel Worte hinströmen, die Pjotr aufrüttelten und seine Neugierde und die ängstliche Erwartung einer Gefahr erregten.

»Sie flößen hier mir und den Leuten ein, ich wäre weise; das geschieht natürlich zum Nutzen der Einsiedelei und zur Anlockung der Besucher. Für mich ist das aber ein schwieriges Amt. Da heißt es streng sein, Bruder! Womit soll man denn trösten? Leidet nur, sage ich. Ich sehe aber: Alle haben es satt, zu leiden. Hofft! – sage ich. Worauf soll man aber hoffen? Gott ist für sie kein Trost. Es kommt ein Bäcker her ...«

»Das ist unser Mitbürger Mursin, ein Trunkenbold«, sagte Pjotr Artamonow, in dem Bestreben, etwas abzuwenden und von sich zu stoßen.

»Er dünkt sich schon Richter über Gott zu sein, für ihn ist Gott nicht mehr der Herr der Welt. Jetzt gibt es viele solche Frechlinge. Und dann ist noch ein Bartloser da, hast du ihn bemerkt? Das ist ein böser Mensch, ein Feind der ganzen Welt. Sie kommen und forschen aus. Was soll man ihnen sagen? Sie kommen zu dem Zwecke, um in Versuchung zu führen.«

Der Mönch sprach immer lebhafter. Pjotr erinnerte sich noch daran, wie er seinen Bruder bei früheren Besuchen angetroffen hatte, und es fiel ihm auf, dass Nikitas Augen nicht mehr so schuldbewusst blinzelten wie früher. Damals hatte das Schuldgefühl des Buckligen beruhigend gewirkt – es ziemt einem Schuldigen nicht, zu klagen ... Jetzt klagte er aber und erklärte, er wäre unschuldig verurteilt. Und Pjotr Artamonow fürchtete, sein Bruder würde sagen:

»Du hast mich verurteilt!«

Er spielte, die Stirn runzelnd, mit der Uhrkette und suchte nach Worten der Selbstverteidigung.

»Ja«, sagte der Bucklige und schien im Geheimen mit dem, worüber er klagte, ganz zufrieden zu sein. »Die Menschen werden immer zudringlicher und haben freche Gedanken. Kürzlich verbrachte bei uns ein Gelehrter etwa zwei Wochen, er war noch jung, schien aber nicht ganz bei Sinnen zu sein, wie ein heftig erschrockener Mensch. Der Prior schärft mir ein: Festige ihn durch deine Einfalt, erkläre ihm, was und wie alles ist. Ich merke mir aber fremde Gedanken schlecht. Dieser Gelehrte hat mir stundenlang das Herz aus dem Leibe gerissen; er spricht und spricht, und ich verstehe nicht einmal seine Worte, geschweige denn die Gedanken. Man kann den Teufel nicht als den Beherrscher unseres Fleisches anerkennen, sagt er, dann wären ja zwei Götter da, und es wäre eine Schändung des Leibes Christi, den wir beim Abendmahl genießen: ›Empfanget den Leib Christi, esst von der Quelle der Unsterblichkeit‹. Er lästert Gott: Es soll nur einen Gott mit Hörnern geben, sagt er, aber einen einzigen, sonst ist es unmöglich zu leben. Er quälte mich zu Tode, ich vergaß alle Belehrungen von Vater Feodor und schrie: ›Dein Fleisch ist ein Zerrbild und deine Seele ist die Vernichtung‹. Der Prior schimpfte dann über mich: ›Was fällt dir ein‹, sagte er, ›welchen gotteslächerlichen Unsinn hast du dir entschlüpfen lassen?‹ Ja, so ist es ...«

Dieser Bericht erschien Pjotr komisch und rückte Nikita in ein jämmerliches Licht, was Pjotr Artamonow etwas beruhigte.

»Es ist schwer, von Gott zu sprechen«, murmelte er.

»Ja, es ist schwer«, gab Vater Nikodim zu und fragte bitter, mit öliger Stimme:

»Weißt du noch, wie unser Vater uns belehrt hat: Wir sind einfache Arbeiter, diese Weisheit ist für uns zu hoch?«

»Ich erinnere mich.«

»Jawohl. Vater Feodor schärft mir ein: Lies Bücher! Ich lese, – das Buch ist für mich aber wie ein ferner Wald, der unverständlich rauscht. Das Buch gibt dem heutigen Tag keine Antwort. Jetzt sind Gedanken entstanden, die sich durch ein Buch nicht befriedigen lassen. Überall tauchen Sektierer auf. Die Menschen reden so, als ob sie Träume erzählten oder Katzenjammer hätten. Zum Beispiel dieser Mursin ...«

Der Mönch trank Wein, kaute Brot, rollte aus den Krumen kleine Kugeln, die er mit den Fingern über den Tisch jagte, und fuhr fort:

»Vater Feodor sagt: Das ganze Unheil kommt durch den Verstand; der Teufel hat ihn zu einem bösen Hund entbrennen lassen, den er neckt, und der Hund bellt alles grundlos an. Vielleicht ist das auch die Wahrheit; es ist aber kränkend, das zuzugeben. Wir haben hier einen Arzt, einen einfachen, lustigen Menschen, der denkt anders: Der Verstand ist ein Kind; für ihn ist alles ein Spielzeug und alles unterhaltend; er will übersehen, wie das und jenes eingerichtet ist und was innen ist. Nun, da zerbricht er es natürlich ...«

»Vielleicht! Du sprichst aber gefährliche Dinge«, bemerkte Pjotr.

Die Worte des Bruders rüttelten von Neuem seine Unruhe wach, sie versetzten ihm Stöße und verblüfften und erschreckten ihn durch ihre Plötzlichkeit und Schärfe. Er wollte Nikita wieder kleinkriegen und ihn erniedrigen.

»Der Mönch ist betrunken«, versuchte er sich zu beruhigen.

In der Zelle wurde es schwül, es verbreitete sich ein säuerlicher Geruch von Kohlen und Lampenöl, der Pjotrs Gedanken auslöschte. Auf dem kleinen, schwarzen Fensterviereck streckten sich die Blätter irgendeiner Pflanze aus, die in ihrer Regungslosigkeit wie aus Eisen erschienen. Und Nikita, der an eine Spinne erinnerte, spann still und beharrlich sein Netz.

»Alle Gedanken sind gefährlich. Besonders die einfachen. Denke an Tichon.«

»Er ist irrsinnig.«

»Nein, du hast unrecht! Er hat einen strengen Verstand. Ich fürchtete mich anfangs sogar, mit ihm zu sprechen; ich wollte es und fürchtete mich! Als der Vater starb, zog mich Tichon sehr an. Du liebtest ja den Vater nicht so wie ich. Dich und Alexej hat dieser ungerechte Tod nicht gekränkt, Tichon aber war gekränkt. Ich zürnte ja damals nicht der Nonne wegen ihrer Dummheit, sondern Gott, und Tichon merkte das gleich. Er sagte: Die Mücke lebt, aber der Mensch ...«

»Du fantasierst!«, bemerkte Pjotr streng. »Du hast zu viel getrunken. Welcher Nonne?«

Nikita fuhr beharrlich fort:

»Tichon sagt: Wenn Gott der Herr der Welt ist, dann muss der Regen zur rechten Zeit kommen, wie es dem Getreide und den Menschen nützlich ist. Und auch nicht jede Feuersbrunst entsteht durch den Menschen; die Wälder werden vom Blitz angezündet. Und warum musste Kain sündigen, damit wir sterben? Wozu braucht Gott das Missgestaltete; wozu braucht er, zum Beispiel, die Buckligen?«

»Aha, das ist es also!«, dachte Pjotr, in den Bart lächelnd, und fühlte, dass Nikitas Klagen über Gott ihn sehr beruhigten; es war gut, dass der Mönch nicht über die Verwandten klagte.

»Man kann Kain nicht verstehen. Damit hat Tichon mich wie an eine Kette geschmiedet. Es hat bei mir mit dem Todestag des Vaters begonnen. Ich dachte, wenn ich ins Kloster ginge, würde es vergehen. Es ist aber nicht geschehen. So lebe ich in diesen Gedanken.«

»Früher hast du davon geschwiegen ...«

»Man kann nicht alles auf einmal sagen. Ich würde auch vielleicht das ganze Leben schweigen, aber die Wallfahrer hindern daran. Die beunruhigen das Gewissen. Und das ist gefährlich. Wie, wenn plötzlich das von Tichon Gesagte in meinen Reden zum Vorschein käme? Nein, er ist ein kluger Mensch, wenn ich ihn vielleicht auch nicht liebe. Er denkt auch über dich nach. Da hat sich ein Mensch für die Kinder abgemüht, sagt er, – und die Kinder sind ihm fremd ...«

»Was soll das?«, fragte Pjotr zornig. »Was kann er wissen?«

»Er weiß schon. Er sagt, die Arbeit ist ein Betrug ...«

»Ich habe es gehört ... Man müsste den Dummkopf davonjagen. Ja, er weiß viel von unseren Familienangelegenheiten ...«

Artamonow sagte das, um Nikita an die qualvolle Nacht zu erinnern, als Tichon ihn aus der Schlinge zog. Dabei dachte er aber an den kleinen Nikonow. Der Mönch verstand die Andeutung nicht; er hob das Glas zum Mund, versenkte die Zunge in den Wein, leckte sich die Lippen und fuhr mit blechern klingenden Worten fort:

»Auch Tichon wurde durch jemanden gekränkt, da riss er sich, wie ein Ausgeplünderter, von allen los ...«

Pjotr musste den Mönch von diesen Gedanken ablenken.

»Wie ist es denn jetzt, glaubst du nicht an Gott?«, fragte er und staunte – er hatte giftig fragen wollen, es kam aber anders.

»Es ist schwer zu verstehen, wer jetzt glaubt«, antwortete der Mönch nach einer Weile. »Alle denken viel nach, man findet aber keinen Glauben. Man darf nicht denken, wenn man glaubt. Derjenige, der von dem Gott mit den Hörnern sprach ...«

»Lass das«, riet Pjotr und sah sich um. »Das alles kommt von der Langeweile und dem Müßiggang. Man müsste alle in ein eisernes Joch einspannen.«

»Nein, man kann nicht an beide glauben«, sagte Vater Nikodim hartnäckig.

Schon zum zweiten Mal wurde auf dem Glockenturm geläutet; die gemessenen Töne schlugen gegen die schwarzen Fensterscheiben. Pjotr fragte:

»Gehst du zur Messe?«

»Ich gehe nicht hin. Meine Füße erlauben mir nicht, so lange zu stehen.«

»Betest du hier für uns?«

Der Mönch antwortete nicht.

»Nun, ich will schlafen, ich bin müde von der Reise.«

Nikita stützte sich schweigend mit den langen Armen auf die Sessellehne, hob vorsichtig seinen eckigen Körper und rief:

»Mitja! Mitri!«

Er ließ sich wieder sinken und sagte schuldbewusst:

»Verzeih: Ich habe vergessen. Mein Diener schläft im Gasthof. Ich habe ihn fortgeschickt; ich wollte frei sprechen können, und hier sind lauter Angeber und Verleumder ...«

Er beschrieb Pjotr in vielen überflüssigen Worten den Weg nach dem Gasthof, und als Pjotr in das Dunkel und in den kalt herabsprühenden Regen hinaustrat, dachte er:

»Der Schwätzer wollte mich nicht fortlassen.«

Und auf einmal fühlte Pjotr Artamonow mit der ihm wohlbekannten Angst, dass er wieder über den Rand einer tiefen Schlucht hinschritt, in die er in der nächsten Minute abstürzen konnte. Er beschleunigte die Schritte, streckte die Hände vor, betastete mit den Fingern den wässerigen Staub des nächtlichen Dunkels und blickte unverwandt in die Ferne, auf den grellen Fleck einer Laterne.

»Nein«, dachte er eilig und stolpernd, »ich brauche das alles nicht. Ich will gleich morgen abreisen. Ich brauche es nicht. Was ist geschehen? Ilja wird zurückkehren! Nein, man muss ein gefestigtes Leben führen. Wie Alexej sich herausgemacht hat. Er könnte mich schädigen.«

Er zwang sich, an Alexej zu denken, weil er weder an Nikita, noch an Tichon denken wollte. Als er sich aber auf das harte Lager des Klostergasthofs hinlegte, wurde er wieder von den bedrückenden Gedanken an den Mönch und an Tichon umfangen. Was war Tichon für ein Mensch? Er wirft auf alles ringsum seinen Schatten, seine Worte erklingen in der kindischen Rede des Sohnes, der Bruder ist von seinen Gedanken verzaubert. »Der Tröster!«, dachte er von seinem Bruder. »Und Serafim ist nur ein einfacher Schreiner und versteht es doch zu trösten.«

Er konnte nicht schlafen, die Mücken stachen, hinter der Wand murmelten dreistimmig irgendwelche Leute, es fiel Pjotr ein, es könnten dies der Bäcker Mursin, der Kaufmann mit dem kranken Fuß und der Mensch mit dem Kastratengesicht sein.

»Sie betrinken sich gewiss.«

Der Klosterwächter schlug ab und zu mit dem Klopfer auf ein Eisenbrett; dann wurde plötzlich sehr eilig, als hätte man sich verspätet und wäre erschrocken, zur Morgenmesse geläutet, und bei diesem Geläute schlummerte Pjotr ein.

Nikita kam zu ihm, er war ebenso, wie er gestern im Garten gewesen war und hatte denselben übelwollenden Blick von der Seite und von unten herauf. Pjotr Artamonow wusch und kleidete sich eilig an und befahl dem Diener, ihm ein Pferd bis zur nächsten Poststation zu verschaffen.

»Warum so eilig?«, fragte der Mönch, ohne zu staunen. »Ich dachte, du würdest hier eine Weile bleiben.«

»Die Arbeit erlaubt es nicht.«

Man trank Tee. Pjotr überlegte lange, was er seinen Bruder fragen sollte? Und es fiel ihm ein:

»Du willst also von hier fortgehen?«

»Ich glaube wohl. Man lässt mich aber nicht fort.«

»Aus welchem Grunde?«

»Ich bin für sie von Vorteil. Ich bin ihnen nützlich.«

»So. Wohin willst du denn?«

»Vielleicht werde ich wandern.«

»Mit den kranken Füßen?«

»Auch die Fußlosen bewegen sich.«

»Es stimmt, sie bewegen sich«, gab Pjotr zu.

Man schwieg. Dann sagte Nikita:

»Grüße Tichon!«

»Und wen noch?«

»Alle.«

»Gut. Warum fragst du denn nicht, wie Alexej lebt?«

»Was soll ich fragen? Ich weiß, er versteht es. Ich werde vielleicht bald von hier fortgehen.«

»Du wirst doch im Winter nicht fortgehen?«

»Warum? Man geht auch im Winter.«

»Es ist wahr, man geht«, stimmte Pjotr wieder bei und bot dem Bruder Geld an.

»Gib her, es wird für die Reparatur der Mühle verwendet werden. Wirst du nicht beim Prior vorsprechen?«

»Es ist keine Zeit mehr, das Pferd wartet schon.«

Die Brüder umarmten einander zum Abschied. Es war unbequem, Nikita zu umarmen. Er segnete den Bruder nicht, seine rechte Hand hatte sich im Kuttenärmel verwickelt, und Pjotr glaubte, dass das mit Absicht geschehen sei. Nikita stemmte sich mit dem Buckel gegen seinen Bauch und bat mit dumpfer Stimme:

»Verzeih, wenn ich gestern etwas Überflüssiges gesagt habe.«

»Nun, was soll das! Wir sind Brüder.«

»Man denkt und denkt die Nacht durch ...«

»Ja, ja! Nun, leb wohl ...«

Als Pjotr aus dem Klostertor heraus war, sah er sich um und erblickte an der weißen Gasthofmauer die an einen Stein erinnernde Gestalt seines Bruders.

»Leb wohl!«, murmelte er, die Mütze ziehend, worauf sein Kopf durch den feinen Regen reichlich benetzt wurde. Sie fuhren durch einen Fichtenwald. Es war sehr still, nur die Fichtennadeln erklangen gläsern unter den Regenperlen. Auf dem Bock der Kalesche hopste ein Mönch herum, das Pferd war ein Fuchs und hatte kahle Ohren.

»Worüber man so spricht!«, dachte Pjotr. »Gott schickt den Regen zur unrechten Zeit! – Das geschieht alles aus Bosheit, aus Neid und Scheußlichkeit. Aus Faulheit. Es fehlt die Sorge. Ohne Sorge ist der Mensch wie ein herrenloser Hund.«

Pjotr sah sich um, kauerte sich zusammen und stellte fest, dass es tatsächlich zur unrechten Zeit regnete; und wieder umfingen ihn, gleich einer grauen Wolke, unerfreuliche Gedanken. Um sie loszuwerden, trank er auf jeder Station Schnaps.

Als am Abend die in Rauch gehüllte Stadt in der Ferne auftauchte, überquerte die Straße ein schwer keuchender Zug, er pfiff, hüllte alles in Dampf ein, wühlte sich dann in die Erde und verschwand in einem halbrunden Loch.

Dritter Teil

An die auf der Messe in Nishni verlebten, bewegten Tage bang zurückdenkend empfand Pjotr Artamonow Verblüfftheit, beinahe Angst; es war nicht zu glauben, er hatte alles, was das Gedächtnis wiederauferstehen ließ, in wachem Zustand gesehen und war selbst in dem ungeheuren Steinkessel mitgekocht worden, der vom Dröhnen und Brüllen der Musik und der Lieder, vom Kreischen, vom trunkenen Entzücken und von dem die Seele verzehrenden sehnsüchtigen Geheul wahnsinniger Menschen erfüllt war. Das alles wurde von einem großen, kraushaarigen Mann im Zylinder und Gehrock zusammengebraut und durcheinander gerührt; in sein bläuliches, rasiertes Gesicht waren vorstehende Eulenaugen eingefügt; dieser Mann schmatzte mit den dicken Lippen und schrie, Artamonow umarmend und schüttelnd:

»Dummkopf, schweig! Es ist die Taufe Russlands, verstehst du? Die alljährliche Taufe an der Wolga und an der Oka!«

Sein Gesicht erinnerte an das eines Kochs und seine Kleidung an die jener Fackelträger, die engagiert werden, um reiche Verstorbene zu Grabe zu geleiten. Pjotr erinnerte sich dunkel, dass er mit diesem Menschen gerauft und dann Kognak getrunken hatte, der mit Gefrorenem gemischt war. Der Mann hatte schluchzend gesagt:

»Verstehe das Brüllen der russischen Seele! Mein Vater war Geistlicher, und ich bin ein nichtsnutziger Kerl!«

Seine Stimme war tief, trompetenartig, aber weich; er überschüttete alle Menschen mit einem Strom nie gehörter Worte, die in unwiderstehlicher Weise erregten:

»Die Vernichtung des Fleisches!«, schrie er. »Der Kampf mit dem Teufel! Werft ihm, diesem Schwein, seinen schmutzigen Tribut hin! Bändige den Aufruhr des Körpers, Petja! Ohne zu sündigen, tut man nicht Buße, und ohne Buße gibt es keine Rettung. Wasche die Seele rein! Wir gehen ins Bad und waschen den Körper! Und die Seele? Die Seele verlangt nach einem Bade. Freie Bahn der russischen Seele, der singenden, heiligen, großen Seele!«

Auch Pjotr weinte gerührt und murmelte:

»Die Seele ist eine Waise, ein angenommenes Kind, – das stimmt! Man hat sie vergessen. Wir bemitleiden sie nicht.«

Und alle Leute schrien:

»Es stimmt! Es ist wahr!«

Und ein kahlköpfiger, rotbärtiger, runder und flinker Mensch mit einem glühenden Gesicht und lila Ohren drehte sich wie ein Kreisel und kreischte außer sich auf Weiberart:

»Stiopa – das ist wahr! Ich vergöttere dich. Ich bin in dich sterblich verliebt. Ich bin in drei Dinge sterblich verliebt: in dich, in etwas Saures und in die Wahrheit. In die Wahrheit von der Seele!«

Und auch er weinte und sang:

»Den Tod durch den Tod überwindend ...«

Pjotr sang dazu die Worte des Narren Anton:

»Der Reisewagen hat ein Rad verloren.«

Auch ihm schien es, dass er den schwarzen Stiopa liebte, er lauschte bezaubert seinem Schreien, und wenn ihn die ungewöhnlichen Worte auch manchmal erschreckten, gab es doch mehr solche, welche ihn süß und tief aufwühlten und ihm in dem dunklen, lauten Chaos gleichsam eine Tür in irgendein helles Gemach öffneten. Besonders gefielen ihm aber die Worte »Die singende Seele«, sie enthielten etwas sehr Richtiges und Klagendes, und sie verschmolzen mit folgendem Bilde: An einem glühenden Wochentag steht auf einer mit Kehricht bedeckten Straße von Driomow ein großer, graubärtiger und wie der Tod knochiger Greis, er dreht müde den Griff des Leierkastens, und vor ihm singt ein etwa zwölfjähriges Mädchen in einem verknitterten blauen Kleid, den Kopf hochhebend und die Augen schließend, mit angestrengter, versagender Stimme:

»Ich erwarte gar nichts mehr vom Leben ...
Nur was Ruhe und die Freiheit mir kann geben ...«

Als dieses Mädchen Artamonow einfiel, murmelte er dem Mann mit den lila Ohren zu:

»Die singende Seele! Er hat recht!«

»Stiopa?«, fragte der Rotbärtige mit schriller Stimme.

»Stiopa weiß alles! Er besitzt die Schlüssel zu jeder Seele!«

Und der Rotbärtige glühte immer mehr und kreischte:

»Stiopa, Menschenfreund, los! Rechtsanwalt Paradisow, führe uns in eine sonst für niemanden zugängliche Spelunke! Ich bin mit allem einverstanden ...«

Der Menschenfreund war der Hirte und Anführer einer Gruppe sich amüsierender Industrieller, und überall, wo er mit seiner betrunkenen Horde auch erscheinen mochte, erschallte Musik, ertönten Lieder, bald wehmütige, die die Seele bis zu Tränen erschütterten, und bald wilde zu rasendem Tanz; von der Musik behielt das Gehör nur die auf eine große Trommel dumpf niedersausenden Schläge und das dünne Pfeifen einer tollkühnen Flöte. Wenn lang gedehnte, traurige Lieder gesungen wurden, schienen die Steinwände der Gasthäuser sich zusammenzuschieben und zu würgen, wenn der Chor aber flott und mit Bravour sang und bunt gekleidete Burschen tanzten, schien ein Wind die Wände zu schaukeln und aufzublähen. Man wurde wild herumgeschleudert und ging von der Freude zur Wollust der Trauer über, und zuweilen wurde Pjotr Artamonow von einer derartigen Begeisterung erfasst und durchglüht, dass er irgendetwas Außergewöhnliches und Erschütterndes zu vollbringen wünschte, – jemanden zu ermorden, sich den Leuten vor die Füße zu werfen und ihnen auf den Knien und öffentlich zu verkünden: »Richtet mich, verurteilt mich zu einer furchtbaren Todesstrafe!«

Man befand sich im »Karussell«, einem irrsinnigen Lokal, dessen Fußboden sich mit sämtlichen Tischchen, Menschen und Kellnern langsam drehte; nur die Ecken des mit Gästen, wie ein Kissen mit Federn, vollgestopften und von Lärm erfüllten Saales blieben unbeweglich. Die Fußbodenscheibe drehte sich und zeigte in der einen Ecke einen Haufen rasender Musikanten mit Messingtrompeten; in der zweiten einen Chor, eine Menge bunter Frauen mit Kränzen auf den Köpfen; in der dritten spiegelte sich auf dem Geschirr und den Flaschen des Büffets das Licht der Hängelampen wieder, und die vierte Ecke war durch die Tür abgeschnitten, durch die sich Menschen hereinschoben, die beim Betreten der Drehscheibe wankten, mit erhobenen Armen hinfielen, dröhnend lachten und dann verschwanden.

Der Menschenfreund, der schwarze Stiopa, erklärte Artamonow:

»Es ist dumm, aber schön! Der Fußboden ruht auf Balken wie die Teeuntertasse auf den gespreizten Fingern, die Balken sind an einem Pfahl befestigt, am Pfahl befinden sich zwei horizontale Hebel, an jeden ist ein Pferdepaar vorgespannt, das vorwärtsgeht und den Fußboden dreht. Einfach, nicht wahr? Darin liegt aber der ganze Sinn. Petja, merke dir: Alles hat leider einen geheimen Sinn!«

Er erhob den Finger zur Zimmerdecke, am Finger funkelte wie ein Wolfsauge ein grünlicher Stein; ein breitschultriger Kaufmann mit einem Hundekopf zupfte Artamonow am Ärmel, sah ihn mit den verglasten Augen einer Leiche starr an und fragte laut, als wäre er taub:

»Und was wird Dunja sagen, wie? Wer bist du?«

Ohne eine Antwort abzuwarten, fragte er einen andern Nachbarn:

»Wer bist du? Und was werde ich Dunja sagen? Wie?«

Er stützte sich gegen die Stuhllehne und schnaufte:

»Pfui, zum Teufel!«

Und er schrie wie toll:

»Los, an einen andern Ort!«

Dann spielte er den Kutscher, saß auf dem Bock eines Wagens, vor den zwei graue Pferde gespannt waren, und verkündete laut allen Vorübergehenden und ihm Begegnenden:

»Wir fahren zu Paula! He, kommt mit!«

Man fuhr im Regen; im Wagen saßen fünf Menschen, einer davon lag vor Artamonows Füßen und murmelte:

»Er hat mich betrogen, und ich werde ihn betrügen. Er mich und ich ihn ...«

Auf dem Platz, vor dem an einen Brotlaib erinnernden Hügel, stürzte der Wagen um, Pjotr fiel hin, schlug sich den Kopf und den Ellenbogen wund, blieb auf dem nassen Rasen des Hügels sitzen und sah zu, wie der Rothaarige mit den lila Ohren über den Hügel zur Moscheeeinfriedung hinkroch und brüllte:

»Geht fort, ich will mich zum Tatarentum bekehren, ich will Mohammed werden, lasst mich!«

Der schwarze Stepan packte ihn bei den Füßen, schleppte ihn hinunter und führte ihn weg; aus den Läden und aus der Karawanserei lief eine Menge von Persern, Tataren und Bucharen zusammen; ein Alter in einem gelben Gewand und einem grünen Turban drohte Pjotr mit einem Stock:

»Uruss, Schajtan![3]«

Ein Polizist mit einem kupfernen Gesicht stellte Pjotr auf die Beine und sagte:

3 Russe! – Satan!

»Skandale sind nicht gestattet.«

Es kamen Droschken herbei, man setzte die Betrunkenen hinein und brachte sie fort; vorne fuhr stehend der Menschenfreund und schrie etwas durch die Faust wie durch ein Sprachrohr. Der Regen hatte aufgehört, aber der Himmel war so drohend schwarz, wie er in Wirklichkeit nicht zu sein pflegt; über dem ungeheuren Block der Karawanserei funkelten Blitze, die in das Dunkel feurige Spalte rissen, und es wurde unheimlich, als die Pferdehufe laut auf der Holzbrücke über den Béthencourtkanal erschallten, – Artamonow erwartete, die Brücke würde einstürzen, und alle würden in dem regungslos erstarrten, pechschwarzen Wasser zugrunde gehen ...

In diesen zerrissenen, an einen Alp erinnernden Bildern suchte und fand Artamonow sich selbst inmitten von Menschen, die durch das zügellose Leben irrsinnig geworden waren und erschien sich als ein ihm beinahe unbekannter Mensch. Dieser Mensch war halb tot vom Trinken und erwartete gierig, dass gleich, im nächsten Augenblick, etwas ganz Ungewöhnliches beginnen sollte, das Wichtigste und Freudigste, das einen entweder in grenzenlose Trauer stürzen oder für immer zu ebenso grenzenloser Freude erheben würde.

Das Unheimlichste, im Gedächtnis als blendender Punkt bewahrt, war eine Frau, Paula Menotti. Er sah sie in einem großen, leeren Zimmer mit kahlen Wänden; ein Drittel des Raumes nahm ein Tisch ein, der mit Flaschen, bunten Weingläsern und Pokalen, mit Obst- und Blumenvasen und mit silbernen Kaviar- und Champagnerkübeln bedeckt war. Etwa zehn rothaarige, kahlköpfige, angegraute Männer saßen ungeduldig um den Tisch herum; einer der leeren Sessel war mit Blumen geschmückt.

Der schwarze Stiopa stand mitten im Zimmer, hielt den Stock mit dem goldenen Griff wie eine Kerze in die Höhe und kommandierte:

»He, ihr Schweine, wartet noch mit dem Fressen!«

Jemand sagte mit dumpfer Stimme:

»Belle nicht!«

»Schweig!«, schrie der Menschenfreund. »Ich habe zu bestimmen!«

Es wurde plötzlich dunkler, worauf hinter der Tür gedämpfte Trommelschläge ertönten. Stiopa schritt zur Tür hin und öffnete sie; es kam wankend und wie eine Gans ausschreitend, ein dicker Mensch mit einer Trommel auf dem Bauch herein und schlug kräftig drein:

»Bum, bum, bum ...«

Fünf ebenso gesetzte, ernste Menschen schleppten, gebückt und mit der Anstrengung von Pferden, einen Flügel ins Zimmer, sie hielten ihn an Handtüchern, mit denen seine Füße umwickelt waren; auf dem schwarzen, glänzenden Flügeldeckel lag eine nackte, blendend weiße Frau, deren schamlose Nacktheit etwas Erschreckendes hatte. Sie lag mit der Brust nach oben und hielt die Hände unter dem Kopf; ihr offenes dunkles Haar verschwamm mit dem schwarzen Glanz des Lacks und schien in den Deckel hineinzuwachsen; je näher sie an den Tisch heranrückte, desto deutlicher traten ihre Körperformen hervor, und desto aufdringlicher fielen die Haarbüschel unter den Achseln und auf dem Leib in die Augen.

Die Messingrollen kreischten, der Fußboden knarrte, die Trommel dröhnte laut; die vor diesen schweren Triumphwagen gespannten Menschen blieben stehen und richteten sich auf. Artamonow erwartete ein allgemeines Auflachen, dann würde alles verständlicher erscheinen; alle am Tisch erhoben sich jedoch und sahen schweigend zu, wie die Frau sich träge vom Flügeldeckel loslöste und losriss; es war als wäre sie soeben aus dem Schlaf erwacht, und als befinde sich unter ihr ein Teil der Nacht, der sich bis zur Härte von Stein verdichtet hatte. Das erinnerte an ein Märchen. Nun stand die Frau aufrecht da, warf sich das üppige, dichte Haar hinter die Schultern, stampfte mit den Füßen und trübte den tiefen Glanz des Lackes durch weiße Staubflecken; man hörte das Tönen der Saiten unter ihren Fußtritten.

Jetzt kamen zwei Personen herein: eine grauhaarige Alte mit einer Brille und ein Mann im Frack; die Alte setzte sich und entblößte gleichzeitig ihre gelben Zähne und die zweifarbigen Knöchelchen der Tasten, während der Mann im Frack zu seiner Schulter eine Geige erhob, das rötliche Auge zukniff, mit dem Bogen zielte und die Geige damit entzweischnitt, worauf in den Bassgesang der Flügelsaiten die dünne, pfeifende Geigenstimme eindrang. Die nackte Frau richtete sich mit einer wellenförmigen Bewegung auf, schüttelte den Kopf, sodass die Haare auf ihre frech in die Höhe stehenden Brüste fielen und sie bedeckten; sie wiegte sich und begann langsam, halblaut und näselnd mit einer aus der Ferne kommenden, träumerischen Stimme zu singen.

Alle blickten sie schweigend mit erhobenen Köpfen an, alle hatten die gleichen Gesichter und blinde Augen. Die Frau sang lustlos, wie im Halbschlaf, ihre grellen Lippen sprachen unverständliche Worte aus, die öligen Augen sahen starr über die Köpfe der Menschen hinweg.

Artamonow hatte nie geglaubt, dass ein Frauenkörper so schlank, so erschreckend schön sein könnte. Sie streichelte sich mit den Handflächen die Brust und die Schenkel und schüttelte immerzu den Kopf, und sowohl ihre Haare als sie selbst schienen zu wachsen, immer größer und üppiger zu werden und alles zu verdecken, sodass außer ihr nichts zu sehen war, als wäre nichts mehr da. Artamonow erinnerte sich genau, dass sie in ihm auch nicht für einen Augenblick den Wunsch, sie zu besitzen, erregt hatte, sie hatte nur Furcht und einen schweren Druck in der Brust hervorgerufen, von ihr ging etwas hexenhaft Unheimliches aus. Er begriff aber, dass diese Frau nur zu befehlen brauchte, und er würde ihr folgen und alles, was sie wünschte, erfüllen. Als er die Anwesenden ansah, überzeugte er sich:

»Jeder wird ihr folgen, alle.«

Er wurde nüchtern und bekam Lust, unbemerkt fortzugehen. Er hatte endgültig beschlossen, es zu tun, als er ein lautes Flüstern vernahm:

»Das ist der Hexengrund. Ein Trugbild der Natur. Verstehst du: der Hexengrund.«

Artamonow wusste, dass der Hexengrund eine Wiese in einem sumpfigen Wald ist; das Gras darauf ist besonders schön, seidig und grün, wenn man aber drauftritt, stürzt man in grundlosen Morast. Und doch sah er die Frau an, von der unwiderstehlichen, bezwingenden Macht ihrer Nacktheit gebannt. Und wenn ihr schwerer, öliger Blick auf ihn fiel, zuckte er mit den Schultern, bog den Hals zurück und wandte die Augen zur Seite, wobei er sah, dass die hässlichen, halb betrunkenen Menschen sie mit demselben stumpfen Staunen anglotzten, mit dem die Driomower Bürger einen Maler betrachtet hatten, der vom Kirchendach abgestürzt und zerschmettert liegen geblieben war.

Der schwarze, lockige Stiopa saß mit aufgeworfenen dicken Lippen auf dem Fensterbrett, fuhr sich mit der zitternden Hand über die Stirne, und es war, als würde er sogleich herunterfallen und mit dem Kopf auf den Fußboden aufschlagen. Jetzt riss er aus irgendeinem Grunde die aufgeknöpfte Hemdmanschette los und schleuderte sie in die Ecke.

Die Bewegungen der Frau wurden rascher und krampfhafter; sie wand sich so, als wollte sie vom Flügel herabspringen und könnte es nicht; ihre unterdrückten Schreie wurden näselnder und erboster; es war besonders unheimlich zu sehen, wie wellenförmig ihre Beine sich krümmten und wie schroff ihre Kopfbewegungen wurden, während ihre dichten Haare wie Flügel über die Schultern fegten und gleich dem Vließ eines Tieres über Brust und Schultern fielen.

Plötzlich stockte die Musik, die Frau sprang auf die Erde, der schwarze Stiopa hüllte sie in einen goldfarbigen Schlafrock und lief mit ihr hinaus, während die Anwesenden schrien, heulten, in die Hände klatschten und einander packten; die weißen Bedienten, die an Leichen in Totenhemden erinnerten, begannen sich im Kreise zu drehen; Gläser und Pokale klirrten, und alle tranken gierig wie an einem glühend heißen Tage. Man aß und trank hässlich und ohne Anstand; es war beinahe widerlich, die über den Tisch geneigten Köpfe zu sehen, man wurde an Schweine über einem Trog erinnert.

Jetzt erschien ein Haufen Zigeuner, sie sangen aufreizend und tanzten, man begann sie mit Gurken und Servietten zu bewerfen, sie verschwanden; an ihrer statt trieb Stiopa eine lärmende Frauenherde herein; eine der Frauen, eine kleine, runde, in einem roten Kleid, setzte sich zu Pjotr auf die Knie, führte einen Champagnerpokal an seine Lippen, stieß mit lautem Klingen an und schlug vor:

»Roter, wir wollen auf Mitjas Gesundheit trinken!«

Sie war leicht wie eine Motte und hieß Paschuta. Sie spielte sehr geschickt Gitarre und sang rührend:

> »Ich träumte von einem azurblauen Morgen«;

und wenn ihre klangvolle Stimme mit besonderer Trauer fortfuhr:

> »Ich träumte von meiner verlorenen Jugend«,

streichelte Artamonow ihr freundschaftlich und väterlich den Kopf und tröstete:

»Weine nicht! Du bist noch jung, hab keine Angst ...«

Und als er sie des Nachts umschlang, schloss er fest die Augen, um die andere, Paula Menotti, besser zu sehen. In den seltenen, nüchternen Stunden erkannte er zu seinem großen Erstaunen, dass diese liederliche Paschuta ihm lächerlich teuer zu stehen kam, und er dachte:

»So eine Motte!«

Ihn verblüffte die Kunst der Frauen auf der Messe, das Geld herauszusaugen, und ihre sinnlose Verschwendung des durch schamlose, trunkene Nächte erzielten Verdienstes. Man sagte ihm, der Mann mit dem Hundegesicht, einer der größten Pelzhändler, gebe für Paula Menotti Zehntausende aus, er zahle ihr jedes Mal, wenn sie sich nackt zeige, drei Tausender. Ein anderer, der mit den lila Ohren, rauchte sich die Zigarren mit Hundertrubelscheinen an und verbrannte sie an einer Kerze, er steckte den Frauen Stöße von Geldscheinen hinter den Brustlatz.

»Nimm, Deutsche, ich habe viel davon.«

Er nannte alle Frauen »Deutsche«. Artamonow begann jedoch in einer jeden von ihnen die offene Schamlosigkeit der langhaarigen Paula zu sehen, und alle Frauen, die dummen und die schlauen, die verschlossenen und die frechen, waren ihm, seinem Gefühl nach, feindlich gesinnt; selbst wenn er sich an seine Frau erinnerte, glaubte er auch an ihr etwas heimlich Feindseliges zu bemerken.

»Motten«, sagte er, den blumigen Reigen schöner, junger Frauen prüfend, den sein Gedächtnis sehr lebendig und deutlich wieder erstehen ließ.

Er konnte nicht begreifen, wie das zu erklären war: Die Menschen arbeiteten, waren an ihre Unternehmungen festgekettet und gaben sich ihnen nur zu dem Zweck hin, um möglichst viel Geld zusammenzuraffen; dann verbrannten sie aber dieses Geld und warfen es in Haufen vor die Füße liederlicher Weiber. Und das alles waren angesehene, würdig aussehende, verheiratete Männer, die Kinder hatten und ungeheure Fabriken leiteten.

»Der Vater hätte es vielleicht ebenso getrieben«, dachte er fast mit Gewissheit. Sich selbst betrachtete er nicht als an diesem Leben und diesen Gelagen mitbeteiligt, sondern nur als einen zufälligen und unfreiwilligen Zuschauer. Doch diese Gedanken berauschten ihn stärker als Wein und konnten nur durch Wein gelöscht werden. Er verbrachte drei Wochen im Fieber von Gelagen und kam erst bei Alexejs Ankunft wieder zu sich.

Pjotr Artamonow lag auf einer dünnen, harten Matratze auf dem Fußboden; neben ihm standen ein Eimer mit Eis, Flaschen mit Kwas und ein Teller Sauerkohl, der reichlich mit geriebenem Meerrettich gewürzt war. Auf dem Sofa lag mit offenem Mund Paschuta ausgestreckt, sie hob die Brauen ebenso wie Natalia und ließ den weißen, blau geäderten Fuß, dessen Nägel an Fischschuppen erinnerten, auf die Erde herabhängen. Draußen brüllte der allrussische Jahrmarkt mit Tausenden von gierigen Rachen.

Durch das katzenjämmerliche Dröhnen des Kopfes und das stumpfe Schmerzen des vergifteten Körpers hindurch, erinnerte Artamonow sich finster an die Ereignisse und Unterhaltungen der verflossenen Nacht, als plötzlich Alexej, gleichsam aus der Wand heraus, erschien. Er kam hinkend und mit dem Stock klopfend heran und überschüttete ihn mit Worten:

»Was, du bist hingefallen und liegst da? Und ich habe dich gestern den ganzen Tag und die ganze Nacht gesucht und bin gegen Morgen selbst in den Wirbel hineingeraten.«

Er ließ sogleich den Kellner kommen und bestellte Limonade, Kognak und Eis; dann sprang er zum Sofa hin und klopfte Paschuta auf die Schulter.

»Steh auf, Fräulein!«

Das Fräulein brummte, ohne die Augen zu öffnen:

»Geh zum Teufel! Lass mich in Ruhe!«

»Du wirst zum Teufel gehen«, sagte Alexej ohne Zorn, hob sie an den Schultern auf, setzte sie hin, rüttelte sie und zeigte auf die Tür:

»Hinaus!«

»Rühr sie nicht an«, sagte Pjotr. Alexej beruhigte ihn schmunzelnd:

»Das tut nichts; wenn wir sie rufen, wird sie wiederkommen!«

»Oh, ihr Teufel«, sagte die Frau und zog gehorsam die Jacke an. Alexej kommandierte wie ein Arzt:

»Steh auf, Pjotr, zieh das Hemd aus und reibe dich mit Eis ab!«

Paschuta hob den zerknitterten Hut von der Erde auf und stülpte ihn auf den zerzausten Kopf, als sie aber in den Spiegel über dem Sofa sah, sagte sie:

»Eine schöne Prinzessin!«

Damit warf sie den Hut auf die Erde unter das Sofa und gähnte lange:

»Nun, leb wohl, Mitja! Vergiss nicht: Ich wohne im Hotel Simanski, Zimmer Nummer 13.«

Pjotr bedauerte sie, er sagte zu Alexej, ohne sich von der Erde zu erheben:

»Gib ihr etwas.«

»Wie viel?«

»Nun … fünfzig.«

»Ach! Das ist zu viel.«

Alexej steckte der Frau einen Geldschein in die Hand, begleitete sie hinaus und schloss fest die Tür.

»Du hast ihr zu wenig gegeben«, bemerkte Pjotr herausfordernd. »Sie hat gestern für den Hut mehr bezahlt.«

Alexej setzte sich auf einen Sessel, faltete die Hände über dem Stock, stützte sich darauf mit dem Kinn und fragte trocken, im Tone eines Vorgesetzten:

»Was treibst du eigentlich?«

»Ich trinke«, antwortete der Ältere kampflustig, erhob sich und begann ächzend den Körper mit Eis abzureiben.

»Kusma, trink für drei, doch behalte den Verstand dabei! Was hast du aber angestellt?«

»Was denn?«

Alexej kam auf ihn zu, betrachtete ihn wie einen Unbekannten und fragte pfeifend mit leiser Stimme:

»Hast du vergessen? Man hat gegen dich eine Klage eingereicht, du hast einem Rechtsanwalt das Gesicht zerschlagen und einen Polizisten in den Kanal gestoßen ...«

Er zählte die Vergehen so lange auf, dass Pjotr Artamonow dachte:

»Er lügt. Er will mir Angst machen.«

Er fragte:

»Welchem Rechtsanwalt? Das ist Unsinn.«

»Das ist kein Unsinn. Diesem Schwarzen, – wie heißt er?«

»Wir haben schon vorher miteinander gerauft«, sagte Pjotr und begann nüchtern zu werden, doch Alexej fuhr noch strenger fort:

»Warum hast du aber ehrbare Leute beschimpft? Und auch deine Verwandten?«

»Ich?«

»Du selbst! Du hast über deine Frau, über Tichon und über mich geschimpft, hast dich an irgendeinen Jungen erinnert und hast geweint. Du hast geschrien: ›Abraham, Isaak, der Widder!‹ Was bedeutet das?«

Pjotr wurde von Angst erfasst und ließ sich auf einen Stuhl sinken.

»Ich weiß es nicht. Ich war betrunken.«

»Das ist kein Grund!«, schrie Alexej beinahe und hüpfte, als galoppierte er auf einem lahmen Pferd. »Hier ist etwas anderes: ›Wess' beim Nüchternen das Herz voll ist, dess' geht beim Betrunkenen der Mund über‹, das will es besagen! Man schreit nicht in Schenken Familienangelegenheiten aus! Was soll Abraham, das Sühneopfer und der übrige Unsinn? Du setzst das Werk herab und lässt mich in schlechtem Licht erscheinen. Warum hast du dich wie im Badehaus entkleidet? Es war noch gut, dass mein Freund Loktew bei dem Skandal anwesend war, und dass er die Geistesgegenwart hatte, dich mit Kognak mundtot zu machen; dann hat er mich durch ein Telegramm herberufen. Er hat mir das alles erzählt. Zuerst, sagt er, haben alle gelacht, dann hat man aber zuzuhören begonnen, warum du so brüllst.«

»Alle brüllen«, murmelte Pjotr bedrückt und wurde von Alexejs Worten wieder umnebelt. Dieser sprach aber beinahe flüsternd:

»Alle brüllen von irgendeiner bestimmten Sache, du hast aber alle Dinge erwähnt! Zum Glück ist es Loktew eingefallen, alle bis zur Bewusstlosigkeit betrunken zu machen. Vielleicht vergessen sie es. Unsere Beziehungen sind aber diplomatischer Natur: Heute ist Loktew mein Freund und morgen kann er ein grimmiger Feind sein.«

Pjotr saß auf dem Stuhl und presste den Hinterkopf fest gegen die Wand, die durch den wilden Straßenlärm erschüttert wurde und zitterte; Pjotr schwieg in der Erwartung, dass dieses Zittern das Chaos des Katzenjammers in seinem Kopf klären und die Furcht verjagen würde. Er konnte sich an gar nichts von alledem erinnern, wovon sein Bruder sprach. Und es war sehr kränkend zu hören, dass Alexej mit der Stimme eines Richters und mit den Worten eines Älteren sprach; es war unheimlich, darauf zu warten, was Alexej noch sagen würde.

»Was hast du nur?«, forschte der, noch immer hüpfend. »Du sagtest, du wolltest zu Nikita fahren ...«

»Ich war bei ihm.«

»Auch ich war dort. Als man auf das Telegramm antwortete, du seiest nicht dort, eilte ich natürlich hin. Alle erschraken; wir leben ja auf der Erde, da kann man auch ermordet werden.«

»In mir hat sich irgendeine Scheußlichkeit eingenistet«, gestand Pjotr leise und schuldbewusst.

»Muss man sie aber gleich den Leuten vorzeigen? Begreife doch: Du lässt unser Unternehmen in einem schlechten Licht erscheinen! Was soll nur dieses Sühneopfer? Bist du denn ein Perser? Gibst du dich etwa mit Knaben ab? Was ist das für ein Knabe?«

Pjotr glättete sich mit beiden Händen das Kopfhaar und den Bart und sprach durch die Finger hindurch:

»Ilja … Es ist alles seinetwegen ...«

Und er begann langsam und unschlüssig, als suchte er hastend nach einem Pfad im Dunkel, Alexej von dem Streit mit Ilja zu erzählen; er brauchte nicht lange zu sprechen; der Bruder erklärte laut und erleichtert:

»Uff! Nun, das macht alles nichts! Loktew hat es aber, wie ein Asiate, skandalös aufgefasst. Es handelt sich also um Ilja? Nun, entschuldige, Bruder, das ist aber unvernünftig! Die Kaufmannschaft muss alles lernen und jeden Standpunkt im Leben einzunehmen verstehen, du aber ...«

Er sprach sehr lange und beredt davon, dass die Kinder der Kaufleute Ingenieure, Beamte und Offiziere werden müssten. Ein betäubender Lärm drang durch das Fenster herein; vor dem Theater fuhren Wagen vor, die Verkäufer von kühlenden Getränken und von Gefrorenem riefen ihre Ware aus; besonders unerträglich dröhnte die Musik in dem von Brasilianern auf Pfählen über dem Wasser des Kanals aus Glas und Eisen erbauten Pavillon. Die Trommelschläge erinnerten an Paula Menotti.

»Irgendeine Scheußlichkeit hat sich in mir eingenistet«, wiederholte Pjotr Artamonow, sich am Ohr zupfend und mit der andern Hand Kognak in ein Glas Limonade schenkend; der Bruder nahm ihm die Flasche aus der Hand und warnte:

»Pass auf, du wirst dich wieder betrinken! Mein Miron bildet sich zum Ingenieur aus, – er erweist mir damit einen Gefallen! Er will ins Ausland reisen, – bitte sehr! Das alles kommt dem Hause zugute und bringt keinen Nachteil. Verstehe doch, unser Stand ist die größte Macht ...«

Pjotr wollte nichts verstehen. Er dachte bei Alexejs lebhaftem Sprechen daran, dass dieser Mensch auf irgendeine Weise die Achtung und Freundschaft von Leuten erworben hatte, die reicher und sicher gescheiter als er waren, da sie den Handel des ganzen Landes beherrschten; sein anderer Bruder hält sich im Kloster versteckt und erlangt den Ruhm eines Weisen und Gerechten; er, Pjotr, ist aber der Vernichtung durch irgendwelche Zufälle preisgegeben. Weshalb? Warum?

»Du hattest unrecht, ehrbare Leute wegen ihrer Ausschweifung zu beschimpfen!«, sagte Alexej schon sanfter und sich einschmeichelnd. »Das ist keine Ausschweifung, das ist Kraftüberschuss. Der Rechtsanwalt ist ein Schelm, er versteht aber alles richtig, er ist klug! Gewiss, es sind ältere Leute und sogar Greise, sie treiben aber Unfug wie Jungen, doch werden auch die Jungen durch das Wachstum zum Unfug getrieben. Du musst auch bedenken, dass unsere Weiber fade und ohne Pfeffer sind, man langweilt sich mit ihnen! Ich spreche nicht von meiner Olga, sie ist etwas Besonderes! Es gibt solche dumm-weise Frauen, die auf dem das Schlechte sehenden Auge blind zu sein scheinen. Olga gehört zu ihnen. Man kann sie nicht kränken, sie sieht das Schlechte nicht und glaubt nicht an das Böse. Das kannst du von Natalia nicht behaupten, du hast sie den Leuten treffend geschildert: Sie ist eine häusliche Maschine!«

»Habe ich das gesagt?«, erkundigte sich Pjotr finster.

»Loktew hat sich diese Worte doch nicht selbst ausgedacht.«

Pjotr wollte Alexej noch nach vielem fragen, er fürchtete sich aber, ihn an Dinge zu erinnern, die er vielleicht schon vergessen hatte. In ihm begann ein Gefühl von Feindseligkeit und Neid gegen Alexej aufzukeimen.

»Er wird immer klüger, der Teufel.«

Er sah in Alexej etwas Luchsartiges, von außen Angewehtes und zugleich die Findigkeit eines Fuchses. Die Habichtsaugen, der hinter der sich zusammenkrampfenden Oberlippe funkelnde Goldzahn, der kriegerisch aufgezwirbelte, graue Schnurrbart, das lustige Bärtchen, die fest zupackenden, vogelartigen Finger wirkten aufreizend; besonders unangenehm erschien der Zeigefinger der rechten Hand, der stets irgendwelche Schnörkel in die Luft zeichnete. Und das kurze eisenfarbige Röckchen verlieh Alexej Ähnlichkeit mit einem spitzbübischen Winkeladvokaten.

Er hatte plötzlich den Wunsch, Alexej möchte weggehen.

»Ich muss ein wenig schlafen«, sagte er, die Augen schließend.

»Das ist vernünftig«, stimmte Alexej zu. »Geh heute nirgends mehr hin.«

»Er schulmeistert mich wie einen Jungen«, dachte Pjotr beleidigt, als er ihn hinausbegleitete. Er ging in die Ecke zum Waschtisch und blieb stehen, als er bemerkte, dass neben ihm sich lautlos ein ihm ähnlicher Mensch bewegte, der unglücklich und zerzaust aussah, ein verdrücktes Gesicht und erschrocken glotzende Augen hatte; er streichelte sich mit der roten Hand den nassen Bart und die haarige Brust. Er glaubte es einige Sekunden lang nicht, dass es sein Spiegelbild an der Wand über dem Sofa sei, dann lächelte er kläglich und begann von Neuem sich Gesicht, Hals und Brust mit Eis abzureiben.

»Ich will mir eine Droschke nehmen und in die Stadt fahren«, beschloss er und begann sich anzukleiden. Als er aber die Hand in den Ärmel des Rockes hineingesteckt hatte, warf er ihn auf einen Stuhl und drückte mit dem Finger fest auf den Beinknopf der Klingel.

»Tee; brüh ihn stark auf!«, sagte er zum Diener. »Bring etwas Gesalzenes. Und Kognak.«

Er sah aus dem Fenster; die breiten Ladentüren waren schon geschlossen, über die Straße krochen Menschen hin, die von dem heißen Dunkel gegen die Pflastersteine niedergepresst wurden; die opalfarbene Laterne an der Theaterauffahrt summte; irgendwo in der Nähe sangen Frauen.

»Motten!«

»Darf ich aufräumen?«, sagte jemand hinter seinem Rücken. Er wandte sich jäh um; an der Tür stand eine einäugige Alte mit einem Fußbodenbesen und Scheuertüchern in den Händen. Er ging schweigend in den Korridor hinaus und stieß auf einen Menschen mit einer dunklen Brille und einem schwarzen Hut; der Mensch sagte durch den Spalt einer nicht geschlossenen Tür:

»Ja, ja, sonst nichts!«

Alles war hässlich und zwang, nach einem verborgenen Sinn der Worte zu suchen. Dann saß Pjotr an einem runden Tisch; vor ihm summte ein kleiner Samowar, und über seinem Kopf klirrte der Lampenzylinder, als berührte ihn leicht eine unsichtbare Hand. In der Erinnerung huschten seltsame Gestalten rasend betrunkener Menschen, Liedertexte und Bruchstücke der zurechtweisenden Rede Alexejs vorüber, flüchtig bemerkte Augen funkelten auf, im Kopf war es aber trotzdem leer und düster; es schien dorthin ein dünner, zitternder Strahl eingedrungen zu sein, in dem die Menschen sich wie Stäubchen drehten und tanzten und ihn daran hinderten, an etwas sehr Wichtiges zu denken.

Er trank heißen, starken Tee, Schlucke Kognak und verbrannte sich den Mund, doch fühlte er nicht, dass er betrunken wurde; seine Unruhe wuchs aber und er hatte den Wunsch, irgendwo hinzugehen. Er klingelte. Es erschien ein im Nebel zerfließender Mensch, ohne Gesicht und ohne Haare, der an einen Stock mit einem Beinknopf erinnerte.

»Bring grünen Likör, Wanka; den grünen, weißt du.«

»Jawohl, Chartreuse.«

»Bist du denn der Wanka?«

»Nein, Euer Gnaden, ich bin Konstantin.«

»Nun, geh!«

Als der Bediente Likör brachte, fragte Artamonow:

»Warst du Soldat?«

»Nein, Euer Gnaden.«

»Du sprichst aber wie ein Soldat.«

»Es ist hier eine gute Stellung, man muss gehorchen.«

Artamonow überlegte, gab ihm einen Rubel und riet ihm:

»Gehorche eben nicht. Schicke alle zum … und handle lieber mit Gefrorenem. Das ist alles!«

Der Likör war klebrig wie Sirup und ätzend wie Salmiakgeist. Davon wurde ihm im Kopf leichter und klarer. Alles schien sich zu verdichten, und während im Kopf diese Verdichtung vor sich ging, wurde es auf der Straße stiller. Alles wurde körperhafter, es erhob sich ein sanftes Geräusch, das in die Ferne entschwebte und Stille hinterließ.

»Muss man gehorchen?«, sann Artamonow nach. »Wem? Ich bin der Herr und kein Lakai. Bin ich der Herr oder nicht?«

Aber alle diese Betrachtungen wurden plötzlich unterbrochen und verschwanden, von der Angst verscheucht: Artamonow erblickte auf einmal jenen Menschen vor sich, der ihn daran hinderte, leicht und gewandt wie Alexej und andere geschickte Leute zu leben; es war dies ein bärtiger Mann mit einem breiten Gesicht, der ihm gegenüber am Samowar saß; er saß schweigend da, krallte sich mit den Fingern der linken Hand in den Bart fest und stützte seine Wange gegen die Handfläche; er betrachtete Pjotr Artamonow so traurig, als verabschiedete er sich von ihm, und zugleich so, als bedauerte er ihn und als werfe er ihm etwas vor; er sah ihn an und weinte, und unter seinen rötlichen Lidern rannen giftige Tränen hervor. An seinem Bartrand, neben dem linken Auge, bewegte sich eine große Fliege; jetzt kroch sie, wie über das Gesicht einer Leiche, auf die Schläfe, blieb über der Braue sitzen und blickte ins Auge.

»Was denn, du Halunke?«, fragte Artamonow seinen Feind. Der rührte sich nicht und antwortete nicht, er bewegte nur die Lippen.

»Du heulst?«, brüllte Pjotr Artamonow, schadenfroh. »Schuft, du hast mich ins Unglück gebracht und du weinst noch? Es tut dir wohl selbst leid? Hu-h ...«

Er packte eine Flasche vom Tisch und schlug ihm, weit ausholend, auf den etwas kahlen Schädel.

Auf das Krachen des zerschlagenen Spiegels, und auf das Klirren des Samowars und des Geschirrs, die vom umgeworfenen Tisch heruntergefallen waren, kamen Menschen herbei. Es waren nicht viele, doch spaltete sich ein jeder in zwei Teile und zerfloss; die einäugige Alte bückte sich, um den Samowar aufzuheben und stand im selben Augenblick aufrecht da.

Artamonow hörte, auf der Erde sitzend, klagende Stimmen:

»Es ist Nacht, alle schlafen.«

»Sie haben den Spiegel zerbrochen!«

»Wissen Sie, das ist keine Art und Weise ...«

Artamonow schwamm, irgendwohin mit vorgestreckten Armen und blökte:

»Eine Fliege ...«

Am nächsten Tag kam Alexej gegen Abend herangetrabt, untersuchte den Bruder sorgfältig wie ein Arzt einen Kranken oder ein Kutscher sein Pferd und sagte, indem er sich den Schnurrbart mit einem kleinen Bürstchen glättete:

»Du bist unnatürlich aufgedunsen; du darfst in dieser Verfassung nicht zu Hause erscheinen! Außerdem kannst du dich mir hier nützlich erweisen, du musst dir den Bart schneiden lassen, Pjotr. Und kauf dir andere Stiefel, die deinigen sehen wie die eines Droschkenkutschers aus!«

Pjotr folgte Alexej mit aufeinander gepressten Kiefern gehorsam zum Friseur; Alexej erklärte streng und genau, um wie viel der Bart und die Kopfhaare gestutzt werden sollten; im Schuhgeschäft wählte er selbst für Pjotr die Stiefel aus. Als Pjotr sich darauf im Spiegel betrachtete, fand er, dass er aussah wie ein Kommis, die Stiefel drückten ihm aber den Fuß im Rist. Er schwieg dazu, da er zugeben musste, dass Alexej richtig handelte: Es war notwendig, sowohl die Haare stutzen zu lassen, als andere Stiefel zu wählen. Er musste sich überhaupt wieder in Ordnung bringen und all das Trübe und Niederdrückende vergessen, das von den Gelagen zurückgeblieben war und in wägbarer und greifbarer Weise beschwerte.

Durch den Nebel im Kopf und die Müdigkeit des vergifteten, ermatteten Körpers hindurch, beobachtete er aber Alexej, und in ihm entstand ein immer komplizierteres Gefühl, eine Mischung von Neid und Achtung, von verborgenem Spott und von Feindseligkeit. Dieser luchsartige, scharfäugige, magere Mensch mit dem Stock in der Hand funkelte und dampfte vor unersättlicher geschäftlicher Spielwut. Pjotr frühstückte und speiste mit ihm in den Chambres séparées der besten Lokale der Messe, in Gesellschaft angesehener Kaufleute, zu Mittag. Dabei sah er zu seinem nicht geringen Erstaunen, dass Alexej sich gewissermaßen als Narr benahm und die reichen Leute zu belustigen und zu unterhalten bemüht war. Sie schienen das Narrenhafte jedoch nicht zu bemerken, sie liebten und achteten Alexej offenkundig und hörten aufmerksam seinem an eine Elster erinnernden Geschnatter zu.

Der riesengroße, langbärtige Textilmensch Komolow drohte ihm mit dem möhrenfarbigen Finger, sprach aber freundlich zu ihm, mit seinen Ochsenaugen glotzend und dabei saftig schmatzend:

»Du bist geschickt und schlau wie ein Fuchs, Aljoscha! Du hast mich angeführt ...«

»Jermolaj Iwanowitsch!«, schrie Alexej begeistert. »Es ist ein Wettstreit, nicht wahr?«

»Es stimmt. Halte keine Maulaffen feil – stolziere wie ein Trumpf Ass herum!«

»Jermolaj Iwanowitsch, – ich lerne!«

Komolow war damit einverstanden.

»Man muss lernen.«

»Meine Herren!«, sagte Alexej ebenso begeistert, aber schon etwas schmeichlerisch und schwang die Gabel. »Mein Sohn Miron, ein kluger Kopf und künftiger Ingenieur, erzählte mir Folgendes: In der Stadt Syrakus gab es einen weltberühmten Weisen; er machte dem König den Vorschlag: Gib mir eine Stütze, und ich werde die ganze Erde umdrehen!«

»Ach, du Grauwanst!«

»Ich drehe sie dir um, sagte er! Meine Herren! Unser Stand hat eine Stütze – den Rubel! Wir brauchen keine Weisen, welche alles umdrehen können, wir sind selbst nicht von gestern; wir brauchen eines: andere Beamte! Meine Herren! Der Adel kränkelt, er ist für uns kein Hindernis, wir sollten aber eigene Beamte haben und alle Leute, die wir benötigen, müssten aus unserer Mitte, aus der Kaufmannschaft hervorgehen, damit sie unsere Angelegenheiten verstehen – das ist es!«

Die grauhaarigen, kahlköpfigen und wohlbeleibten Männer stimmten fröhlich zu.

»Richtig, Grauwanst!«

Und ein einäugiger, spitznasiger, knochiger kleiner Alter, der Escompteur Losew, sagte mit einem höflichen Kichern:

»Alexej Iljitschs Verstand ist wie eine Maus, die alles weiß: wo das Schmalz ist, das sie liebt, und wo es nichts gibt, und die nagt und nagt! Sein Wohl!«

Man hob die Gläser, Alexej stieß freudig mit allen an, während Losew mit seinem Kinderhändchen Komolow auf die hohe Schulter klopfte und sagte:

»Es kommen jetzt unter uns kluge Köpfe zum Vorschein.«

»Es gab immer welche!«, erwiderte Komolow stolz.

»Mein Vater war Lastträger und hat sich doch durchgeschlagen ...«

»Dein Vater soll, wie man sagt, damit begonnen haben, dass er einen reichen Armenier erstochen hat«, sagte Losew schmunzelnd. Der langbärtige Textilmensch lachte blökend wie ein Hammel und erwiderte:

»Das ist erlogen! Die Dummen sagen bei uns: Wenn man glücklich ist, ist man auch sündig! Auch über dich, Kusma, sind hässliche Gerüchte verbreitet ...«

»Ja, auch über mich«, bestätigte Losew seufzend. »Gerüchte sind wie Fliegen!«

Pjotr hörte, sich räuspernd, zu, aß viel, bemühte sich, weniger zu trinken und hatte das traurige Gefühl, unter diesen Leuten ein Tier anderer Art zu sein. Er wusste: Sie alle waren Bauern von gestern; er sah in ihnen allen etwas Räuberartiges und Märchenhaftes, das Achtung einflößte und das sie mit seinem Vater gemein hatten. Der Vater hätte sicher an ihren Unternehmungen und ihren Gelagen teilgenommen, er hätte sich wohl auch denselben Ausschweifungen hingegeben und hätte das Geld wie Hobelspäne verbrannt. Ja, Geld war wie Hobelspäne für diese Menschen, die unermüdlich, aus aller Kraft an der ganzen Erde, an einander und an der Bauernschaft herumhobelten.

Aber an Alexej war etwas, das diesen angesehenen Leuten nicht ähnlich sah, und ab und zu fühlte Pjotr bei aller Feindseligkeit, die er für ihn hegte, dass Alexej schärfer, klüger und sogar gefährlicher war.

»Meine Herren«, schrie er außer sich und wie besessen. »Denkt daran, was für einen unerschöpflichen Reichtum an Arbeitshänden wir in den ungeheuren Millionen von Bauern besitzen! Sie sind Arbeiter und Käufer zugleich. Wo gibt es so etwas in diesem Umfang? Das gibt es nirgends! Und wir brauchen keine Deutschen und keinerlei Ausländer, wir machen alles selbst!«

»Richtig«, stimmten die angeheiterten Männer laut zu.

Er sprach von der Notwendigkeit der Zollerhöhung für die Einfuhr ausländischer Waren, von den Aufkäufen von Gütern, von der Schädlichkeit der Adelsbanken; er wusste alles, und die Anwesenden stimmten allem, was er sagte, zum Staunen von Pjotr Artamonow, begeistert zu.

»Nikita hat mit Recht gesagt, dass er zu leben versteht«, dachte er voll Neid.

Ungeachtet seiner schwachen Gesundheit führte auch Alexej ein ausschweifendes Leben. Er schien schon von früher her eine ständige Geliebte zu haben, eine Moskauerin, die einen Sängerinnenchor unterhielt. Sie war eine wohlbeleibte, üppige Frau mit einer Honigstimme und mit strahlenden Augen. Es hieß, sie wäre schon vierzig Jahre alt, auf ihr mattweißes Gesicht und die rosigen Wangen hin konnte man sie aber kaum auf dreißig schätzen.

»Aljoschinka, mein Falke«, sagte sie, ihre spitzen Fuchszähne zeigend, und verbarg Alexej mit ihrem Körper, wie eine Mutter das Kind.

Sie musste wissen, dass Alexej auch ihre Chormädchen nicht verschmähte, sie sah es sicher. Ihr Verhalten Alexej gegenüber war aber ein freundschaftliches, und Pjotr hörte mehr als einmal, dass Alexej sich mit ihr über Menschen und Geschäfte beriet. Das überraschte ihn und ließ ihn an den Vater und an Uljana Bajmakowa zurückdenken.

»Ein Teufel«, sagte er sich, Alexej betrachtend.

Selbst der Unfug, den er beging, hatte etwas besonders Kompliziertes. Ein dicker Clown, der Deutsche Mayer, führte im Zirkus ein Schwein vor; es trug einen Rock mit langen Schößen, einen Zylinder und Schaftstiefel, ging auf den Hinterbeinen und stellte einen Kaufmann dar. Das belustigte das Publikum sehr, auch die Kaufmannschaft lachte. Alexej verhielt sich indessen anders dazu, – er fühlte sich beleidigt und überredete seine Freunde, das Schwein zu stehlen. Man bestach den Stallknecht, stahl das Schwein, und die Kaufmannschaft verzehrte feierlich sein Fleisch, das mit allen möglichen Soßen von dem außerordentlich kunstfertigen Hotelkoch Barbatenko zubereitet worden war. Zu Pjotr Artamonow drang das dunkle Gerücht, der Clown hätte sich aus Kummer erhängt.[4] All das, was er auf der Messe bei Alexej bemerkte, erweckte in ihm sehr beunruhigende Gedanken.

»Ein Spitzbube ist er. Ohne Gewissen. Er kann mich zum Bettler machen, ohne es selbst zu merken. Und er würde mich nicht einmal aus Gier, sondern einfach aus Spieltrieb zugrunde richten.«

Das Bewusstsein dieser Gefahr ernüchterte ihn und brachte ihn wieder auf die Beine. Er kehrte allein nach Hause zurück, Alexej fuhr bis

4 Eine von P. D. Boborykin in der Zeitung »Russischer Kurier« beschriebene Tatsache, die sich in den 80er Jahren abspielte. M.G.

Moskau durch. Es war ein windiger und nasser Septembertag, als Artamonow sich Driomow näherte. Mit den Schellen klingelnd und mit den Hufen saftig in die aufgeweichte Erde stampfend, liefen die Postpferde willig durch das niedrige Tannengehölz, das in strengen Reihen regungslos den schmalen Streifen der sumpfigen Straße bewachte. Der Himmel war dicht mit dem grauen Teig der Wolken bekleckst, ebenso grau und öde war es auch in dem von Katzenjammer umnebelten Kopf. Artamonow war es so, als hätte er jemanden begraben, der ihm sehr nahestand, dessen er aber trotzdem überdrüssig war. Es tat ihm um den Verstorbenen leid, es war aber doch angenehm zu wissen, dass man ihm nicht mehr begegnen würde; er hatte nun aufgehört, durch die Unklarheit seiner Forderungen und der stummen Vorwürfe und durch all das zu verwirren, was einen echten, lebendigen Menschen zu existieren hindert.

»Man muss seine Arbeit tun, sonst nichts!«, suchte er sich zu überzeugen. »Alle Menschen leben, um zu arbeiten. Jawohl.«

Er ging unter Einsetzung seiner vollen Kraft an die Arbeit. Die klaren Altweibersommertage vergingen ruhig und wurden durch das traurige Strahlen der Mondnächte abgelöst.

Wenn Pjotr Artamonow im perlfarbenen Dunkel der herbstlichen Morgendämmerung erwachte, hörte er das beharrliche Pfeifen der Fabrik, und nach einer halben Stunde begann ihr rastloses Rascheln und Flüstern, – das dumpfe, aber mächtige und dem Ohre gewohnte Geräusch der Arbeit. Vom Morgengrauen bis zum späten Abend schrien vor den Scheunen die den Flachs abliefernden Bauern und Frauen; vor der am Ufer der Watarakscha von einem der zahllosen Morosows eröffneten Schenke erklangen die Lieder Betrunkener und das Kreischen der Harmonika. Über den Hof schritt der behäbige, wie eine Maschine genaue und zu den Menschen strenge Tichon Wialow mit einem Besen, einer Schaufel oder einer Axt in den Händen; er fegte, grub und hackte bedächtig und schrie die Bauern und Arbeiter an. Der blaue, immer reinliche Serafim huschte vorbei. Im Hause betätigte sich Natalia wie eine Maschine, sie war über die ihr vom Mann von der Messe mitgebrachten Geschenke sehr befriedigt, noch mehr aber über seine schweigsame, gleichmäßige Ruhe. Alles ging glatt und schien festgefügt zu sein; das Werk, die Menschen und selbst die Pferde – alles arbeitete, als wäre es für Jahrhunderte bestimmt. Und rasch, wie vom Wind getriebene Wolken, vergingen die Monate und formten sich zu Jahren.

Pjotr Artamonow ging wie ein Stier, mit vorgeneigtem Kopf durch die Fabrikgebäude, durchschritt, zum Schrecken der Kinder, die Siedlungsstraße und fühlte überall etwas Neues und Seltsames: Er erschien in diesem großen Unternehmen beinahe überflüssig, als wäre er ein Zuschauer. Es war angenehm zu sehen, dass Jakow das Geschäft verstand und sich dafür zu begeistern schien; sein Benehmen lenkte nicht nur von den Gedanken an den älteren Sohn ab, sondern versöhnte sogar mit Ilja.

»Ich werde auch ohne dich auskommen, Gelehrter. Lerne nur!«

Der satte, rosige Jakow, mit angenehm lächelnden Augen, die wie Seifenblasen alle Farben spiegelten, bewegte behäbig seinen runden Körper, und obwohl er in der Nähe seltsam an eine Taube erinnerte, machte er aus der Ferne den Eindruck eines geschäftigen, geschickten Herrn. Die Arbeiterinnen lächelten ihm freundlich zu, er girrte mit ihnen und kniff beseligt die Augen zu, er ging seitlich um sie herum, ohne unter dem gespielten Ernst das Draufgängerische eines jungen Hahnes verbergen zu können. Der Vater zupfte sich schmunzelnd am Ohr und dachte:

»Man sollte dir Paula Menotti zeigen, kleiner Dummkopf ...«

Es gefiel ihm, dass Jakow während seiner Besuche beim Onkel sich nicht in die endlosen Debatten Mirons mit dessen Freund, dem schäbigen, unruhigen Gorizwetow, einmischte. Miron sah gar nicht mehr wie ein Kaufmannssohn aus; er war schmächtig und großnasig, trug eine Brille und ging in einem kurzen Rock mit vergoldeten Knöpfen und Schnörkeln auf den Schultern herum, sodass er an einen Friedensrichter erinnerte. Er hielt sich beim Gehen und Sitzen gerade wie ein Soldat, sprach hochmütig und mit Selbstüberhebung und missfiel Pjotr, obwohl er wusste, dass Miron immer etwas Gescheites sagte.

»Nun, Bruder, das ist Philosophie«, sagte er belehrend, die Hände in die Seiten stemmend und sie in die Rocktaschen steckend. »Dieses Grübeln entspringt der Schwäche und dem Unvermögen.«

Pjotr Artamonow fand, dass auch Gorizwetow nicht übel und nicht dumm sprach. Er war klein und zerzaust, trug unter dem nachlässig aufgeknöpften Studentenrock ein schwarzes Hemd und hatte, wie nach schlaflosen Nächten, verschwollene Augen und ein spitzes, dunkles, mit Pusteln bedecktes Gesicht; er schrie, ohne auf jemanden zu hören, mit krampfhaften Handbewegungen und griff Miron an:

»Ihr werdet erreichen, dass die Sonne auf den Pfiff eurer Fabriken am Himmel aufgeht und dass der dunstige Tag auf den Ruf der Maschinen aus den Sümpfen und Wäldern emporsteigt. Was werdet ihr aber mit dem Menschen beginnen?«

Miron hob die Brauen, verzog das Gesicht, schob sich die Brille zurecht und dozierte trocken und gemessen:

»Das ist Philosophie, das sind Versehen! Das ist Unzucht der Zunge und Afterweisheit, mein Freund. Das Leben ist ein Kampf; Lyrik und Hysterie haben darin keinen Platz und erscheinen sogar lächerlich ...«

Die Worte der Streitenden unterschieden sich voneinander wie weiße Tauben von schillernden. Pjotr Artamonow dachte:

»Ja, da haben wir es: neue Vögel – neue Lieder.«

Er verstand nur dunkel den Kern des Streites und beobachtete mit Vergnügen, dass Jakow sich den hellen Flaum der Oberlippe glättete, um ein spöttisches Lächeln zu verbergen.

»Gut«, dachte Pjotr. »Was würde aber Ilja sagen?«

Gorizwetow schrie:

»Seit man die Erde und die Menschen in Eisen geschmiedet und den Menschen zum Sklaven der Maschine gemacht hat ...«

Miron sagte ihm, die Nase hin und her wiegend:

»Der Mensch, um den du dich sorgst, ist ein Müßiggänger. Er wird zugrunde gehen, wenn er nicht schon morgen begreift, dass seine Rettung in der Entwicklung der Industrie liegt.«

»Auf wessen Seite ist die Wahrheit? Wer ist vorzuziehen?«, suchte Pjotr Artamonow zu erraten.

Gorizwetow missfiel ihm noch mehr als sein Neffe, er hatte etwas Schwächliches und Unzuverlässiges an sich, er fürchtete sich sichtlich vor etwas und schrie. Er machte, wie ein Betrunkener, keine Umstände, setzte sich früher als die Gastgeber an den Mittagstisch, schob krampfhaft Messer und Gabel hin und her, aß schnell und ohne Anstand, verbrühte sich und hustete; in ihm war, wie in Alexej, etwas Unstetes, Übertriebenes und anscheinend Böses. Die dunklen Pupillen seiner entzündeten Augen hatten den Blick eines Blinden. Er begrüßte Pjotr Artamonow schweigend, streckte ihm unehrerbietig die raue, heiße Hand hin und zog sie rasch zurück. Er war, alles in allem, ein überflüssiger Mensch, und man konnte nicht verstehen, wozu Miron ihn brauchte.

»Iss, Stiopa, und sprich nicht«, riet ihm Olga. Er antwortete jedoch bombastisch:

»Ich kann nicht. Hier wird eine verderbliche Ketzerlehre gepredigt!«

Pjotr staunte über die schweigsame Aufmerksamkeit, die Alexej dem Streit der Studenten entgegenbrachte: Er stand nur ab und zu dem Sohn bei:

»Richtig! Wo die Kraft ist, dort ist die Macht; die Kraft ist aber bei der Industrie fraglich ...«

Olga hatte strahlenförmige Runzeln an den Schläfen und eine rote Spitze an der von dicken, ungefassten Brillengläsern beschwerten Nase. Sie setzte sich nach dem Mittagessen und dem Tee mit ihrem Stickrahmen ans Fenster und stickte mit Perlen außergewöhnlich grelle Blumen. Pjotr fühlte sich bei Alexej behaglicher als zu Hause; es war interessanter und es gab dort immer guten Wein zu trinken.

Auf dem Heimweg mit Jakow fragte ihn der Vater:

»Verstehst du, worüber gestritten wurde?«

»Jawohl«, antwortete der Sohn kurz.

Um den Mangel an Verständnis vor ihm zu verbergen, forschte Pjotr Artamonow streng:

»Worüber also?«

Jakow antwortete stets unwillig und kurz, aber deutlich. Nach seinen Worten hatte Miron Folgendes gesagt: Russland müsste sich in derselben Weise wie ganz Europa entwickeln, während Gorizwetow glaubte, dass Russland seinen eigenen Weg vor sich hätte. Hier hielt Pjotr Artamonow es für angebracht, dem Sohne zu zeigen, dass er, der Vater, darüber seine eigenen Gedanken hatte, und er sagte eindringlich:

»Wenn die Ausländer besser als wir leben würden, würden sie sich uns nicht aufdrängen ...«

Das war aber Alexejs Gedanke, – er hatte also keinen eigenen. Artamonow verzog gekränkt das Gesicht. Der Sohn schien aber diese Kränkung noch zu vertiefen, indem er sagte:

»Man kann leben, auch ohne mit dem Verstand zu prahlen und ohne solche Gespräche zu führen ...«

Pjotr brummte:

»Es geht auch ohne das ...«

Er empfand immer häufiger die Stöße kleiner Kränkungen und Überraschungen. Sie schoben ihn beiseite und festigten seine Rolle eines Zuschauers, der alles betrachten und über alles nachdenken muss. Und alles ringsum veränderte sich unmerklich; aber schnell, überall in den Worten und Taten erklang laut und aufdringlich etwas Neues und Unruhiges. Einmal beim Tee sagte Olga:

»Die Wahrheit ist etwas, was die Seele erfüllt, sodass man nichts weiter mehr will.«

»Richtig«, stimmte Pjotr ihr zu.

Miron funkelte aber mit der Brille und belehrte die Mutter:

»Das ist nicht die Wahrheit, sondern der Tod. Die Wahrheit ist in der Arbeit, in der Tat.«

Als er wegging und einen zusammengerollten dicken Papierbogen mitnahm, bemerkte Pjotr, sich an Olga wendend:

»Unser Sohn ist grob zu dir.«

»Nicht im Geringsten.«

»Ich sehe doch, dass er grob ist!«

»Er ist gescheiter als ich«, sagte Olga. »Ich bin ja so ungebildet und sage oft Dummheiten. Die Kinder sind überhaupt gescheiter als wir.«

Artamonow konnte ihr nicht glauben und antwortete lächelnd:

»Es stimmt, du sagst Dummheiten. Die Alten waren aber gescheiter als wir und sagten: ›Söhne bereiten Kummer und Töchter doppelt so viel‹. Hast du verstanden?«

Ihre Worte von der Gescheitheit der Kinder verletzten ihn sehr, – sie wollte natürlich auf Ilja anspielen. Er wusste, dass Alexej Ilja mit Geld aushalf, und dass Miron ihm Briefe schrieb, er fragte aber aus Stolz nie danach, wo und wie Ilja lebte; Olga erzählte übrigens selbst in geschickter Weise davon, da sie seinen Stolz verstand. Er hatte durch sie erfahren, dass Ilja sich erst in Archangelsk niedergelassen hatte, jetzt aber im Auslande lebte.

»Mag er dort leben. Wenn er zu Vernunft kommt, wird er begreifen, dass er dumm war.«

Manchmal, wenn er an Ilja dachte, staunte er über den Eigensinn des Sohnes; alle ringsum wurden gescheiter, worauf wartete aber Ilja?

In Alexejs Hause traf er oft die Popowa und ihre Tochter. Sie war noch immer ebenso schön, traurig, ruhig und ihm fremd. Sie sprach mit ihm wenig und so, wie er mit Ilja zu sprechen pflegte, wenn er ihn grundlos gekränkt zu haben glaubte. Er fühlte sich durch sie bedrückt. In stillen Augenblicken erstand das Bild der Popowa vor ihm, rief jedoch nichts als Staunen hervor; da gefällt einem ein Mensch, man denkt an ihn, kann aber nicht verstehen, wozu man ihn braucht; es ist auch unmöglich mit ihm zu sprechen, als wäre er taubstumm.

Ja, alles veränderte sich! Selbst die Arbeiter wurden immer launischer, erboster und schwindsüchtiger, und die Frauen immer lauter. Der Lärm in der Arbeitersiedlung wurde immer erregter; des Abends war es, als heulten alle dort wie die Wölfe, und als knirschte sogar der mit Kehricht bedeckte Sand bösartig.

Bei den Arbeitern machte sich Unstetheit und Leidenschaft zum Vagabundieren bemerkbar. Burschen, denen durch niemand und nichts unrecht geschehen war, kamen plötzlich ins Kontor und verlangten ihre Entlassung.

»Wohin wollt ihr denn?«, fragte Pjotr.

»Wir wollen uns umschauen, wie es anderswo ist.«

»Was ist in sie gefahren?«, fragte Pjotr Artamonow Alexej. Der schmunzelte mit fuchsartigen Grimassen und sagte, die Arbeiter seien überall in Erregung.

»Bei uns geht alles noch schön und ruhig ab, aber in Petersburg … Wir haben nicht die Beamten und Minister, die wir brauchen ...«

Und dann sprach er so frech und dumm, dass Pjotr ihn finster zur Vernunft bringen musste:

»Das ist Unsinn! Es ist für die Edelleute vorteilhaft, dem Zaren die Macht zu rauben. Die Edelleute verarmen. Wir aber werden auch ohne Macht reich. Dein Vater ist an Feiertagen in geteerten Stiefeln herumstolziert, und du trägst ausländische Schuhe und seidene Krawatten. Wir müssen die Arbeiter des Zaren sein und nicht Schweine! Der Zar ist eine Eiche, und wir haben von ihm goldene Eicheln zu erwarten.«

Alexej hörte lächelnd zu und wirkte dadurch noch aufreizender. Pjotr fand, dass überhaupt alle Menschen zu oft lächelten; in dieser ihrer neuen Angewohnheit war etwas Unfrohes und Dummes. Niemand von ihnen verstand es jedoch, sich in so tröstender und drolliger Weise lustig zu machen, wie der Schreiner Serafim, der unsterbliche Alte.

Artamonow war mit dem Tröster sehr befreundet. Von Zeit zu Zeit überkam ihn wieder die Traurigkeit und rief in ihm den unbezwinglichen Wunsch zu trinken hervor. Er schämte sich, bei Alexej zu trinken; dort saßen immer fremde Menschen, und er wollte sich auf keinen Fall vor der Popowa betrunken sehen lassen. Zu Hause hatte Natalia an solchen Tagen eine gebeugte Haltung und schwieg bedrückt. Wenn sie wenigstens geschimpft hätte! Dann hätte er doch auch schimpfen können! Auf diese Weise erinnerte sie aber an jemanden, der ausgeplündert wurde, und rief statt Ärger ein Gefühl hervor, das sich dem Mitleid näherte. Artamonow begab sich zu Serafim:

»Ich will trinken, Alter!«

Der lustige Schreiner billigte es lächelnd:

»Das ist etwas so Gewöhnliches, wie die Sonne im Sommer! Das heißt, dass du müde und matt bist. Nun, stärke dich nur! Deine Arbeit ist nicht so gering, wie die Warze auf der Wange!«

Er hielt für den Chef Schnäpse und Liköre von ungewöhnlichem Geschmack bereit, holte aus allen Ecken buntfarbige Flaschen hervor und prahlte:

»Das habe ich mir selbst ausgedacht, ausgeführt hat es aber eine Diakonswitwe, ein Weib, scharf wie Pfeffer! Da, koste, dies da ist ein Aufguss von Birkenkätzchen und Frühlingsbaumsaft! Wie ist es?«

Er setzte sich an den Tisch, trank seinen »Rübenwein« und plauderte:

»Ja, also diese Diakonsfrau! Sie ist ein tiefunglückliches Geschöpf. Jeder ihrer Geliebten ist ein Dieb. Ohne einen Geliebten kann sie aber nicht auskommen, da hat sie zu viel Ungeduld in den Adern ...«

»Nein, ich habe eine auf der Messe gesehen«, erinnerte sich Artamonow.

»Das glaube ich!«, bestätigte Serafim eilig. »Dort ist ja lauter auserlesene Ware der ganzen Erde. Das weiß ich!«

Serafim kannte alle und wusste alles; er erzählte kurzweilig von den Familienangelegenheiten der Angestellten und Arbeiter, sprach von allen gleich freundlich und erwähnte seine Tochter, als wäre sie eine Fremde.

»Der Racker ist zur Vernunft gekommen. Jetzt lebt sie mit dem Schlosser Sedow, und es geht ihr gut, denke nur! Ja, jedes Geschöpf findet seinen Unterschlupf.«

In Serafims reinem Stübchen, das vom harzigen Geruch der Holzspäne erfüllt war, und in dem warmen Halbdunkel, das durch das bescheidene Licht der Blechlampe an der Wand kaum erhellt wurde, saß es sich angenehm.

Nachdem Artamonow getrunken hatte, klagte er über die Menschen, und der Schreiner tröstete ihn.

»Das macht nichts, das ist gut! Die Menschen sind ins Laufen gekommen, das ist der Sinn des Ganzen! Der Mensch lag immerzu und dachte, – dann stand er auf und ging! Lass ihn nur gehen! Betrübe dich nicht, glaube an den Menschen! Glaubst du an dich selbst?«

Pjotr Artamonow überlegte schweigend, ob er an sich glaubte oder nicht. Serafims fröhliche Stimme ließ Worte erklingen und sang tröstend:

»Sieh nicht darauf, wie einer ist, ob gut, ob schlecht, das ist nicht von Dauer: Was gestern gut war, ist heute schlecht. Ich habe alles gesehen, Pjotr Iljitsch, Gutes und Schlechtes, ach, ich habe viel gesehen! Manchmal sehe ich: Da ist das Gute! Und dabei ist es gar nicht da. Ich meine, da ist es, es ist aber nicht da, es ist weg, wie Staub vom Wind weggefegt wird. Und ich sage: Da! Was bin ich aber? Eine Fliege unter den Menschen, ich bin gar nicht zu sehen. Und du ...«

Und Serafim verstummte mit vielsagend erhobenem Finger.

Es war für Artamonow zwiefach angenehm, seinen Reden zu lauschen; sie trösteten und belustigten ihn tatsächlich, zugleich war es Artamonow aber klar, dass der kleine Greis schauspielerte, log und nicht nach dem Gewissen, sondern als gewerbsmäßiger Menschentröster sprach. Er durchschaute Serafims Spiel und dachte:

»Dieser alte Schelm ist geschickt! Nikita versteht das zum Beispiel nicht.«

Und ihm fielen die verschiedenen Tröster ein, die er in seinem Leben gesehen hatte: die schamlosen Frauen der Messe, die Clowns und Akrobaten im Zirkus, Zauberkünstler, Tierbändiger, Sänger, Musikanten und der »Menschenfreund«, der schwarze Stiopa. Auch Alexej hatte mit diesen Menschen etwas Gemeinsames. Tichon Wialow besaß aber nichts davon. Und auch Paula Menotti nicht.

Er wurde nach und nach betrunken und sagte zu Serafim:

»Du lügst, alter Teufel!«

Der Schreiner klopfte sich mit den Handflächen auf die spitzen Knie und sagte sehr ernst:

»Nein! Überlege doch: Wie kann ich lügen, wenn ich die Wahrheit nicht kenne? Ich sage dir, wie mir ums Herz ist: Ich kenne die Wahrheit nicht, wie sollte ich also lügen?«

»Dann schweige!«

»Bin ich denn stumm?«, fragte Serafim freundlich, und sein rosiges Gesichtchen wurde von einem Lächeln erhellt. »Ich bin ein alter Mann«, sagte er. »Ich werde meine kurze Spanne Zeit auch ohne Wahrheit zu Ende leben. Um die Wahrheit müssen sich die Jungen bemühen, deshalb sollen sie auch eine Brille tragen. Miron Alexeïtsch spaziert mit einer Brille herum, er sieht auch alles durch und durch, wohin ein Ding gehört, und wo ein jeder an seinem Platze ist.«

Es freute Pjotr Artamonow zu hören, dass der Schreiner Miron nicht mochte, und er lachte laut, wenn Serafim auf den Saiten seiner Gusli klimperte und herausfordernd sang:

»Durch das Werk stolziert ein Specht,
Schaut durch helle Brillengläser,
Ich allein mach alles recht,
Alle andern sind bloß Narren!«

»Richtig!«, äußerte Artamonow seinen Beifall.

Und der ebenfalls betrunkene Schreiner stampfte mit dem sorgfältig bekleideten kleinen Fuße und sang von Neuem:

»Wer rupft alle Vögelein?
Weder Eul' noch Habicht,
Alexej Iljitsch allein,
Der so fromm und heilig.«

Auch das gefiel Pjotr Artamonow; dann sang Serafim schamlos über Jakow:

»Nichts versteht der Jascha,
Wenn er küsst die Mascha ...«

So unterhielten sie sich manchmal, bis es tagte, dann klopfte Tichon Wialow an die Tür, weckte seinen Prinzipal, wenn er schon eingeschlafen war, und sagte gleichgültig:

»Es ist Zeit, dass Sie nach Hause gehen, die Fabrikspfeife geht gleich los. Die Arbeiter werden Sie sehen, das geht nicht!«

Artamonow schrie:

»Was geht nicht? Ich bin der Herr!«

Er gehorchte Tichon aber, ging wankend nach Hause, legte sich schlafen und schlief manchmal bis zum Abend. Des Nachts saß er aber wieder bei Serafim.

Der lustige Schreiner starb bei der Arbeit; er zimmerte für den ertrunkenen Sohn des einäugigen Baders Morosow einen Sarg und fiel dabei plötzlich tot um. Artamonow hatte den Wunsch, den Alten zum Grabe zu geleiten, ging in die mit Arbeitern vollgepfropfte Kirche und hörte zu, wie der rothaarige Pope Alexander vorschriftsmäßig die Messe las. Der hatte den stillen Gleb abgelöst, der plötzlich aus irgendeinem Grunde aus der Kirche ausgetreten und verschwunden war. In der Kirche sang schön der vom Lehrer der Fabriksschule Grekow, einem an einen Kater erinnernden Mann, ins Leben gerufene Chor, und es war viel Jugend anwesend.

»Es ist Sonntag«, erklärte sich Artamonow die Menschenmenge.

Der nicht große, leichte Sarg wurde von jungen Webern getragen; die solideren Arbeiter hielten sich abseits; hinter dem Sarge schritt düster, doch ohne Tränen, Sinaïda in einer unpassend bunten Jacke und neben ihr der breitschultrige, sauber gekleidete Schlosser Sedow; Tichon Wialow stampfte für sich allein schwer durch den Sand. Die Sonne strahlte hell, der Chor sang mächtig und einig, und es fiel bei diesem Begräbnis der seltsame Mangel an Trauer auf.

»Das ist eine schöne Beerdigung«, sagte Artamonow und wischte sich den Schweiß vom Gesicht.

Tichon blieb stehen, blickte sich vor die Füße, dachte nach und sagte:

»Er war ein angenehmer Mensch; er war spielerisch wie die da ...«

Er drehte die Hand in der Luft herum.

»Der Alte hat sie über die Straße getragen, und das Mädel hat gesungen. Er hat alle getröstet.«

Er sah Pjotr mit unehrerbietiger Strenge an, die ihn empörte, und fügte hinzu:

»Er hat die Leute irregemacht: Er hat niemandem etwas zuleide getan, hat aber nicht rechtschaffen gelebt.«

»Rechtschaffen, rechtschaffen!«, äffte Pjotr ihm nach. »Du bist an diese Gedanken festgekettet. Pass auf, dass du nicht toll wirst wie Tulun.«

Artamonow wandte sich schroff von Tichon ab und ging nach Hause.

Es war noch früh, erst gegen Mittag, aber es war schon heiß; der Sand der Straße und das Blau der Luft wurden immer glühender. Gegen Abend hatte die Sonne Berge weißer Wolken aus Dampf aufgetürmt, sie schwebten langsam über dem Rand der Erde nach Osten hin und verdichteten die Schwüle. Artamonow ging im Garten spazieren und trat aus dem Tor hinaus. Tichon teerte die Torangeln; sie waren während des Frühlingsregens verrostet und knarrten hässlich.

»Warum teerst du heute, am Feiertag?«, fragte Artamonow träge und setzte sich auf die Bank. Tichon sah ihn schräg mit dem Weißen des Auges an und sagte halblaut:

»Serafim war schädlich.«

»Wodurch denn?«

Als Antwort krochen Artamonow wie schwarze Küchenschaben seltsame Worte entgegen:

»Er hatte ein gutes Gedächtnis, er behielt viel. Er erinnerte sich an alles, was er gesehen hatte. Was gibt es aber zu sehen? Böses, das sich endlos hinzieht, Vergängliches. Und da hat er von alledem erzählt. Er hat große Unruhe verursacht. Ich sehe das ...« Er fuhr mit dem Pinsel in die Tiefe der Torangeln und sprach immer brummiger:

»Man muss den Menschen das Gedächtnis nehmen. Daraus erwächst nur Übles. Es müsste so sein: Die einen leben eine Weile und sterben, und alles Böse, all ihre Dummheit verreckt mit ihnen. Es kommen andere auf die Welt, die erinnern sich an nichts Böses, sondern nur an das Gute. Auch ich leide durch das Gedächtnis. Ich bin alt und will Ruhe haben. Wo ist aber die Ruhe? Nur dort, wo es keine Erinnerung gibt ...«

Tichon hatte noch niemals so viel auf einmal und so aufreizend gesprochen. Seine Worte, die, wie immer, dumm waren, erschienen Artamonow zu dieser Stunde besonders feindselig; er betrachtete Tichons Bartbüschel, seine farblosen, verschwommenen Pupillen, die von Runzeln durchzogene steinerne Stirn und staunte über die sich immer noch steigernde Hässlichkeit dieses Menschen. Die Runzeln waren unnatürlich tief, wie Falten an Schaftstiefeln, das breitknochige, durch das Alter entblößte Gesicht hatte die graue Färbung von Bimsstein angenommen, und die Nase hatte so große Poren wie ein Schwamm.

»Er ist alt geworden«, dachte Artamonow, und das war ihm angenehm. »Er vergisst sich beim Sprechen. Er ist kein Arbeiter mehr, ich muss ihn entlassen. Ich werde ihm ein Geschenk machen.«

Tichon rückte ihm näher, indem er in der einen Hand den Pinsel und in der andern den Teereimer hielt, wies mit dem Pinsel auf das dunkelrote Fabrikgebäude hin, das die Farbe rohen Fleisches hatte und brummte:

»Du solltest mal hören, was sie dort sprechen. Der Geck Sedow, der krumme Morosow, sein Bruder Sacharka und auch Sinaïdka, – sie alle sagen geradeheraus: Ein Werk, das mit fremden Händen aufgebaut wird, ist ein schädliches Werk, man muss es vernichten ...«

»Das scheinen *deine* Gedanken zu sein«, sagte Pjotr spöttisch.

»Meine?« Tichon schüttelte verneinend den Kopf. »Nein, die sind nicht von mir. Ich bin gegen solche Einfälle. Jeder soll für sich arbeiten, dann wird nichts entstehen, keinerlei Übel. Sie sagen aber: Alles geht von uns aus, wir sind die Herren. Pass auf, Pjotr Iljitsch, in Wirklichkeit geht alles von ihnen aus; sie haben dich in das Werk eingespannt, du hast den Wagen auf die ebene Straße hinausgeführt, und jetzt ...«

Artamonow räusperte sich bedächtig, stand auf, steckte die Hände in die Taschen, blickte über Tichons Kopf hinweg auf die Wolken und begann energisch, wenn auch ein wenig stotternd zu sprechen:

»Ich will dir etwas sagen: Ich verstehe natürlich, dass du das ganze Leben mit mir verbracht hast, das stimmt! Nun, du bist indessen schon alt, es fällt dir schwer ...«

»Und Serafim hat sie darin bekräftigt«, sagte Tichon, sichtlich ohne auf den Herrn zu hören.

»Warte! Es ist für dich Zeit, auszuruhen.«

»Es ist für alle Zeit. Wie denn sonst?«

»Warte ... Es ist schwer mit dir auszukommen ...«

Tichon Wialow war nicht erstaunt, als er von seiner Entlassung hörte. Er murmelte ruhig:

»Nun, wenn es so ist ...«

»Ich werde dir natürlich eine Gratifikation aussetzen«, versprach Artamonow, durch seine Ruhe ein wenig verwirrt. Tichon schwieg darauf und teerte sich seine staubigen Stiefel ein. Da sagte Artamonow so energisch, als er konnte:

»Also leb wohl!«

»Gut«, erwiderte Tichon.

Artamonow ging aufs andere Flussufer, in der Hoffnung, es wäre da kühler; dort hatte ihm Serafim unter der Fichte, wo er sich mit Ilja verzankt hatte, aus weißen Birkenästen eine Art Thron aufgebaut. Von dort aus übersah man gut das ganze Werk, das Haus, den Hof, die Siedlung, die Kirche und den Friedhof. Die großen Fenster des Fabrikkrankenhauses und der Schule funkelten wie Eis; die kleinen Menschen schossen wie Weberschiffchen über die Erde und webten das unendliche Gewebe des Werks, noch kleinere Menschen liefen durch den Sand der Fabriksiedlung. An der Kircheneinfriedung weidete inmitten der grauen Erlenstämme eine Spielzeugherde von Ziegen; sie wurden vom einäugigen Bader Morosow, dem Enkel des uralten Webers Boris, gezüchtet, die Fabrikfrauen kauften viel Ziegenmilch für die Kinder. Und hinter dem Krankenhaus, auf dem von einem Gitter eingeschlossenen, kahlen Erdviereck weideten in gelben Schlafröcken und weißen Mützen kleine Menschen, die an Irre erinnerten. Um das Werk hatten sich viele Vögel angesiedelt: Sperlinge, Krähen und Dohlen; die Elstern schnatterten, flogen eilig von einer Stelle zur andern und ließen wie Atlas ihre weißen Seiten erglänzen; schillernde Tauben gingen auf der Erde herum, besonders viele Vögel gab es neben der Schenke am Ufer der Watarakscha, wo die Bauern, die den Flachs brachten, abstiegen.

Seit einiger Zeit erregte dieser ganze große Betrieb in Artamonow aber weder Stolz, noch Vergnügen; er war für ihn zur Quelle verschiedenartiger Kränkungen geworden. Es war kränkend zu sehen, wie Alexej, Miron und verschiedene Menschen aus ihrer Umgebung schrien, wie Zigeuner auf dem Markt mit den Händen herumfuchtelten und stritten, ohne ihn, den ältesten Menschen des Werks zu beachten. Selbst wenn sie vom Werk sprachen, vergaßen sie ihn, und wenn er sich ihnen in Erinnerung brachte, hörten sie ihn schweigend an, als wären sie mit ihm einverstanden, machten aber alles, sowohl im großen wie im kleinen, nach eigenem Gutdünken. Das hatte schon längst begonnen, noch zu der Zeit, als sie gegen seinen Willen in dem Werk eine elektrische Station erbaut hatten; Pjotr Artamonow überzeugte sich bald davon, dass das sowohl vorteilhafter als auch gefahrloser war, konnte die Kränkung aber trotzdem nicht verwinden! Es gab auch viele kleine Kränkungen; sie wuchsen der Zahl nach immer mehr an und wurden schärfer. Besonders frech und widerwärtig betrug sich der Neffe; er hatte sein Studium beendet, kleidete sich in fremdländische Lederröcke, glänzte, von der goldenen Brille angefangen bis zu den gelben Stiefeln, kniff die Augen zu, verzog das Gesicht und sagte:

»Das ist veraltet, Onkel. Es ist jetzt eine andere Zeit, Onkel.«

Er schien sich vor der Zeit zu fürchten, wie ein Diener vor einem strengen Herrn. Das war aber das einzige, was er fürchtete, in allem andern war er unerträglich frech. Einmal sagte er sogar:

»Begreifen Sie doch, Onkel, dass Russland nicht mehr mit solchen Menschen, wie Sie und Ihresgleichen es sind, leben kann.«

Das traf Artamonow mit solcher Wucht, dass er nicht einmal fragte weshalb? Er ging gekränkt weg, kam einige Wochen nicht zu Alexej und sprach nicht mit Miron, wenn er ihn im Werk traf.

Miron hatte die Absicht, Wera Popowas Tochter zu heiraten, die ebenso groß und schlank wie ihre ergraute, erstarrte Mutter war. Wie alle andern lächelte auch dieses Mädchen auf eine unangenehme Weise. Sie zuckte mit dem Hals, betrachtete alles mit dem starren Blick ihrer großen, schamlos geöffneten Augen, die an nichts zu glauben schienen, summte wie eine Fliege zwischen den Zähnen und verdarb von früh bis spät Leinen, das sie mit bunten Bildchen bekleckste. Ihr Strohhut, der mit einem Band an den Hals festgebunden war, baumelte immer auf dem Rücken herum, auch ihre Haare waren strohfarbig, sie war unordentlich gekleidet und ihre Beine sahen fast bis zu den Knien unter dem Rock hervor.

Der Müßiggänger Gorizwetow war widerwärtig; er huschte wie eine Turmschwalbe vorüber, erschien unerwartet, verschwand, erschien wieder, griff alle wie ein kleiner, böser Hund an und schrie:

»Ihr wollt das reiche, geistige Russland in ein seelenloses Amerika verwandeln, ihr baut eine Mausefalle für die Menschen!«

Aus diesem Schreien hörte Artamonow manchmal etwas Richtiges heraus, aber noch öfter etwas, das an Tichon Wialows Dummheit erinnerte, obwohl er keine Menschen kannte, die einander unähnlicher wären, als dieser geriebene, unstete Springinsfeld und der schwerfällige, gegen alles gleichgültige Tichon. Gorizwetow lief auf Jelisaweta Popowa zu und schrie sie an:

»Warum schweigen Sie? Sie sind ein geistiger Mensch!«

Sie lächelte; ihr Gesicht war hochmütig und unbeweglich, nur ihre grauen, herbstlichen Augen lächelten. Pjotr Artamonow vernahm nie gehörte, unverständliche Worte.

»Die Agonie der Romantik«, sagte Miron und putzte sorgfältig mit einem Stück Sämischleder die Brillengläser.

Alexej flog irgendwo in Moskau herum; Jakow nahm an Umfang zu, hielt sich solide beiseite; er sprach wenig, aber scheinbar treffend, seine Worte reizten in gleicher Weise Miron und Gorizwetow. Jakow hatte sich einen rötlichen, tatarischen Vollbart wachsen lassen und zugleich mit dem Bart wuchs immer merklicher auch seine Spottlust; es war angenehm zuzuhören, wenn der Sohn träge zu diesen gewandten Menschen sagte:

»Bevor ihr euch in feine Herrschaften verwandelt, werdet ihr noch in manche Pfütze geraten! Ihr solltet einfacher leben!«

Pjotr Artamonow und – wie er sah – auch Jakow waren sehr belustigt, als Jelisaweta Popowa plötzlich nach Moskau abreiste und sich dort mit Gorizwetow trauen ließ. Miron war erbost und konnte das nicht verbergen; er drehte an seinem Spitzbart herum, den er anders als es bei den Kaufleuten üblich war, trug, zog daraus gleichsam den Faden seiner trockenen Worte hervor und sagte in einem unecht wirkenden Ton:

»Solche Menschen wie Stepan Gorizwetow gehören einem aussterbenden Geschlecht an. Nirgends auf der Welt gibt es unnützere Menschen als ihn und seinesgleichen.«

Jakow sagte, um ihn aufzuhetzen:

»Und doch hat einer von ihnen dir geschickt den von dir liebevoll ausgesuchten Bissen vor der Nase weggeschnappt!«

Miron antwortete, die Schultern hebend:

»Ich bin kein Romantiker.«

»Wie? Was ist das?«, fragte Pjotr Artamonow, und Miron antwortete mit scharfer Betonung, wie ein Richter, der sein Urteil vorliest:

»Niemand versteht, was ein Romantiker ist, Sie werden das auch nicht verstehen, Onkel. Das dient ebenso zur Verschönerung, wie eine Perücke für eine Glatze, oder als Vorsichtsmaßregel, wie ein falscher Bart für einen Spitzbuben.«

»Aha, er hat sich die Nase eingeklemmt«, dachte Pjotr mit Vergnügen.

Diese kleinen Freuden söhnten ihn ein wenig mit den zahlreichen Kränkungen aus, die er seitens der gewandten Leute erlitt; sie bemächtigten sich mit ihren fest zupackenden Händen immer mehr des Werks und schoben ihn beiseite, in die Einsamkeit. Er fand und ersann aber auch in der Einsamkeit etwas schmerzlich Angenehmes, sie machte ihn mit etwas Neuem, wenn auch scheinbar Bekanntem vertraut, – mit einem Pjotr Artamonow von anderen Umrissen und anderer Art.

Das war ein guter Mensch, doch war er grausam gekränkt worden; das Leben behandelte ihn ungerecht, wie die Stiefmutter den Stiefsohn. Er hatte das Leben als der gehorsame, stumme Diener seines Vaters begonnen, der ihm keinerlei Freuden, sondern nur eine dumme, langweilige Frau verschaffte und das große, schwere Unternehmen auf die Schultern lud. Ja, seine Frau hatte ihn geliebt, und ihr erstes Ehejahr war nicht übel gewesen; jetzt wusste er aber, dass selbst die liederliche Spulerin Sinaïda unterhaltender und leidenschaftlicher zu lieben verstand. Von den gewandten, tollen Frauen auf der Messe in Nishni ganz zu schweigen. Seine Frau hatte sich ihr ganzes Leben lang gefürchtet, zuerst vor Alexej, dann vor den Petroleumlampen und später vor den elektrischen Glühbirnen; wenn sie aufflammten, sprang Natalia zurück und bekreuzte sich. Sie hatte ihn auf der Messe in einem Grammofongeschäft beschämt:

»Ach, lass das, kaufe es nicht!«, bat sie. »Vielleicht schreit aus diesem Ding ein Verdammter, und seine Seele ist darin versteckt!«

Jetzt fürchtete sie sich vor Miron, vor dem Arzt Jakowlew und vor ihrer Tochter Tatjana. Sie wurde unwahrscheinlich dick und aß den ganzen Tag. Und ihretwegen hätte sich sein Bruder beinahe umgebracht! Die Kinder achteten sie nicht. Als sie Jakow überreden wollte zu heiraten, riet er ihr spöttisch:

»Iss lieber irgendetwas, Mama.«

Sie erwiderte gehorsam und unsicher:

»Ich glaube, ich will schon nicht mehr.«

Und aß von Neuem.

Der Vater sagte zu Jakow:

»Warum verspottest du die Mutter? Es ist Zeit, dass du heiratest!«

»Es ist jetzt nicht der richtige Augenblick, um sich durch eine Familie zu binden«, antwortete Jakow sachlich.

»Warum fürchtet ihr euch alle vor der Zeit?«, zürnte der Vater. Der Sohn antwortete nicht und zuckte die Achseln.

Auch er sagte:

»Sie verstehen das nicht, Papa.«

Er sagte das zwar sanft; aber es war doch nicht möglich, dass der Vater weniger verstehen sollte als der Sohn! Die Menschen leben nicht von dem morgigen, sondern von dem gestrigen Tage, alle Menschen leben so.

Der Älteste, sein Lieblingssohn, war verschwunden und verloren. Aus Liebe zu ihm hatte er etwas tun müssen, woran er nicht zurückdenken wollte.

Die älteste Tochter Jelena, eine Frau mit dicken Hüften und breitem Gesicht, durch ihren Reichtum und durch ihren betrunkenen Mann verwöhnt, hatte sich in einen ganz fremden Menschen verwandelt; sie besuchte ab und zu die Eltern und erschien reich gekleidet und mit vielen Ringen an den Fingern. Sie klirrte mit goldenen Ketten und Berloques, blickte mit satten Augen durch eine goldene Lorgnette und sagte mit müder Stimme:

»Wie schlecht es bei euch riecht! Das ganze Haus ist so muffig und faulig! Ihr solltet ein neues bauen! Wer wohnt denn heutzutage neben einer Fabrik?«

Artamonow hörte zufällig, wie sie zur Mutter sagte:
»Papa ist noch immer ebenso? Wie langweilig muss es doch mit ihm sein! Mein Mann trinkt und treibt Unfug, aber er ist lustig.«
Sie hatte eine besonders aufreizende Leidenschaft für Reinlichkeit; wenn sie sich auf einen Stuhl setzte, klopfte sie ihn mit dem Taschentuch ab, und sie roch so stark nach Parfüm, dass man niesen musste. Ihr rücksichtsloser, beleidigender Widerwillen gegen alles im Hause rief in Artamonow den Wunsch wach, der Tochter all das zu vergelten, wodurch sie ihn reizte; in ihrer Anwesenheit ging er in Unterwäsche, im offenen Schlafrock und in Galoschen an den nackten Füßen durch das Haus und sogar über den Hof, und bei Tische schmatzte und rülpste er wie ein Baschkire. Die Tochter war empört:
»Was soll das, Papa?«
Er hatte aber eben diese Empörung angestrebt.
»Verzeihen Sie, meine Gnädige!«, sagte er. »Ich bin ja nur ein Bauer.«
Und rülpste und schmatzte noch wilder.
Die Tochter war im Ausland gewesen und erzählte des Abends träge und mit schmalziger Stimme der Mutter allerhand Unsinn: In irgendeiner Stadt bürsteten die Frauen die Außenwände der Häuser mit Seife ab; in einer andern Stadt war Sommer und Winter ein derartiger Nebel, dass den ganzen Tag die Laternen brannten, und man trotzdem nichts sah; in Paris handelten alle Leute mit fertigen Kleidern, und es gab dort einen so hohen Turm, dass man von dort aus Städte jenseits des Meeres sehen konnte. Jelena stritt mit der jüngeren Schwester und beschimpfte sie sogar. Tatjana wuchs als mageres, dunkles Mädchen heran und war über ihre Unansehnlichkeit erbittert. Etwas an ihr erinnerte an einen Küster; wahrscheinlich ihr kurzer Zopf, die flache Brust und die bläuliche Nase. Sie wohnte bei ihrer Schwester, konnte aus irgendeinem Grunde das Gymnasium nicht beenden, fürchtete sich vor Mäusen, war mit Miron einverstanden, dass man die Macht des Zaren einschränken müsste, und hatte vor Kurzem Zigaretten zu rauchen begonnen. Wenn sie im Sommer in das Werk kam, schrie sie die Mutter wie einen Dienstboten an, sprach mit dem Vater durch die Zähne, las den ganzen Tag Bücher und ging des Abends in die Stadt, zum Onkel, von wo der Arzt Jakowlew, mit den Goldzähnen, sie zurückbrachte. Des Nachts schlief sie vor jungfräulicher Sehnsucht nicht und schlug mit dem Pantoffel die Mücken an den Wänden tot, was wie Pistolenschüsse knallte.

Alles ringsum wurde fremd, geräuschvoll und herausfordernd dumm; alles, von Mirons frechen Reden angefangen bis zu den sinnlosen Liedern des Heizers Waska, eines lahmen Bauern mit einer verrenkten Hüfte und einem zerzausten, besenähnlichen Kopf; an Feiertagen steckte Waska, der der Köchin den Hof machte, unter dem Küchenfenster, begleitete sich auf der Harmonika und brüllte mit geschlossenen Augen:

»Du bist mein Unglück,
Bist meine Gewohnheit,
Nur dich sucht mein Blick
Und dein Schnäuzchen, o Maid!«

Olga hatte schon lange nichts mehr von Ilja erzählt; der neue Pjotr Artamonow, der gekränkte Mensch, dachte aber immer öfter an seinen älteren Sohn. Ilja hatte sicher schon die entsprechende Vergeltung für seine Widerspenstigkeit erlitten, davon zeugte das veränderte Verhalten ihm gegenüber in Alexejs Haus. Als Pjotr Artamonow eines Abends zu Alexej kam und im Flur ablegte, hörte er, wie Miron, der aus Moskau zurückgekehrt war, sagte:

»Ilja gehört zu den Menschen, die das Leben nach dem Buch betrachten und eine Kuh nicht von einem Pferd zu unterscheiden vermögen.«

»Du lügst«, dachte Artamonow, der in dem feindseligen Urteil des Neffen etwas Tröstliches fand.

Alexej fragte:

»Gehört er derselben Partei wie Gorizwetow an?«

»Er ist noch schädlicher«, antwortete Miron.

Als Artamonow das Zimmer betrat, drohte er ihnen im Geiste:

»Wartet, bis er zurückkehrt, dann wird er es euch schon zeigen ...«

Miron begann sogleich von Moskau zu erzählen und zornig über die Untüchtigkeit der Regierung zu klagen. Dann kam Natalia mit ihrem Sohn, und Miron erörterte die Notwendigkeit des Baues einer Papierfabrik. Er setzte ihnen schon lange damit zu.

»Bei uns liegt das Geld unnütz da, Onkel«, sagte er. Natalia errötete derart, dass sogar ihre Ohren anschwollen, und erwiderte mit kreischender Stimme:

»Wo liegt es, bei wem liegt es denn?«

Artamonow wurde plötzlich von einer Öde umfangen, ihm war, als hätte sich vor ihm eine Tür weit aufgetan, und als blickte er in ein

Zimmer, in dem alles so bis zum Überdruss bekannt war, dass der Raum leer erschien. Diese plötzliche körperliche Langeweile überkam ihn wie ein Nebel von außen her; sie verstopfte die Ohren, blendete die Augen, rief die Empfindung von Müdigkeit hervor und erschreckte durch Gedanken an Krankheit und Tod.

»Ich habe euch satt«, sagte er, »wann werde ich vor euch Ruhe haben?«

Jakow brummte:

»Man hat ohnedies genug Scherereien ...«

Und Natalia schrie:

»Es treiben sich hier schon so viele Arbeiter herum, dass man nirgends mehr hingehen kann! Sie betrinken sich und schimpfen unflätig ...«

Artamonow trat ans Fenster, – im Garten stand Tichon Wialow mit einem Mädchen und deutete mit dem Finger auf einen Apfelbaum.

»Ach, du Adam«, dachte Pjotr Artamonow, die Verstimmtheit abschüttelnd; solch weit abliegende Gedanken huschten oft wie Mäuse an ihm vorbei, er freute sich stets über ihre Plötzlichkeit, er liebte sie sogar deshalb, weil sie nicht beunruhigten, sie tauchten auf und verschwanden, und das war alles.

Mit Tichon war das auch so eine Sache; Pjotr Artamonow war tief gekränkt, als er sah, dass Alexej ihn bei sich aufnahm, nachdem Tichon über ein Jahr verschollen und dann plötzlich wieder erschienen war, und zwar mit einer unangenehmen Nachricht: Bruder Nikita hatte sich, unbekannt wohin, aus dem Kloster entfernt. Pjotr war überzeugt, dass der Alte wusste, wo sich Nikita befand, und es nur darum nicht mitteilte, weil er gern Unannehmlichkeiten bereitete. Wegen dieses Menschen verzankte Artamonow sich ernstlich mit dem Bruder, obwohl Alexej sich triftig verteidigte:

»Überlege doch: Der Mensch hat das ganze Leben für uns gearbeitet, und wir haben ihn hinausgeworfen. Ist das in Ordnung?«

Pjotr wusste, dass es nicht in Ordnung war, aber Tichons Anwesenheit im Hause war für ihn noch störender. Auch seine Frau war diesmal, wohl zum ersten Mal in ihrem ganzen Leben, auf Alexejs Seite. Sie sagte mit einer bei ihr ungewohnten Festigkeit:

»Das ist nicht recht, Pjotr Iljitsch. Schlage mich meinetwegen, es ist aber doch nicht recht!«

Sie und Olga überredeten und beruhigten ihn. Der gekränkte Mensch triumphierte aber:

»Siehst du? Dein Wille ist für niemand Gesetz. Siehst du?«

Der gekränkte Mensch wurde für Pjotr Artamonow immer sichtbarer und fühlbarer. Pjotr schleppte seinen schwer gewordenen Körper vorsichtig unter die Fichte, den Hügel hinan, setzte sich auf einen Sessel und dachte mit aufrichtigem Bedauern an diesen Menschen. Es war süß und bitter zugleich, sich einen unglücklichen, unverständlichen, von niemandem geschätzten, aber guten Menschen auszudenken; er ließ sich leicht ersinnen und entstand ebenso aus dem Nichts, wie an heißen Tagen über den Sümpfen in der blauen Leere der weiße Dunst der Wolken.

Beim Anblick des Werks und des aus ihm Geborenen flößte dieser Mensch ihm den Gedanken ein:

»Man hätte auch anders, auch ohne diese Erfindungen, leben können.«

Der Fabrikant Artamonow entgegnete ihm:

»Das sind Tichons Gedanken.«

»Der Pope Gleb hat dasselbe gesagt, auch Gorizwetow und noch viele andere. Ja, die Menschen zappeln wie Fliegen im Spinngewebe.«

»Man kann nicht so einfach durchs Leben kommen«, erwiderte ungern der Fabrikant.

Manchmal entbrannte dieser stumme Streit zweier Menschen in einem einzigen besonders heftig, und der gekränkte Mensch wurde unbarmherzig und schrie beinahe:

»Weißt du noch, wie du in betrunkenem Zustand auf der Messe in Nishni den Leuten gebeichtet hast, dass du, wie Abraham den Isaak, deinen Sohn als Sühnopfer darbrachtest, und dass dir der kleine Nikonow statt des Widders untergeschoben wurde? Erinnerst du dich? Das ist wahr, das ist wahr. Und dafür, für die Wahrheit, hast du mich mit der Flasche geschlagen. Ach, du hast mich erwürgt und zugrunde gerichtet! Du hast auch mich hingeopfert. Und für wen ist dieses Opfer, für wen? Für den gehörnten Gott, von dem Nikita sprach? Für ihn? Ach, du ...«

In den Augenblicken eines so unerbittlichen Streites schloss der Fabrikant Artamonow fest die Augen, um die beschämenden, zornigen und bitteren Tränen zu verbergen. Sie flossen aber unaufhaltsam, er wischte sie mit den Händen von Wangen und Bart ab, rieb dann die Handflächen aneinander trocken, und betrachtete stumpf seine verschwollenen, blauroten Hände. Und er trank in großen Schlucken Madeira direkt aus der Flasche.

Trotz dieser kummervollen Tränen, die der gekränkte Mann ihm auspresste, war er Pjotr Artamonow angenehm und notwendig, wie ein Badediener, wenn er mit dem weichen, nicht zu heißen, duftig eingeseiften Waschlappen die Rückenhaut an der Stelle reibt, die man sich selbst nicht kratzen kann, weil der Arm nicht so weit reicht.

... Plötzlich erhob sich irgendwo weit in Sibirien eine starke Faust und begann auf Russland loszuschlagen.

Alexej sprang herum, schwang die Zeitung und schrie:

»Raub! Mord!« Er hob seine Vogelklaue zur Decke, bewegte wild die Finger und zischte:

»Wir werden sie … Wir werden ihnen ...«

Der Arzt mit den Goldzähnen lehnte sich, die Hände in den Taschen, an die warmen Ofenkacheln und murmelte:

»Es könnte auch sein, dass *sie* es *uns* zeigen.«

Dieser große, kupferrote Mensch lächelte natürlich, er lächelte immer, was auch gesprochen wurde; er erzählte sogar von Krankheiten und Todesfällen mit demselben Lächeln, mit dem er von einem missglückten Preferencespiel sprach; Pjotr Artamonow betrachtete ihn wie einen Ausländer, der vor Verlegenheit lächelt, weil er die ihm fremden Menschen nicht zu verstehen vermag; Artamonow liebte ihn nicht und vertraute ihm nicht und ließ sich vom städtischen Arzt, dem schweigsamen Deutschen Krohn, behandeln.

Miron zupfte sich besorgt das Bärtchen, verzog das Gesicht, als hätte er Schmerzen in der Schläfe, schritt wie ein Storch aus einer Ecke in die andere und belehrte alle:

»Man hätte die Sache im Bunde mit den Engländern beginnen sollen ...«

»Ja, welche Sache denn?«, forschte Pjotr Artamonow, aber weder der gewandte Bruder, noch der kluge Neffe konnten ihm in klaren Worten erzählen, weswegen dieser Krieg plötzlich ausgebrochen war. Es war ihm angenehm, die Verwirrung der allwissenden, selbstsicheren Menschen zu sehen, besonders lächerlich kam ihm Alexej vor: Er benahm sich derart unverständlich, dass man glauben konnte, dieser unerwartete Krieg treffe vor allem gerade ihn, Alexej Artamonow, und hindere ihn daran, etwas sehr Wichtiges zu vollführen.

In der Stadt wurde eine Kirchenprozession veranstaltet. Die bärtige Kaufmannschaft stampfte majestätisch und gottesfürchtig mit den schweren Füßen den reichlich gefallenen Schnee fest und schritt wie eine dichte Ochsenherde hinter der stämmigen, goldenen Geistlichkeit; man trug Heiligenbilder und Kirchenfahnen; der vereinigte Chor aller Kirchen der Stadt sang laut und eindringlich:

»Herr, errette deine Knechte ...«

Die Worte des Gebetes, die an eine Forderung erinnerten, flogen als weißer Dampf aus den runden Mäulern auf, froren als Reif an den Brauen und Schnurrbärten der Bässe fest und verdichteten sich in den Bärten der nicht im Takt singenden Kaufmannschaft. Besonders durchdringend, beharrlich und nicht im geringsten Einklang mit dem Chor sang der Bürgermeister Woroponow, der Sohn des Stellmachers; er war dick und rot, hatte Augen von der Farbe von Perlmutterknöpfen und hatte, zugleich mit dem Vermögen, vom Vater einen unbezähmbaren Hass gegen alle Artamonows geerbt.

Die gingen zu siebent alle beisammen; Alexej führte seine Frau am Arm und hinkte voran, hinter ihm ging Jakow mit der Mutter und der Schwester Tatjana, dann folgte Miron mit dem Arzt; als letzter schritt Pjotr Artamonow in weichen Stiefeln einher.

»Das ist eine Rasse!«, sagte Miron halblaut.

»Eine Parade der Macht!«, antwortete der Arzt.

Miron nahm die Brille ab und begann sie mit dem Taschentuch zu putzen, der Arzt fügte hinzu:

»Passen Sie auf, es kommt zu einer Rauferei!«

»Nun, dieses Rohmaterial fängt nicht so bald Feuer ...«

»Hör auf«, sagte Pjotr zu seinem Neffen. Der sah ihn von der Seite an und setzte sich die Brille auf die lange Nase, die er vorher mit den Fingern befühlt hatte.

»Herr, errette deine Knechte!«, forderte Woroponow und kreischte das Wort: »Knechte« absichtlich laut und pfeifend hervor; dann wandte er sich wie ein Wolf um, musterte die Bürger und schwang aus irgendeinem Grunde seine Biberpelzmütze in die Luft.

Schön und mit tiefer Stimme sang die vierzigjährige, aber frische, rundliche und hochbrüstige Tochter Pomialows, die zum dritten Mal verwitwet war und ihrem skandalösen, schamlosen Lebenswandel nach die erste Stelle in der Stadt einnahm. Pjotr Artamonow hörte, wie sie Natalia halblaut riet:

»Gevatterin, du solltest deinen Mann in den Krieg schicken; er jagt Angst ein und wird die Feinde in die Flucht schlagen.«

Dann fragte sie Jakow:

»Na, Patchen, warum heiratest du nicht, mein Hähnchen?«

Pjotr Artamonow schüttelte den Kopf, die Worte hinderten ihn wie Fliegen daran, über etwas sehr Wichtiges nachzudenken; er ging zur Seite, schritt langsamer über das Trottoir hin und ließ den Strom der Menschen, der an diesem Tage auf dem üppigen, reinen Schnee ungewöhnlich schwarz erschien, an sich vorbei. Die Menschen gingen weiter und atmeten, wie kochende Samowars, Dampf aus.

Da schritt an der Spitze ihrer Schülerinnen Wera Popowa mit einem steinernen Gesicht vorbei; die Schneeflocken funkelten auf ihren grauen Haaren; ihre weißen, bereiften Wimpern zuckten, als sie mit ihrem unbedeckten, von üppigen Flechten eingerahmten Kopf nickte. Artamonow bedauerte sie:

»Die Närrin hat sich einspannen lassen, um Enten zu hüten.«

Es rollte eine lange Woge geschorener Köpfe vorüber: Das waren die Schüler der beiden städtischen Schulen; eine halbe Kompanie Soldaten schob sich wie eine schwere, graue Maschine vorbei; sie wurde von dem stadtbekannten, kaltblütigen Leutnant Mawrin geführt, der von der Schneeschmelze bis zu den Frösten täglich in der Oka badete und, wie alle wussten, auf Kosten der Pomialowa lebte, mit der er ein illegitimes Verhältnis unterhielt.

Majestätisch, wie eine satte Gans, schritt der Gendarmerieoffizier Nesterenko, ein Mensch mit einem Chinesenschnurrbart, einher, und seine kranke Frau ging am Arme ihres Bruders Shitejkin, des Sohnes des verstorbenen Stadtältesten und Lederfabrikanten. Man erzählte von Shitejkin, er treibe zwar Unzucht mit Nonnen, hätte aber siebenhundert Bücher gelesen und verstehe es meisterlich, auf einer kleinen Trommel zu trommeln, welche Kunst er sogar heimlich den Soldaten beibringe.

Dann fuhr der fett gewordene Stepan Barski mit seinem dem Trunke ergebenen Schwiegersohn und der schielenden Tochter im Schlitten vorüber; in einem dunklen Haufen bewegte sich langsam das geringe Volk: die Kleinbürger, die Lederarbeiter, die Weber, die Wagenarbeiter, die Bettler und irgendwelche ganz überflüssige alte Frauen, die an Ratten erinnerten. Der Schnee salzte träge die entblößten Köpfe ein, aus der Ferne drang unerbittlich Woroponows forderndes Geschrei herüber:

»Herr, errette deine Knechte ...«

»Wozu braucht Gott diese Menschen? Das ist nicht zu verstehen«, dachte Artamonow. Er liebte die Bürger nicht und unterhielt zu der

Stadt fast gar keine Beziehungen außer den geschäftlichen Bekanntschaften; er wusste, dass die Stadt ihn auch nicht liebte und für stolz und boshaft hielt. Dagegen wurde aber Alexej wegen seiner Vorliebe, für die Verschönerung der Stadt tätig zu sein, sehr geachtet; so hatte er die Hauptstraße gepflastert, den Platz durch Linden geschmückt und hatte am Ufer der Oka einen öffentlichen Garten angelegt. Miron und selbst Jakow waren gefürchtet, man hielt sie für maßlos gierig und war der Meinung, dass sie alles ringsum in ihre Hand bekommen wollten.

Artamonow betrachtete das langsame Vorüberschreiten der nachdenklichen Menschen und zog die Stirne kraus, – viele unbekannte Gesichter und viel zu viele verschiedenfarbige Augen blickten ihn mit der gleichen Feindseligkeit an.

Am Tor von Alexejs Haus begrüßte ihn Tichon. Artamonow fragte:

»Wir haben Krieg, Alter?«

Tichon fuhr sich mit der gewohnten Bewegung der schweren Hand über die Backenknochen. Zum ersten Mal während des ganzen mit ihm verbrachten Lebens fragte Artamonow diesen Menschen vertrauensvoll:

»Was meinst du dazu?«

»Das ist eine Lappalie«, erwiderte Wialow sogleich, als hätte er die Frage erwartet.

»Bei dir ist alles eine Lappalie«, sagte Artamonow unbestimmt.

»Ja, was denn sonst? Sind wir denn Hunde? Wir sind doch keine Tiere.«

Artamonow ging durch den feinen, pulverigen Schnee weiter. Er fiel immer dichter und ließ die Menschenmenge in der Ferne zwischen den weißen Hügeln der Bäume und Dächer beinahe ganz verschwinden.

Jetzt, nach dem Tode von Serafim, dem Tröster, suchte Pjotr Artamonow bei der Diakonswitwe Taïsja Paraklitowa Zerstreuung. Es war dies eine magere Frau unbestimmten Alters, die an einen Backfisch und an eine schwarze Ziege erinnerte. Sie hatte etwas Stilles und war mit ihm immer und in allem einverstanden:

»So ist es, mein Lieber!«, sagte sie. »Ja, mein Lieber, ja, ja!«

Artamonow trank viel, wurde aber erst nach langer Zeit berauscht, und es reizte ihn, dass seine aufdringlichen traurigen Gedanken so lange brauchten, um in Taïsjas starken, schmackhaften Schnäpsen zu zerschmelzen und zu ertrinken. Die ersten Minuten des Rausches waren unangenehm, der Alkohol machte Pjotrs Gedanken über sich und die Menschen noch ätzender und bitterer, färbte das ganze Leben in böse, sumpfig grüne Farben, denen er eine brodelnde Bewegung verlieh; es schien Artamonow, dass dieses Brodeln ihn im Kreise herumwirbelte, um ihn im nächsten Augenblick über irgendeinen Rand zu schleudern. Er lauschte zähneknirschend, mit scharfem Blick, dem finstern Aufruhr in seinem Innern und schrie dann die Diakonsfrau an:

»Nun, was schweigst du? Erzähle, was du weißt!«

Die Frau sprang wie eine Ziege auf seine Knie, sie war erstaunlich leicht und warm. Sie schien ein unsichtbares Buch aufzuschlagen und daraus vorzulesen:

»Die Pomialowa hat dem Leutnant Mawrin den Laufpass gegeben, er hat wieder dreihundertzwanzig Rubel beim Kartenspiel verloren; sie will die Wechsel präsentieren, sie hat Wechsel auf seinen Namen. Und der Gendarm lässt seine Frau deshalb hier wohnen, weil er sich in der Stadt eine Geliebte angeschafft hat, und nicht weil seine Frau krank ist ...«

»Das ist lauter Unrat«, sagte Artamonow.

»Es ist Unrat, mein Lieber, und was für welcher!«

Ihre Berichte über die schmutzigen Stadtereignisse verwirrten Artamonows Gedanken, lenkten sie in andere Bahnen, rechtfertigten und festigten seine Feindseligkeit diesen langweiligen Sündern, den Städtern gegenüber. Anstelle dieser Gedanken erstanden und bewegten sich im Kreise die Bilder der wilden Gelage auf der Messe in Nishni; rasende Menschen mit gierig glotzenden, betrunkenen, doch nie satten Augen rannten wie besessen herum, verbrannten Geld und wüteten in jeder Weise und ohne vor irgendetwas zurückzuschrecken in der grimmigen Auflehnung des Fleisches und strebten zu der großen, auf dem schwarzen Hintergrund blendend weiß erscheinenden, schamlos entblößten Frau hin ...

Pjotr Artamonow goss schweigend die buntfarbigen Schnäpse in sich hinein, kaute glitschige, saure Pilze und fühlte mit seinem ganzen trunkenen Körper, dass das Anmutigste, unheimlich Mächtigste und Echteste in dem schamlosen Weib auf der Messe verborgen war, das sich für Geld nackt zeigte und um das angesehene Menschen ihr Vermögen, ihr Gewissen und ihre Gesundheit verloren. Für ihn war aber von dem ganzen Leben nur diese schwarze Ziege übrig geblieben.

»Zieh dich aus!«, brüllte er. »Tanze!«

»Wie soll es denn ohne Musik gehen?«, sagte die Diakonsfrau, sich aufknöpfend. »Wir müssten den Jäger Noskow holen, er spielt gut Harmonika ...«

Bei dieser Unterhaltung verging die Zeit unmerklich. Manchmal aber tauchte aus dem Strom trüber Tage etwas gänzlich Unfassbares auf: Im Winter verbreiteten sich Gerüchte, die Arbeiter in Petersburg hätten den Palast zerstören und den Zaren ermorden wollen. Tichon Wialow brummte:

»Sie werden noch die Kirchen zu Staub machen. Wie sollte es auch anders sein? Das Volk ist nicht aus Eisen.«

Im Sommer sprach man davon, dass über die russischen Meere ein russisches Schiff fahre und aus Kanonen auf die Städte schieße. Tichon sagte:

»Ja, wie sollte es anders sein? Man hat sich an den Krieg gewöhnt.«

Man zog wieder mit Heiligenbildern durch die Stadt. Woroponow, in einem fuchsroten Rock, trug das Porträt des Zaren und betete: »Herr, errette deine Knechte-e-e!«

Diesmal schrie er noch lauter und sogar zorniger, und doch klang in seinem »e-e!« ein besorgter Hilferuf.

Der betrunkene Shitejkin ging ohne Mütze, mit glänzender, blauroter Glatze, ein zweiläufiges Gewehr in den Händen, an der Spitze seiner Lederarbeiter und brüllte und randalierte wie toll.

»Kinder! Wir werden doch Russland nicht den Juden ausliefern! Wem gehört Russland? Uns!«

»Uns gehört es«, schrien ebenfalls die nicht ganz nüchternen Lederarbeiter und fingen bei der Begegnung mit ihren Feinden, den Webern, Raufhändel an. Sie schlugen den Arzt Jakowlew mit einem Stock und warfen den alten Apotheker in die Oka. Shitejkin verfolgte lange dessen Sohn in der Stadt, verschoss zweimal seine Gewehrladung in der Richtung seiner Spur, traf ihn aber nicht, sondern verwundete nur mit Schrot den Rücken des Schneiders Bruskow.

Das Werk stellte die Arbeit ein, die Jugend stürzte mit aufgekrempelten Hemdärmeln in die Stadt, ohne auf das Zureden Mirons und anderer vernünftiger Menschen zu hören und ohne das Schreien und Weinen der Frauen zu beachten.

Das Werk stand leer und seelenlos da und schien in dem Wind zusammenzuschrumpfen, der sich ebenfalls empörte, heulte und pfiff, mit eisigem Regen netzte und auf den Schornstein klebrigen Schnee türmte, den er später wieder wegblies und wegwusch.

Pjotr Artamonow saß am Fenster und sah stumpf zu, wie aus der Stadt und in die Stadt kleine, dunkle Männer- und Frauengestalten wie Ameisen liefen. Man hörte durch die Fensterscheiben schreien, und die Menschen schienen fröhlich zu sein. Am Tor kreischte die Harmonika, und der lahme Heizer Waska Krotow sang in einem Arbeiterhaufen:

»Die Erde ist für uns zu klein,
Drum raufen wir mit den Japanern!
Sie schlagen uns den Schädel ein,
Wir kämpfen mit heiligen Bannern!«

Der Wind trug ein Brummen aus der Stadt herüber, als kochte dort ein ungeheurer, mit einem ganzen See gefüllter Samowar. Alexejs Fuhrwerk erschien auf dem Hof, auf dem Wagenbock saß der einäugige Bader Morosow; Olga, in einen Schal gewickelt, sprang heraus, Artamonow erschrak, er vergaß die schmerzenden Beine, erhob sich eilig und ging ihr entgegen.

»Was ist geschehen?«

Sie schüttelte sich wie ein Huhn und sagte:

»Die Lederarbeiter haben bei uns die Fenster eingeschlagen ...«

Artamonow ließ sie vorangehen und brummte schmunzelnd:

»Nun, da habt ihr's ... Das kommt von dem Geschwätz! Man hat mich angeschrien ... jetzt steht es so! Nein, der Zar ...«

Und plötzlich vernahm er von Olga eine ungewöhnlich laute, zornige Antwort:

»Lass das! Dein Zar ist kein ehrenwerter Mensch!«

»Was verstehst du vom Zaren?«, sagte er, verlegen nach seinem Ohr greifend.

Ihn überraschte der Zorn der stets stillen und niemand verurteilenden kleinen alten Frau mit der Brille; in ihren Worten klang etwas verblüffend Aufrichtiges, wenn auch Überflüssiges und Klägliches, wie das Piepen einer Maus, der ein Ochs, ohne es zu sehen und zu wollen, auf den Schwanz getreten hat.

Er hatte Olga lange Zeit, schon seit einigen Wochen, nicht gesehen; er vermied es, ihrem Sohn zu begegnen, mit dem er sich verzankt hatte. Noch Ende des Sommers, als Pjotr Artamonow mit geschwollenen Füßen zu Bett lag, war bei ihm feierlich der in Schweiß gebadete Woroponow erschienen und hatte ihm, mit den schweren, blauen Lippen schmatzend, vorgeschlagen, ein Telegramm an den Zaren zu unterschreiben, – eine Bitte, der Zar sollte seine Macht niemandem abtreten. Artamonow war durch das freche Vorhaben des Bürgermeisters sehr erstaunt, er unterschrieb jedoch das Papier, da er überzeugt war, dass es Alexej und Miron unangenehm sein würde, und dass Woroponow überdies aus Petersburg einen entsprechenden Verweis erhalten würde: »Steck' deine Nase nicht in Dinge, die dich nichts angehen, großmäuliger Dummkopf, überhebe dich nicht zu sehr!«

Woroponow steckte das Papier in die Rocktasche, knöpfte sich sorgfältig zu und begann über Alexej, Miron, den Arzt und über alle diejenigen zu klagen, die, von den Juden aufgehetzt, sich teils blindlings, teils aus Eigennutz gegen den Zaren wandten; Pjotr Artamonow hörte seine Klagen fast mit Vergnügen an und stimmte ihm zu, und nur, als Woroponows blaue Lippen boshaft von Wera Popowa zu sprechen begannen, sagte er streng:

»Wera Nikolajewna hat damit nichts zu tun.«

»Wieso hätte sie denn damit nichts zu tun? Uns ist bekannt ...«

»Dir ist nichts bekannt ...«

»Ihr werdet so lange herumspielen, bis das Unglück da ist«, sagte der Bürgermeister und ging.

Des Abends aber fielen der Neffe und die Tochter wie Hunde über Artamonow her, sie stürzten sich auf ihn und bellten, ohne sein Alter zu schonen.

»Was tun Sie, Papa?«, schrie Tatjana, und in ihrem hässlichen Gesicht bewegten sich die Augen einer Wahnsinnigen. Jakow stand am Fenster und trommelte mit den Fingern an den Scheiben; es schien Artamonow, als wäre auch der Sohn gegen ihn; Miron aber fragte giftig:

»Haben Sie gelesen, was in diesem Telegramm geschrieben stand?«

»Ich habe es nicht gelesen!«, sagte Artamonow. »Ich habe es nicht gelesen, ich weiß es aber: Es steht darin, dass man junge Hunde an der Leine halten soll!«

Es war ihm angenehm zu sehen, wie böse Miron und Tatjana wurden, Jakows Schweigen verwirrte ihn jedoch, er glaubte an die Geschäftstüchtigkeit seines Sohnes und erriet, dass er gegen seine Interessen gehandelt hatte; seine Eitelkeit erlaubte ihm aber nicht, Jakow in diesen Streit zu verwickeln und ihn zu fragen, wie er darüber dachte. Er lag da, gab bissige Antworten und knurrte, während Miron ihm, mit der Nase wackelnd, einschärfte:

»Begreifen Sie doch: Der Zar ist von einer Spitzbubenbande umringt, die durch ehrliche Menschen ersetzt werden müsste ...«

Artamonow wusste, dass Miron danach strebte, zu diesen ehrlichen Menschen zu gehören, und dass sein Vater sich in Moskau darum bemühte, man sollte Miron dort als Kandidaten für die Zarenduma vorschlagen. Es war lächerlich und gefährlich, sich den storchähnlichen Neffen in der Nähe des Zaren vorzustellen. Plötzlich lief Alexej zerzaust und mit aufgeknöpften Kleidern herein, hüpfte herum und schnatterte:

»Was machst du denn, du verrückter Mensch?«

Er schrie ihn wie einen Angestellten an.

»Zum Teufel«, brüllte Artamonow. »Ihr wollt mich, Pjotr belehren? Schert euch alle zum Teufel! Hinaus!«

Er war sogar selbst über seinen plötzlichen Zornesausbruch erschrocken.

... Als er jetzt in der Ecke saß und Olgas arglosen Bericht über den Aufruhr in der Stadt anhörte, fiel ihm jener Streit ein, und er bemühte sich zu verstehen, wer recht hatte, er oder jene Menschen.

Vor allem hatten ihn Olgas kindlich zornige Worte verwirrt. Jetzt sprach sie aber schon ruhig und sogar gerührt:

»Unsere Weber sind liebe Menschen! Wie schnell haben sie die Woroponow'schen Leute und Lederarbeiter verjagt. Sie sind dort geblieben und bewachen das Haus.«

Natalia war aber sehr erschrocken und greinte zornig:

»Die Unruhen gehen von eurem Hause aus. Es geschieht euch schon recht! Alles ist durch euch entstanden.«

Miron erschien, schritt wie auf Sprungfedern, ohne zu grüßen, durchs Zimmer und drohte:

»Allen diesen Woroponows und Shitejkins wird es teuer zu stehen kommen, dass sie das Volk zum Aufruhr anstiften. Das wird für sie nicht ohne Folgen vorübergehen, es wird seine Sühne finden! Der Rebellionsunterricht vonseiten der Freunde Ilja Petrowitsch Artamonows genügt vollkommen; wenn aber auch diese hier noch anfangen ...«

Pjotr Artamonow schwieg dazu.

Nach dem durch Woroponows Telegramm hervorgerufenen Skandal war Miron ihm endgültig und restlos widerwärtig geworden; er sah jedoch, dass das Werk sich gänzlich in den Händen dieses Menschen befand, und dass Miron ein geschickter und sicherer Leiter war, dem die Arbeiter gehorchten, den sie aber fürchteten; sie benahmen sich jedenfalls ruhiger als die städtischen.

Der Wind legte sich und vergrub sich in den tiefen Schnee. Es schneite in schweren, geraden und dichten Flocken, die Fenster waren durch weiße Schneevorhänge verhüllt, man sah draußen nichts. Niemand sprach mit Pjotr Artamonow, und er fühlte, dass alle, außer seiner Frau, die ganze Schuld auf ihn schoben: Den Aufruhr, das schlechte Wetter, das ungeschickte Benehmen des Zaren, alles hatte er verschuldet.

»Und wo ist denn Jascha?«, fragte besorgt Natalia. »Wo Jascha ist, will ich wissen!«

Miron zog verächtlich die Nase kraus und sagte, ohne seine Tante anzusehen:

»Wahrscheinlich hat er sich in der Stadt in seinem Hühnerstall versteckt.«

»Was? Wo?«, fragte ängstlich Natalia.

Pjotr Artamonow dachte:

»Das dumme Weib scheint nicht einmal zu wissen, dass Jakow eine Geliebte hat.«

Und plötzlich erklärte er sehr energisch:

»Also meinetwegen – lebt ihr alle, wie ihr wollt. Tut, was euch passt. Jawohl! Ich verstehe wirklich nichts mehr. Ich bin eben zu alt. Aber hier ... hier treibt der Teufel sein Spiel! So lange lebe ich nun auf Erden – und verstehe nichts ...«

Vierter Teil

Bis zu seinem sechsundzwanzigsten Lebensjahre hatte Jakow Artamonow brav und ruhig gelebt, ohne dass ihn unangenehme Ereignisse gestört hätten. Dann aber begann die Zeit, der alte Feind aller Menschen, die ein geruhiges Dasein lieben, mit Jakow ihr wirres, schändliches Spiel. Es fing an in einer Aprilnacht, drei Jahre nach den Aufständen, die das geduldige Volk wachgerüttelt hatten.

Jakow lag auf dem Sofa, rauchte und genoss das behagliche Gefühl der Sättigung, das jegliche Wünsche ausschließt. Dieses Gefühl schätzte er höher als alles andere: In ihm sah er den eigentlichen Sinn des Lebens. Er empfand es mit gleichem Genuss nach einer schmackhaften Mahlzeit wie nach der Umarmung einer Frau.

Eine rundliche und doch schlanke Frau stand mitten im Zimmer am Tisch und blickte nachdenklich in die zornige, lila Spiritusflamme unter der Kaffeemaschine; auf die nackten Arme und das kindliche Gesicht fiel das durch einen roten Schirm gedämpfte Lampenlicht und färbte sie appetitlich wie eine gebräunte Kuchenkruste. Das zerzauste, dunkle Haar fiel malerisch über Hals und Schultern. Polinas nackter Körper war in einen goldgelben bucharischen Schlafrock gehüllt, die Füße steckten in grünen Saffianpantoffeln. An ihr war etwas sehr Duftiges, das nicht russisch anmutete; sie hatte das liebe Gesichtchen eines halbwüchsigen Knaben: volle Lippen und kecke, wie Kirschen runde Augen; selbst jetzt, da Jakow sich an ihr gesättigt hatte, erschien sie ihm noch angenehm. Sie übertraf bei Weitem alle Mädchen und Frauen, die er kannte, und wäre vollkommen gewesen, wenn sie nicht einen so dummen Charakter gehabt hätte.

»Ich will keinen Kaffee, Apfelsinchen«, sagte Jakow durch den dichten Schleier des Zigarettenrauches hindurch. Polina fragte ohne ihn anzublicken:

»Und ich?«

»Ich weiß nicht, was du willst«, antwortete Jakow, müde gähnend.

»Nein, du weißt es«, begann die Frau, seine Worte auffangend und den Kopf schüttelnd, mit brüchiger Stimme. Nachdem Jakow ein paar Minuten lang ihre an kratzende Krallen erinnernden Worte angehört hatte, setzte er sich, warf die Zigarette auf die Erde, zog die Schuhe an und sagte seufzend:

»Ich kann deine Gewohnheit, immer die gute Stimmung zu verderben, nicht verstehen! Du weißt ja: Ich kann nicht heiraten, solange der Vater lebt ...«

Jetzt überschüttete Polina ihn, wie immer, mit beleidigenden Worten:

»Natürlich, dir kommt es nur auf die gute Stimmung an, du Spinne! Ich weiß: Du bist imstande, mich, um der guten Stimmung willen, irgendeinem Tataren oder einem Trödler zu verkaufen. Jawohl. Du bist ein ehrloser Mensch ...«

Jakow mochte es vor allem nicht, wenn sie ihn Spinne nannte; in zärtlichen Augenblicken hatte sie für ihn eine andere drollige Benennung – »mein Salziger«. Und ihm schien, sie könnte doch wenigstens heute auf einen Streit verzichten: Er hatte ihr zwei Stunden zuvor hundert Rubel geschenkt.

»Wenn du auch schreist! Damit erreichst du gar nichts!«, warnte er sie ruhig, setzte den Hut auf und streckte ihr die Hand hin. »Auf Wiedersehen!«

»Du Schwein! Da hast du wieder Zigarettenstummel auf den Fußboden geworfen ...«

Auf der Straße raste ein feuchter Wind, Wolkenschatten krochen über die Erde, als wollten sie die Pfützen aufwischen, der Mond blickte für einen Augenblick hervor und ließ die mit dünnem Eis überzogenen Wasserlachen wie Messing erglänzen. In diesem Jahr wollte der Winter eigensinnig dem Frühling nicht weichen; noch gestern war dichter Schnee gefallen.

Jakow Artamonow hatte die Hände in die Taschen gesteckt, hielt den schweren Stock unter der Achsel, ging ohne Eile und dachte daran, wie unbegreiflich und seltsam dumm die Menschen wären. Was fehlte dem lieben Närrchen, der Polina, noch? Sie lebte ruhig, hatte keinerlei Sorgen, erhielt eine Menge Geschenke, kleidete sich schön, verbrauchte an die hundert Rubel im Monat; und überdies wusste und fühlte Jakow, dass er ihr gefiel. Nun, was fehlte ihr noch? Warum wollte sie durchaus heiraten?

»Dumm wie eine Maus in einem Glas Eingemachtem«, schloss er mit seinem Lieblingsspruch, den er sich selbst ausgedacht hatte. Das Leben schien ihm einfach zu sein und von dem Menschen nichts als das zu verlangen, was er ohnehin schon besaß. Im Grunde war es ja klar: Alle Menschen strebten ein und dasselbe an: völlige Ruhe; das Getriebe des Tages war nur die wenig angenehme Einleitung zur Stille der Nacht, zu jenen Stunden, die man unter vier Augen mit einer Frau verbrachte, um, von ihren Liebkosungen ermüdet, ohne Träume zu schlafen. Darin war alles wirklich Wichtige und Echte enthalten. Die Menschen waren aber schon deshalb dumm, weil sie sich fast alle, im Geheimen oder offen, für klüger als ihn hielten; sie erfanden sehr viel Überflüssiges; sie taten das möglicherweise aufgrund irgendeiner Blindheit, jeder wollte von allen anderen abstechen, da er sich sonst unter den Menschen zu verlieren und sich nicht mehr zu sehen fürchtete.

Ilja war dumm, da er sich noch im Gymnasium durch Bücher verwirren ließ und sich jetzt irgendwo unter den Sozialisten herumtrieb. Jakow hatte durch ihn viele Kränkungen erduldet und musste vor Kurzem Ilja irgendwohin nach Sibirien Geld schicken. Die Mutter war in einer unerträglichen, wenn auch drolligen Weise dumm; noch unerträglicher und bedrückender war die Dummheit des düsteren Vaters, des alten Bären, der nicht mit den Menschen zu leben verstand und betrunken und schmutzig war. Der geschäftig herumhüpfende Onkel Alexej war komisch; er wollte gern in die Reichsduma gewählt werden, und er stürzte sich deshalb gierig auf die Zeitungen, behandelte alle in der Stadt mit einer falschen Freundlichkeit und kokettierte wie ein altes, liederliches Weib mit den Fabrikarbeitern. In einer besonderen, deprimierenden und furchtbaren Art war aber der großnasige Specht, Miron, dumm, er hielt sich für den ausgezeichnetsten und klügsten Kopf Russlands, schien in sich einen künftigen Minister zu sehen und verbarg schon jetzt nicht, dass nur er sich darüber klar wäre, was man tun müsste und wie alle Menschen zu denken hätten. Auch er war bemüht, die Gunst der Arbeiter zu gewinnen, arrangierte für sie verschiedene Unterhaltungen, gründete einen Fußballklub und richtete eine Bibliothek ein; er wollte den Wolf mit Rüben füttern.

Die Arbeiter webten ausgezeichnetes Leinen, kleideten sich aber selbst in Lumpen, wohnten im Schmutz und betranken sich; sie standen sämtlich im Banne einer besonderen, frechen, unverhüllten Dummheit, der völlig jene einfältige, rein wirtschaftliche Schlauheit mangelte, die jeder Bauer besitzt. An die Arbeiter musste Jakow Artamonow mehr als an alles andere denken, weil er mit ihnen täglich in Berührung kam; sie hatten ihm längst, noch in der Jugend, ein feindseliges Gefühl eingeflößt, – er hatte damals einige schroffe Zusammenstöße mit jungen Webern wegen der Mädchen gehabt, und manche unter seinen Nebenbuhlern schienen die alte Kränkung bis zum heutigen Tage nicht vergessen zu haben. Als er noch bartlos war, hatte man ihn des Nachts zweimal mit Steinen beworfen. Die Mutter musste sich damals mehr als einmal mit Geld vom Skandal und Weibergekreisch loskaufen, dabei redete sie ihm auf komische Weise zu:

»Warum treibst du es wie ein Hahn? Du solltest warten, bis du heiratest. Oder such dir eine aus und lebe mit ihr! Man wird sich beim Vater über dich beklagen und er wird dich wie Ilja fortjagen ...«

Während der zwei, drei unruhigen Jahre hatte Jakow im Werk nichts besonders Gefährliches bemerkt; aber Mirons Reden, Onkel Alexejs besorgte Seufzer, die Zeitungen, die Jakow nur ungerne las, die aber mit aufdringlicher Bereitwilligkeit und unverhohlener, schadenfroher Drohung von der Arbeiterbewegung erzählten und die Reden der Arbeitervertreter in der Duma abdruckten, – das alles flößte Jakow ein feindseliges Gefühl gegen die Fabrikleute ein und rief das kränkende Bewusstsein der Abhängigkeit von ihnen hervor. Ihm schien, er hätte es schon gelernt, dieses Gefühl kunstvoll unter einer gewissen Nachgiebigkeit in Bezug auf ihre Forderungen, unter Lächeln und Scherz zu verbergen. Aber im Allgemeinen ging alles nicht schlecht, obwohl ihn manchmal eine plötzliche Verlegenheit umfing und beengte, als wäre er, Jakow Artamonow, der Prinzipal, bei den Menschen zu Gaste, die für ihn arbeiteten, als lebte er schon lange so, und als wären sie schon seiner überdrüssig; sie sähen ihn mit einem gelangweilten Schweigen so an, als wollten sie sagen:

»Warum gehst du denn nicht? Es ist Zeit!«

In den Stunden, da er das empfand, stieg in ihm eine dunkle Ahnung auf, im Werk glimme und rauche etwas heimlich und unsichtbar, das gerade für ihn persönlich sehr gefährlich wäre.

Jakow war davon überzeugt, dass der Mensch etwas Einfaches wäre, dass er das Einfache am liebsten hätte, und dass er von selbst keinerlei unruhige Gedanken erfinde und in sich trage. Diese umnebelnden Gedanken leben irgendwo außerhalb des Menschen und, durch sie verseucht, wird er auf besorgniserregende Weise unverständlich. Es ist besser, diese vergiftenden Gedanken gar nicht zu kennen und sie nicht anzufachen. Jakow fühlte das Vorhandensein dieser feindlichen Gedanken außerhalb seiner Person und sah, dass sie, ohne die festen Knoten der allgemeinen Dummheit zu lockern, all das Einfache und Klare verwirrten, woraus er mit Vorliebe sein Leben zusammensetzte.

Klüger als alle Menschen, die er kannte, erschien ihm der alte Tichon Wialow; Jakow beobachtete dessen ruhiges Verhalten den Menschen gegenüber, seine wie aus Gnade geleistete Arbeit und beneidete ihn. Tichon schlief sogar auf eine kluge Weise: Er presste das Ohr an die Kissen, an die Erde, als lauschte er auf irgendetwas.

Er fragte den Alten:

»Träumst du?«

»Warum denn? Ich bin kein Frauenzimmer«, sagte Tichon, und Jakow fühlte hinter seinen Worten etwas Festes, Durchgegorenes und unerschütterlich Starkes.

»Weiberträume«, dachte Jakow Artamonow, den Debatten und Reden in Onkel Alexejs Hause lauschend und innerlich lächelnd.

Im Allgemeinen fiel ihm aber das Denken schwer, und wenn er nachsann, bewegte er sich mit Mühe, als trage er eine große Last, er senkte dabei den Kopf und blickte sich vor die Füße. So ging er auch in jener Nacht, als er von Polina zurückkehrte; deshalb hatte er nicht gemerkt, woher vor ihm eine untersetzte, graue Gestalt auftauchte, die nun weit mit dem Arm ausholte. Jakow ließ sich rasch auf das Knie sinken, zog sofort den Revolver aus der Manteltasche, hielt ihn gegen den Fuß des Angreifers und schoss; es ertönte ein dumpfer und schwacher Knall, der Mann prallte zurück, stieß mit der Schulter gegen einen Zaun, stöhnte und glitt auf die Erde.

Erst nachdem das geschehen war, fühlte Jakow, dass er bis auf den Tod erschrocken war, und zwar in dem Maße, dass er beim besten Willen nicht schreien konnte; seine Hände zitterten und die Beine gehorchten nicht, als er sich von den Knien erheben wollte. Zwei Schritte von ihm entfernt rutschte auf der Erde, in dem Bestreben, ebenfalls aufzustehen, jener Mann ohne Mütze, mit kraushaarigem Kopf, herum.

»Ich schieß' dich tot, du Aas«, sagte Jakow heiser und streckte die Hand mit dem Revolver vor. Der Mann wandte ihm das breite Gesicht zu und murmelte:

»Sie haben mich schon erschossen ...«

Jetzt erkannte Jakow ihn und murmelte erstaunt:

»Noskow? Ach, du Schuft! Du?«

Jakows Furcht wich schnell einem sich der Freude näherndem Gefühl, das nicht nur durch das Bewusstsein des glücklich abgewendeten Überfalls, sondern auch durch den Umstand hervorgerufen wurde, dass der Angreifer sich nicht als ein Fabrikarbeiter, wie Jakow vermutet hatte, sondern als ein Fremder entpuppte. Es war Noskow, ein Jäger und Harmonikaspieler, der auf Hochzeiten musizierte, ein einsamer Mensch. Er wohnte bei der Diakonsfrau Paraklitowa, und bis zu dieser Nacht hatte man in der Stadt über ihn nichts Schlechtes gehört.

»Damit befasst du dich also?«, sagte Jakow, richtete sich auf und blickte um sich; es war still, nur der Wind schüttelte die Baumzweige über dem Zaun.

»Ja, womit befasse ich mich denn?«, fragte Noskow plötzlich laut. »Ich wollte nur einen Spaß machen und Sie erschrecken, sonst nichts. Und Sie haben gleich losgeknallt. Passen Sie auf, man wird Sie dafür nicht beloben. Ich bin selbst erschrocken ...«

»Ach so«, sagte Jakow spöttisch im Tone eines Siegers. »Nun steh auf, komm mit auf die Polizei.«

»Ich kann nicht gehen, Sie haben mich schwer verletzt.« Noskow hob die Mütze auf, sah hinein und fügte hinzu:

»Ich fürchte mich aber nicht vor der Polizei.«

»Nun, das werden wir dort sehen. Steh auf!«

»Ich fürchte mich nicht«, wiederholte Noskow. »Wodurch wollen Sie beweisen, dass ich Sie überfallen habe und nicht Sie mich – vor lauter Angst? Das ist das Eine!«

»So? Und das Zweite?«, fragte Jakow lächelnd, aber durch Noskows Ruhe etwas verblüfft.

»Es gibt auch ein Zweites. Ich bin für Sie ein nützlicher Mensch.«

»Das ist ein Märchen oder aus einem Märchen!«

Jakow richtete den Revolver auf das Gesicht des Harmonikaspielers und drohte mit plötzlicher Wut:

»Ich schlage dir den Schädel ein!«

Noskow hob die Augen, senkte sie wieder auf die Mütze und sagte eindringlich:

»Fangen Sie keinen Skandal an. Sie können nichts beweisen, wenn Sie auch reich sind. Ich sage: Ich wollte nur einen Spaß machen. Ich kenne Ihren Papa, ich habe ihm oft auf der Harmonika vorgespielt.«

Er warf sich mit einer plötzlichen Bewegung die Mütze auf den Kopf, bückte sich und streifte, durch die Zähne stöhnend, die Hose hoch, dann zog er aus der Tasche das Taschentuch hervor und begann sich das über dem Knie verwundete Bein zu verbinden. Er murmelte ununterbrochen etwas Unverständliches. Jakow hörte aber nicht auf seine

Worte, da ihn das seltsame Betragen des verunglückten Plünderers wieder entmutigte.

Jakow Artamonow überlegte mit einer für ihn ungewöhnlichen Schnelligkeit: Er musste Noskow natürlich hier am Zaun liegen lassen und in die Stadt gehen, um den Nachtwächter zu holen, der den Verwundeten bewachen sollte, während er auf die Polizei ging und den Überfall zur Anzeige brachte. Dann würde die Untersuchung beginnen, Noskow würde von den Gelagen des Vaters bei der Diakonsfrau erzählen. Vielleicht hatte er Freunde, die ebensolche Halsabschneider waren, sie würden ihn möglicherweise zu rächen versuchen. Man konnte diesen Menschen aber doch nicht ohne Strafe lassen.

Die Nacht wurde immer frostiger; die Hand, die den Revolver hielt, schmerzte vor Kälte; bis zur Polizeiwache war es weit, dort schliefen natürlich alle. Jakow schnaufte zornig, da er nicht wusste, wozu er sich entschließen sollte, und bedauerte, dass er diesen stämmigen Burschen nicht gleich erschossen hatte, der so krumme Beine hatte, als ob er sein ganzes Leben rittlings auf einem Fass verbracht hätte. Und plötzlich vernahm er so unerwartete Worte, dass sie ihn verblüfften:

»Ich will es Ihnen geradeheraus sagen, obwohl es ein Geheimnis ist«, sprach Noskow, noch immer mit seinem Bein beschäftigt. »Ich lebe hier zu Ihrem Nutzen, um Ihre Arbeiter zu überwachen. Es war nur eine Ausrede, dass ich Sie erschrecken wollte, – in Wirklichkeit wollte ich jemanden festnehmen und habe mich eben geirrt ...«

»Zum Teufel!«, sagte Jakow. »Was soll das?«

»Ja, es ist so ... Sie wissen es nicht, – bei der Diakonsfrau im Badehaus versammeln sich Sozialisten, sie sprechen wieder von einem Aufstand und lesen Bücher ...«

»Du lügst«, sagte Jakow leise, glaubte ihm aber. »Und wer ist es denn? Wer versammelt sich?«

»Das kann ich nicht sagen. Wenn sie verhaftet sind, erfahren Sie es.«

Noskow erhob sich, indem er sich an den Zaunlatten festhielt und bat:

»Geben Sie mir meinen Stock, sonst komme ich nicht weit ...«

Jakow bückte sich, hob den Stock auf, reichte ihn Noskow und fragte leise und um sich blickend:

»Wie war das also? Warum haben Sie mich überfallen?«

»Ich habe Sie nicht überfallen. Ich habe mich in der Person geirrt. Ich suchte einen andern und nicht Sie. Lassen Sie das alles. Es war ein

Irrtum. Sie werden bald sehen, dass ich die Wahrheit sage. Sie müssen mir für das Auskurieren meines Beines Geld geben. Das wollte ich Ihnen noch sagen ...« Sich am Zaun festhaltend und sich auf den Stock stützend, begann Noskow die krummen Beine zu bewegen, er entfernte sich von den Gemüsegärten in der Richtung der dunklen Vorstadthäuschen und schien im Gehen die kalten Wolkenschatten auseinander zu jagen, Als er aber etwa zehn Schritte gemacht hatte, rief er halblaut:

»Jakow Petrowitsch!«

Jakow näherte sich ihm sehr rasch, Noskow sagte:

»Erwähnen Sie diesen Vorfall mit keinem Wort vor irgendwem! Sonst ... Sie verstehen mich.«

Er ging, den Stock schwingend, weiter und ließ Jakow in einem Zustand von Stumpfsinn zurück. Jakow musste an vieles zugleich denken und sofort darüber klar werden, ob er so gehandelt hatte, wie es sich gehörte. Gewiss war Noskow ein nützlicher und sogar notwendiger Mensch, wenn er sich mit der Überwachung von Sozialisten befasste, – wie aber, wenn er gelogen und betrogen hatte, nur um Zeit zu gewinnen und sich dann später für den Misserfolg und den Schuss zu rächen? Es war Lüge, dass er sich geirrt hatte oder erschrecken wollte; es war klar, dass er log. Vielleicht war er aber von den Arbeitern bestochen, um ihn zu ermorden? Unter den Webern des Werks gab es einen großen Kreis von Skandalmachern und Raufbolden; es fiel aber schwer, sich in ihrer Mitte Sozialisten vorzustellen. Die solideren Arbeiter, wie Sedow, Krikunow, Maslow und andere hatten selbst erst vor Kurzem verlangt, das Kontor sollte einen der ärgsten Randalierer entlassen. Nein, Noskow hatte ihn bestimmt betrogen. War es nötig, dass er die Sache Miron erzählte?

Jakow konnte sich nicht recht vorstellen, was sich abspielen würde, wenn er zu Miron von Noskow sprechen würde; der Vetter würde ihn aber, wie ein Richter, genau verhören, würde ihn beschuldigen und bestimmt in der einen oder anderen Weise verspotten. Wenn Noskow ein Spion sein sollte, würde Miron das wahrscheinlich wissen. Und dann war es ja doch noch nicht ganz aufgeklärt, wer sich geirrt hatte, – Noskow oder Jakow? Noskow hatte gesagt: »Sie werden bald sehen, dass ich die Wahrheit spreche.« Jakow blickte dem Jäger so lange nach, bis er in den nächtlichen Schatten verschwunden war. Alles erschien ja ganz einfach und verständlich: Noskow hatte ihn überfallen in der zweifellosen Absicht, ihn zu berauben; Jakow hatte auf Noskow geschossen; dann aber begann etwas Banges und Verworrenes, das an einen bösen Traum erinnerte. Noskow geht auf eine seltsame Weise am Zaun entlang, und auch die Schatten kriechen als ungewöhnlich dichte Klumpen hinter ihm her; Jakow sah zum ersten Mal, dass Schatten sich so schwer hinter einem Menschen hinschleppten.

Vom Grübeln zerquält und ermüdet beschloss Jakow Artamonow, zu schweigen und abzuwarten. Die Gedanken an Noskow verließen ihn nicht, er zog die Stirne kraus, fühlte sich krank, und wenn die Arbeiter um die Mittagszeit die Fabrikgebäude verließen, stand er am Kontorfenster, betrachtete sie und versuchte zu erraten, wer von ihnen Sozialist sein könnte. Wäre es denn möglich, dass der schwarze, lahme Heizer Waska, der beim Schreiner Serafim geschickt das Dichten von Spottversen gelernt hatte, einer wäre?

Als Jakow Artamonow nach einigen Tagen sein vom Stehen steif gewordenes Pferd einfahren wollte, erblickte er am Waldessaum den Gendarmen Nesterenko in einem schwedischen Rock, in hohen Stiefeln, mit einem Gewehr in der Hand und einer mit Vogelwild vollgestopften Jagdtasche an der Seite. Nesterenko stand mit dem Gesicht zum Walde und mit dem Rücken zur Straße und rauchte sich mit gesenktem Kopf und erhobenen Händen eine Zigarette an; sein fuchsroter, lederner Rücken wurde von der Sonne beleuchtet und schien aus Eisen zu sein. Jakow war mit sich sogleich darüber einig, was er zu tun hätte, ritt auf ihn zu und grüßte eilig:

»Ich wusste gar nicht, dass Sie hier sind!«

»Schon seit drei Tagen; meiner Frau geht es immer schlechter, Väterchen. Jawohl!«

Nesterenko teilte diese traurige Nachricht sehr lebhaft mit, klopfte dann gleich mit der Hand auf die Jagdtasche und fügte hinzu:

»Was ich da alles habe! Nicht übel, wie?«

»Kennen Sie den Jäger Noskow?«, fragte Jakow halblaut. Die rötlichen Brauen des Gendarmen krochen erstaunt nach oben, sein chinesischer Schnurrbart bewegte sich, er hielt die eine Spitze fest und kniff, mit einem Blick auf den Himmel, die Augen zu; das alles rief in Jakow die Erwartung hervor: Er wird mir etwas vorlügen!

»Nos ... Wie? Noskow? Wer ist das?«

»Ein Jäger. Mit krausem Haar und krummen Beinen ...«

»So? Ich glaube so einen im Walde gesehen zu haben. Er hat ein armseliges Gewehr ... Was ist mit ihm los?«

Jetzt sah der Gendarm mit einem scharfen, fragenden Blick der grauen Augen, deren Pupillenmittelpunkt einen hellen Funken hatte, Jakow ins Gesicht. Jakow erzählte ihm rasch von Noskow. Nesterenko hörte ihm zu, indem er auf die Erde blickte und mit dem Gewehrkolben einen Tannenzapfen hineinhämmerte. Als er alles wusste, fragte er, ohne die Augen zu heben:

»Warum haben Sie bei der Polizei keine Anzeige gemacht? Das ist *Ihre* Sache, Väterchen, und das ist Ihre *Pflicht.*«

»Ich sage doch aber: Er scheint hinter den Arbeitern zu spionieren und das ist *Ihre* Sache.«

»So«, sagte der Gendarm und verlöschte die Zigarette am Gewehrlauf. Dann heftete er die zusammengekniffenen Augen wieder starr auf Jakows Gesicht und begann mit Nachdruck von etwas nicht ganz Verständlichem zu sprechen. Es ergab sich, dass Jakow ungesetzlich gehandelt hatte, da er den Raubversuch vor der Polizei verheimlichte, dass es jetzt aber schon zu spät war, eine diesbezügliche Anzeige zu machen.

»Wenn Sie ihn damals gleich auf die Polizeiwache geschleppt hätten, hätte sich die Sache aufgeklärt. Und vielleicht nicht einmal ganz. Wie wollen Sie aber jetzt beweisen, dass er Sie überfallen hat? Weil er verwundet ist? Ach! Man kann auch vor Schreck auf einen Menschen schießen. Aus Zufall oder aus Unvorsichtigkeit ...«

Jakow fühlte, dass Nesterenko listig und konfus sprach, ihn sogar einzuschüchtern versuchte und ihn oder sich selbst aus dieser Affäre herausziehen wollte; als der Offizier die Möglichkeit eines Schreckschusses erwähnte, festigte sich Jakows Verdacht:

»Er lügt.«

»Jawohl, Väterchen. Dieser Kerl wird es natürlich büßen, dass er sich für einen Beobachter ausgibt. Wir werden ihn über das, was er weiß, verhören.« Dann legte der Offizier die Hand auf Jakows Schulter und sagte:

»Noch etwas: Geben Sie mir Ihr Ehrenwort, dass das alles unter uns bleibt. Das ist in Ihrem Interesse, verstehen Sie? Also: Ihr Ehrenwort?«

»Gewiss. Bitte sehr.«

»Sie werden weder mit Ihrem Onkel, noch mit Miron Alexejewitsch darüber sprechen. Haben Sie ihnen tatsächlich noch nichts gesagt? Nun gut. Überlassen wir diese Angelegenheit ihrer eigenen inneren Logik. Und kein Wort darüber zu irgendwem! Nicht wahr? Der Jäger hat sich selbst verwundet, Sie haben damit nichts zu schaffen.«

Jakow lächelte: Zu ihm sprach nun ein anderer Mensch, der lustig und gutmütig war.

»Auf Wiedersehen!«, sagte er. »Vergessen Sie nicht: Ihr Ehrenwort!«

Jakow Artamonow kehrte etwas beruhigt nach Hause zurück. Des Abends schlug der Onkel ihm vor, er sollte in die Gouvernementsstadt fahren; er tat es mit Vergnügen, als er aber nach acht Tagen heimkehrte und beim Onkel am Mittagstisch saß, hörte er mit neuer Besorgnis Mirons Worten zu:

»Nesterenko ist nicht so nichtsnutzig, wie ich glaubte; er hat in der Stadt drei Personen gefasst: den Lehrer Modestow und noch irgendwen.«

»Und bei uns?«, fragte Jakow.

»Bei uns: Sedow, Krikunow, Abramow und fünf jüngere Leute. Es sind zwei Gendarmen aus der Gouvernementsstadt bei der Verhaftung erschienen, aber sie ist natürlich Nesterenkos Werk; auf diese Weise ist die Krankheit seiner Frau für uns von sichtlichem Nutzen. Ja, er ist nicht dumm. Er fürchtet, dass man ihn kalt macht ...«

»Jetzt wird nicht mehr gemordet«, bemerkte Alexej.

»Na«, sagte Miron. »Ja! In der Stadt wurde noch dieser Jäger verhaftet ...«

»Noskow?«, fragte Jakow leise und erschrocken.

»Ich weiß nicht. Er hat bei der Diakonsfrau gewohnt, und in ihrem Badehaus haben diese Revolutionäre ihre Kongresse abgehalten. In ihrem Hause und mit ihr hat sich aber auch, wie dir bekannt sein dürfte, dein Vater belustigt. Ein hässliches Zusammentreffen ...«

»Ja«, sagte Alexej, seinen kahlen Kopf schüttelnd. »Was soll man mit ihm anfangen?«

Jakow wurde es schwarz vor den Augen, und er war nicht mehr imstande, dem Gespräch zwischen dem Onkel und dem Vetter zu folgen. Er dachte: Noskow ist verhaftet; es ist klar, dass auch er ein Sozialist und kein Räuber ist, und dass er von den Arbeitern beauftragt wurde, den Prinzipal zu ermorden oder zu verprügeln; und zwar waren es diejenigen Arbeiter, die Jakow für die gesetztesten und ruhigsten gehalten hatte! Der stets sauber gekleidete und nicht mehr junge Sedow; der höfliche und lustige Schlosser Krikunow; der angenehme Sänger und für alles verwendbare Arbeiter Abramow. Konnte man denn annehmen, dass auch diese Menschen seine Feinde waren?

Es kam ihm so vor, als wäre es im Laufe dieser Tage im Hause des Onkels noch geräuschvoller und unruhiger geworden. Der Arzt Jakowlew, mit den goldenen Zähnen, der über nichts und über niemanden jemals ein gutes Wort sagte und alles aus der Ferne, lächelnd und mit den Augen eines Fremden, betrachtete, trat noch mehr in den Vordergrund und raschelte drohend mit den Zeitungen.

»Ja«, sagte er, mit den Zähnen funkelnd, »wir rühren uns, wir erwachen! Die Menschen erinnern an faul gewordene Dienstboten, die von der plötzlichen, von ihnen nicht erwarteten Rückkehr des Herrn erfahren, ihre Entlassung fürchten und, von Angst getrieben, fegen, putzen und das verwahrloste Haus in Ordnung bringen wollen.«

»Sie sprechen zweideutig, Doktor«, bemerkte Miron mit einer Grimasse. »Das ist Ihr Anarchismus und Ihre Skepsis.«

Aber der Arzt sprach immer lauter, seine Reden wurden länger und seine Worte flößten Jakow Bangigkeit ein. Es schien, als ob überhaupt alle sich vor etwas fürchteten, einander mit Unheil bedrohten, sich gegenseitig ihre Angst anfachten; es war auch anzunehmen, dass die Leute sich gerade davor fürchteten, was sie selbst taten, vor ihren eigenen Gedanken und Worten. Jakow erblickte darin das Anwachsen der allgemeinen Dummheit, er selbst aber lebte nicht in einer eingebildeten, sondern in einer rein körperlichen Angst; er fühlte mit der ganzen Haut eine ihm um den Hals gelegte Schlinge, die unsichtbar war, aber immer enger wurde und ihn einem großen und unabwendbaren Unheil entgegenführte.

Seine Angst stieg noch mehr nach zwei Monaten, als in der Stadt Noskow und in der Fabrik der glatt rasierte, gelbe, magere Abramow erschienen.

»Werden Sie mich alten Mann wieder aufnehmen?«, fragte er lächelnd. Jakow wagte nicht, ihn abzuweisen.

»War es im Gefängnis schwer auszuhalten?«, fragte er. Abramow antwortete mit dem gleichen Lächeln:

»Es ist dort sehr eng! Wenn der Typhus der Obrigkeit nicht helfen würde, ich weiß nicht, wo sie die Leute dann einsperren sollte!«

»Ja«, dachte Jakow, nachdem er den Weber abgefertigt hatte, »du lächelst, ich weiß aber, was du denkst ...«

An demselben Abend machte Miron ihm wegen Abramow eine beleidigende Szene, schrie ihn beinahe an und stampfte sogar mit dem Fuß auf, als hätte er es mit einem Dienstboten zu tun.

»Bist du verrückt?«, schrie er, und seine Nase rötete sich vor Zorn. »Entlasse ihn noch morgen ...«

Als er nach einigen Tagen in der Oka badete, traf er dort den Leutnant Mawrin und Nesterenko; sie saßen in einem Boot, das mit einer Menge von Angeln wie mit einem Bart bespickt war; der kaltblütige Leutnant begrüßte Jakow schweigend mit einem nachlässigen Kopfnicken und ruderte sogleich weiter, in die Mitte des Flusses, während Nesterenko sich auskleidete und leise sagte:

»Es war nicht recht, dass Sie Abramow nicht wieder aufgenommen haben, ich bedauere sehr, dass ich Sie nicht warnen konnte.«

»Das war Miron«, murmelte Jakow Artamonow und stellte fest, dass der Offizier beim Sprechen sehr nach Alkohol roch.

»So?«, fragte Nesterenko. »Hing das nicht von Ihnen ab?«

»Nein.«

»Schade. Dieser Kerl wäre nützlich. Als Lockspeise. Als Köder.«

Der nackte, von der Sonne vergoldete Offizier, dessen Haut wie Karpfenschuppen glänzte, blickte Jakow mit den Augen eines Komplizen an und fragte weiter:

»Und haben Sie Ihren Freund gesehen – den Jäger?« Nesterenko lachte leise und selbstzufrieden.

»Wissen Sie, was ihn veranlasst hat, Ihnen nachzustellen? Er wollte sich ein Gewehr kaufen, eines mit zwei Läufen. Das macht alles die Leidenschaft, Väterchen. Die Menschen lassen sich von den Leidenschaften leiten, jawohl! Der Jäger wird jetzt sehr nützlich sein, da ich ihn, dank seinem Irrtum in Bezug auf Ihre Person, fest an der Kehle halte ...«

»Welcher Irrtum? Da Sie doch sagen ...«

»Ein Irrtum, mein Herr, ein Irrtum!«, wiederholte der Offizier beharrlich, spritzte im Wasser herum, bekreuzte sich die nackte Brust und schritt wie ein Pferd in den Fluss.

»Der Teufel soll euch alle holen«, dachte Jakow bekümmert.

Plötzlich war es, als fiele eine ins Zimmer führende Tür zu; dorthin, wo so viel Lärm war, kam der Tod.

Mitten in der Nacht wurde Jakow von der schluchzenden Mutter geweckt.

»Steh schnell auf, Tichon ist da, – Onkel Alexej ist gestorben!«

Jakow sprang auf und murmelte:

»Wieso denn! Er war doch gar nicht krank ...«

Der Vater schob sich wankend und schwer atmend zur Tür herein.

»Tichon«, brummte er. »Wo Tichon ist, dort ist nichts Gutes zu erwarten! Na, Jakow, was sagst du? So plötzlich ...«

Er war barfuß und hatte sich über das Nachthemd den Schlafrock umgeworfen; er zupfte sich am Ohr, blickte um sich, als wäre er an einen unbekannten Ort geraten und stöhnte:

»Uch ...«

»Ja, wie ist denn das?«, fragte Jakow verständnislos.

»Ohne Beichte«, sagte die Mutter, die an einen ungeheuren Mehlsack erinnerte.

Man fuhr in der Kalesche hin; Jakow saß auf dem Kutschbock und sah zu, wie Tichon vor ihm auf dem Pferd herumsprang, und wie sein Schatten sich neben ihm über die Straße breitete und tanzte, als wollte er sich in die Erde vergraben.

Olga kam ihnen auf dem Hof entgegen, sie schritt in einem weißen Rock und einer Nachtjacke vom Stall zum Tor und zurück, sie erschien im Mondlicht bläulich und durchsichtig, und es war seltsam zu sehen, wie ihre Gestalt auf die kahlen Kieselsteine des Hofes einen tiefen Schatten warf.

»Nun ist mein Leben zu Ende«, sagte sie leise. Der schwarze Hund Kutschum ließ sich nicht abhalten, ihr zu folgen.

Miron saß gebückt auf der Bank vor dem Küchenfenster; er hielt in der einen Hand eine brennende Zigarette und ließ in der andern seine Brille baumeln, die Gläser blinkten, und die dünnen Goldbügel funkelten in der Luft; ohne Brille erschien Mirons Nase noch größer. Jakow setzte sich schweigend neben ihn, während der Vater mitten auf dem Hof stehen blieb und wie ein Bettler, der auf Almosen wartet, durchs offene Fenster sah. Olga blickte auf den Himmel und erzählte Natalia mit erhobener Stimme:

»Ich habe nicht bemerkt, wann ... Plötzlich wurde seine Schulter kalt wie der Tod, der Mund öffnete sich. Der Teure hatte keine Zeit, mir sein letztes Wort zu sagen. Er hat gestern über Herzstiche geklagt.« Olga erzählte leise, und auch ihre Worte schienen Schatten zu werfen.

Miron schleuderte die erloschene Zigarette fort, stieß Jakow mit dem Kopf an die Schulter und heulte leise:

»Oh – du weißt nicht, wie gut er war ...«

»Was ist da zu machen?«, antwortete Jakow, der keine anderen Worte fand. Er musste auch der Tante irgendetwas sagen, – was konnte er aber sagen? Er schwieg, blickte zur Erde und scharrte mit dem Fuß.

Der Vater räusperte sich und ging vorsichtig ins Haus, ihm folgte Jakow auf den Fußspitzen. Der Onkel lag da, mit einem Laken zugedeckt;

auf seinem Kopf standen die Hörner des zusammengeknoteten Tuches in die Höhe, mit dem die Kiefer festgebunden waren, die großen Zehen hatten das Laken so straff gespannt, als versuchten sie es zu durchbohren. Der Mond, dessen eine Seite weggeschmolzen zu sein schien, sah hell zum Fenster herein. Der Mullvorhang bewegte sich; auf dem Hof heulte Kutschum, und Pjotr Artamonow schien ihm zu antworten, indem er übertrieben laut und sich schwungvoll bekreuzend sagte:

»Er lebte leicht und starb leicht ...«

Jakow sah durchs Fenster, dass jetzt Wera Popowa, ganz schwarz, wie eine Nonne gekleidet, auf dem Hof neben der Tante einherschritt, während Olga wieder mit erhobener Stimme erzählte:

»Er ist im Schlaf verschieden ...«

»Mach keinen Unsinn!«, rief Wialow leise aus. Er rieb das Pferd mit Heubüscheln ab und schüttelte den Kopf, um das Tier daran zu hindern, ihn mit den Lefzen beim Ohr zu packen. Auch Pjotr Artamonow sah aus dem Fenster und brummte:

»Der Dummkopf schreit; er versteht nichts ...«

»Man braucht nichts zu sagen«, dachte Jakow auf den Stufen des Hauseingangs stehend und begann zu verfolgen, wie die Schatten der schwarzen und der weißen Frau den Staub von den Steinen fortzuwischen schienen; die Steine wurden immer heller. Die Mutter flüsterte mit Tichon, der zustimmend mit dem Kopf nickte, auch das Pferd stimmte zu: In seinem Auge leuchtete ein messingfarbener Fleck. Der Vater kam aus dem Hause, die Mutter sagte zu ihm:

»Man sollte Nikita Iljitsch ein Telegramm schicken, Tichon weiß, wo er ist.«

»Tichon weiß es!«, wiederholte der Vater zornig. »Besorge es, Miron ...«

Miron erhob sich, streifte im Gehen mit der Schulter die Tür und fuhr mit der Handfläche über den Türpfosten.

»Benachrichtige auch Ilja«, rief Pjotr Artamonow ihm noch nach; Miron antwortete aus dem dunklen Loch in der Wand.

»Ilja kann nicht kommen.«

»Ich habe ja dreißig Jahre mit ihm gelebt«, erzählte Olga und schien selbst über ihre Worte zu staunen. »Wir waren schon vier Jahre lang befreundet, bevor wir heirateten. Was soll jetzt aus mir werden?«

Der Vater kam auf Jakow zu.

»Wo ist Ilja?«

»Ich weiß es nicht.«

»Du lügst wohl?«

»Es ist jetzt nicht die Zeit, um von Ilja zu sprechen, Papa.«

Doktor Jakowlew betrat eilig den Hof und fragte:

»Im Schlafzimmer?«

»Dummkopf!«, dachte Jakow. »Du wirst ihn auch nicht auferstehen lassen.«

Ihn bedrückte die Unmöglichkeit, von diesen kummervollen Stunden unberührt zu bleiben. Alles ringsum war lästig und überflüssig: die Menschen, ihre Worte, das fuchsrote, im Mondschein wie Bronze glänzende Pferd und dieser schwarze, schweigend trauernde Hund. Ihm schien, dass die Tante damit prahlte, wie gut sie mit ihrem Mann gelebt hatte. Die Mutter schluchzte zügellos und affektiert in einer Hofecke, des Vaters Augen waren erstarrt und sein Gesicht versteinert, und alles war schlimmer und bedrückender, als es sein sollte.

Am Tage der Beerdigung Onkel Alexejs, als man den Sarg ins Grab gesenkt hatte und mit den Händen gelben Sand darüber streute, erschien Onkel Nikita.

»Das fehlte noch«, dachte Jakow und betrachtete die eckige Gestalt des Mönchs, der sich an den Stamm einer von ihm selbst gepflanzten Birke lehnte.

»Du kommst zu spät«, sagte zu ihm der Vater, auf seinen Bruder zuschreitend und sich die Tränen vom Gesicht wischend; der Mönch zog wie eine Schildkröte seinen Kopf in den Buckel ein. Er sah aus wie ein Bettler; die Kutte war von der Sonne verblichen, die Kapuze hatte die Färbung eines alten Blecheimers angenommen, die Stiefel waren vertreten. Sein staubiges Gesicht war verschwollen, er blickte mit trüben Augen auf den Rücken der das Grab umstehenden Menschen und sprach mit unhörbarer Stimme etwas zum Vater, sein graues Bärtchen zitterte. Jakow sah sich finster um – Dutzende von Augen betasteten neugierig den Mönch, die Anwesenden betrachteten wohl den verkrüppelten Bruder und Onkel reicher Leute in der Erwartung eines Skandals. Jakow wusste, dass die Stadt davon überzeugt war, die Artamonows hätten den Buckligen im Kloster versteckt, um sich sein väterliches Erbteil anzueignen.

Der dicke, gutmütige Geistliche, Vater Nikolai, redete Olga mit seiner Tenorstimme zu:

»Wir wollen unsern Herrgott nicht durch Seufzen und Weinen kränken, denn es ist sein Wille ...«

Und Olga erwiderte mit erhobener Stimme:

»Ich weine und klage ja nicht.«

Ihre Hände zitterten, sie betastete mit seltsam krampfhaften Bewegungen ihren Rock in dem Bestreben, ihr tränennasses, zusammengeballtes Taschentuch in die Tasche zu stecken.

Tichon Wialow half dem Totengräber verständnisvoll das Grab zuzuschütten, vor dem Miron in erstaunlicher Haltung stand; und der bucklige Mönch sagte leise und klagend zu Natalia:

»Oh, was ist aus dir geworden? Du bist nicht wiederzuerkennen!«

Und mit dem Finger auf seinen vorderen Buckel weisend, fügte er in unpassender und überflüssiger Weise hinzu:

»Es ist dagegen unmöglich, mich nicht zu erkennen. Ist das dein Jakow? Und jener Große ist Alexejs Miron? So, so! Nun, kommt, kommt!«

Jakow blieb auf dem Kirchhof zurück. Er hatte vor einem Augenblick im Arbeiterhaufen Noskow erblickt. Der Jäger war mit dem lahmen Heizer Waska an ihm vorübergegangen und hatte dabei mit einem bösen, fragenden Blick Jakows Gesicht gestreift. Woran dachte dieser Mensch? Er konnte natürlich nicht harmlos an jemanden denken, der auf ihn geschossen und ihn beinahe getötet hatte!

Tichon kam heran, klopfte sich mit der Handfläche den Sand vom Wams ab und sagte:

»Alexej Iljitsch war ja so auf alles bedacht und doch … Auch Nikita Iljitsch ist schwach ...«

»Hier sind ...«, sagte Jakow plötzlich und verstummte.

»Was denn?«

»Die Arbeiter betrauern wohl den Onkel.«

»Ja. Wie denn sonst?«

»Hier ist ein gewisser Noskow, ein Jäger ...«, begann Jakow von Neuem. »Ich wollte dir etwas über ihn sagen.«

»Auch wenn ein Pferd umkommt, bedauert man es«, sprach Tichon sinnend. »Alexej Iljitsch hat in vollem Lauf gelebt und ist auch im Laufen verschieden. Als wäre er gegen etwas angelaufen. Und er hat mir noch einen Tag vor seinem Tode gesagt ...«

Jakow schwieg, er begriff, dass seine Worte nicht bis zu Tichon dringen würden. Er hatte beschlossen, zu Tichon über Noskow zu sprechen, weil es notwendig war, irgendjemandem von diesem Menschen zu erzählen; der Gedanke an ihn lastete auf Jakow mehr als alles, was jetzt vorging. Gestern war dieser Krummbeinige mit dem stumpfen Gesicht eines Soldaten in der Stadt hinter einer Ecke aufgetaucht und war auf ihn zugekommen; er hatte die Mütze abgenommen, in ihr Innenfutter geblickt und gesagt:

»Sie schulden mir eine Kleinigkeit. Sie haben versprochen, mir etwas für das Kurieren des Beines zu geben. Außerdem ist Ihr Onkel gestorben, und da wäre etwas für die Seelenmesse am Platze. Und ich hätte jetzt Gelegenheit, eine ausgezeichnete Harmonika zum Trost für Ihren Papa zu kaufen ...«

Jakow hatte ihn bestürzt angesehen und geschwiegen. Da hatte Noskow belehrend und hartnäckig hinzugefügt:

»Und dann bemühe ich mich ja zu Ihrem Nutzen gegen die Feinde Russlands ...«

»Wie viel?«, fragte Jakow.

Noskow antwortete nicht sogleich.

»Fünfunddreißig Rubel.«

Jakow hatte ihm das Geld gegeben und war entrüstet und erschrocken weggegangen. »Er hält mich für einen Dummkopf, – er glaubt, dass ich mich vor ihm fürchte, der Schuft! Nein, warte nur ...«

Und während Jakow jetzt langsam nach Hause schritt, dachte er nur an das eine: Wie er diesen Menschen loswerden könnte, der ihn zweifellos wie einen Ochsen der Axt ausliefern wollte.

Die geräuschvollen Stunden der Leichenfeier zogen sich endlos hin. Die Leute unterhielten sich damit, dass sie den Diakon Karzew und die Sänger das ewige Gedenken des Verstorbenen verkünden ließen. Shitejkin war derartig betrunken, dass er die Gabel schwang und unpassend wild sang:

> »Die Krieger der tapferen Taten gedachten,
> Vergangener Tage, gemeinsamer Schlachten ...«

Stepan Barski sprach laut seine Anerkennung aus, als man seinen wie ein Daunenkissen weichen Körper in den Wagen schob:

»Nun, Pjotr Iljitsch, du hast deinen Bruder wahrhaft geliebt! Diese Leichenfeier wird lange unvergessen bleiben!«

Jakow hörte, wie sein Vater, der viel getrunken hatte, düster und spöttisch antwortete:

»Du wirst bald alles vergessen, du wirst bald platzen.«

Shitejkin, Barski und noch einige angesehene Bürger waren vom Vater selbst gegen Mirons Willen eingeladen worden, was den Neffen sichtlich empörte; er brachte nur eine halbe Stunde an der Leichenfeiertafel zu, erhob sich dann und ging, wie ein Storch ausschreitend, fort. Gleich nach ihm verschwand Tante Olga unmerklich und bald darauf auch der Mönch, der die Fragereien der halb betrunkenen Leute über das Leben im Kloster wohl satt hatte. Der Vater benahm sich aber so, als wollte er alle Anwesenden beleidigen, und Jakow erwartete die ganze Zeit bis ans Ende der Leichenfeier, dass zwischen dem Vater und den Bürgern Streit ausbrechen würde.

Die Mutter war beleidigt, weil die Popowa sich um Tante Olga bemühte und fuhr schmollend nach Hause, der Vater äußerte aber aus irgendeinem Grunde den Wunsch, in Onkel Alexejs Arbeitszimmer zu übernachten. Das alles erschien Jakow sinnlos, launisch und überflüssig, und verstimmte ihn noch mehr. Nachdem er etwa zwei Stunden in vergeblicher Erwartung des Schlafes auf dem Sofa verbracht hatte, trat er in den Hof hinaus und erblickte auf der Bank unter dem Küchenfenster neben Tichon die schwarze Gestalt des Mönchs, die seltsam an irgendeine zerbrochene Maschine erinnerte. Ohne Kapuze auf dem kahlen Kopf, erschien der Mönch kleiner und breiter, und sein verschimmeltes Gesicht sah kindlich aus; er hielt in der Hand ein Glas, und auf der Bank neben ihm stand eine Flasche Kwas.

»Wer ist das?«, fragte er leise und antwortete sogleich selbst: »Das ist Jascha. Setz dich zu dem Alten, Jascha!«

Und er hob das Glas zum Mund und blickte auf die trübe Flüssigkeit. Der Mond hatte sich hinter dem Glockenturm versteckt, den er in ein silbriges, nebliges Licht hüllte und dadurch seltsam aus dem warmen Dunkel der Nacht hervorhob. Über dem Glockenturm schwebten Wolken, wie schmutzige, ungeschickt auf blauen Samt aufgesetzte Flicken. Alexejs Liebling, der großschnäuzige Hund Kutschum, ging, nachdenklich die Erde beschnuppernd, über den Hof, dann hob er plötzlich den Kopf zum Himmel und winselte leise und fragend:

»Ruhig, Kutschum!«, rief Tichon halblaut.

Der Hund kam heran, steckte den dicken Kopf in Tichons Schoß und heulte.

»Er fühlt es«, bemerkte Jakow. Man antwortete ihm nicht, er hatte aber große Lust zu sprechen, um nicht zu denken.

»Er versteht es, sage ich«, wiederholte er hartnäckig. Tichon erwiderte leise:

»Ja, wie denn sonst?«

»In Susdal hat mal der Klosterhund Diebe am Geruch erkannt«, erinnerte sich der Mönch.

»Worüber habt ihr euch unterhalten?«, fragte Jakow. Der Mönch trank seinen Kwas aus, wischte sich die Lippen mit dem Ärmel der Kutte und begann mit dem zahnlosen Mund zu sprechen, als ginge er eine Treppe hinab:

»Tichon hat bemerkt, dass die Leute wieder zu Unruhen neigen. Es sieht auch wirklich so aus! Alle sind sehr nachdenklich geworden ...«

»Sie sind von der Arbeit zerquält«, schob Tichon ein und spielte mit den Ohren des Hundes.

»Jag' den Hund weg!«, befahl Jakow. »Man bekommt Flöhe von ihm.«

Tichon nahm Kutschums Pfoten von seinen Knien herunter und stieß den Hund mit dem Fuß weg; er zog den Schwanz ein, setzte sich und bellte zweimal traurig. Die drei Menschen sahen sich an, und einer von ihnen dachte flüchtig, dass Tichon und der Mönch den verwaisten Hund vielleicht mehr betrauerten als dessen Herrn, der in der Erde vergraben lag.

»Es wird zu einem Aufruhr kommen«, sagte Jakow und blickte vorsichtig in den dunklen Hof. »Weißt du, Tichon, dass man Sedow und seine Kameraden verhaftet hat?«

»Ja, gewiss.«

Der Mönch zog aus der Kuttentasche ein Blechschächtelchen heraus, entnahm ihm eine Prise Tabak, schnupfte und teilte dem Neffen mit:

»Ich schnupfe jetzt Tabak. Das ist gut für die Augen. Ich sehe so schlecht.«

Er nieste und fuhr fort:

»Man verhaftet sogar Leute in den Dörfern ...«

»Es sind Spione aufgetaucht«, bemerkte Jakow und bemühte sich unbefangen zu sprechen.

»Man beobachtet alle.«

Tichon brummte:

»Wenn man nicht beobachtet, erfährt man nichts.«

Und Jakow bewegte unschlüssig die Zunge, duckte sich vor der nächtlichen Kühle oder vor Angst und sagte, beinahe flüsternd:

»Das gibt es auch bei uns. Über den Jäger Noskow gehen schlechte Gerüchte um … Es heißt, er hätte Sedow und alle in der Stadt angezeigt …«

»So ein Dummkopf«, antwortete Tichon nach einer Weile und streckte die Hand nach dem Hund aus, ließ sie aber sogleich auf das Knie sinken, und Jakow fühlte, dass er diese Worte vergeblich gesprochen hatte und dass sie in der Leere versanken, und er warnte aus irgendeinem Grunde Tichon:

»Sprich aber nicht über Noskow.«

»Wozu sollte ich denn darüber sprechen? Es geht mich nichts an. Wem sollte man es auch sagen? Niemand glaubt irgendwem.«

»Ja«, sagte der Mönch, »es ist wenig Glauben da: Ich habe nach dem Krieg mit verwundeten Soldaten gesprochen und ich sehe: auch der Soldat glaubt nicht an den Krieg! Überall ist Eisen, Jakow, man sieht nur Eisen und Maschinen. Die Maschine arbeitet, die Maschine singt und spricht! Diese eiserne Lebensführung verlangt andere Menschen, die auch eisern sind. Sehr viele verstehen das, ich bin schon solchen Menschen begegnet. ›Wir werden es euch Weichtieren schon zeigen!‹, sagen sie. Und manche andere fühlen sich beleidigt. Man ist es gewohnt, dass ein Mensch kommandiert, wenn aber Eisen oder sonst ein Metall das tut, ist man gekränkt. Man hat sich an die Axt, an den Hammer, an all das gewöhnt, was man in die Hand nehmen kann; hier hat aber ein Ding das Gewicht von hundert Pud und ist dabei doch wie lebendig.«

Tichon räusperte sich und lachte in einer Jakow unbekannten und von ihm noch nicht gehörten Weise, indem er sagte:

»Der Wagen läuft vor dem Pferd. Ach, zum Teufel!«

»Und viele sind verbittert«, fuhr der Mönch sehr leise fort. »Ich bin drei Jahre lang überall herumgewandert und habe es gesehen: Ach, wie verbittert sind sie doch! Ihr Zorn ist aber nicht dorthin gerichtet, wohin es nötig wäre. Sie sind gegeneinander erbittert und doch haben alle sowohl an ihrem Verstand als an ihrer Dummheit Schuld. Das hat mir der Pope Gleb gesagt, das ist sehr richtig!«

»Lebt der Pope denn noch?«, fragte Tichon.

»Er ist nicht mehr Pope«, erwiderte Nikita. »Er ist aus der Kirche ausgetreten und verkauft jetzt auf den Dorfmärkten Bücher.«

»Ein guter Pope«, sagte Tichon. »Ich habe bei ihm gebeichtet. Er war gut. Nur hat er aus Armut geheuchelt, dass er ein Pope wäre. Ich meine aber, dass er nicht recht an Gott geglaubt hat.«

»Nein, er hat an Christus geglaubt. Jeder glaubt auf seine Weise.«

»Dadurch entsteht die Verwirrung«, sagte Tichon bestimmt und lachte wieder hässlich. »Sie haben sich das ausgedacht ...«

Am Hauseingang erschien lautlos Pjotr Artamonow, barfuß und im Nachthemd. Er blickte auf den blassen Himmel und sagte zu den Menschen am Fenster:

»Ich kann nicht schlafen. Der Hund stört. Und ihr murmelt hier ...«

Der Hund saß mit gespitzten Ohren mitten auf dem Hof, winselte ab und zu, blickte auf das dunkle Loch des offenen Fensters und wartete wohl darauf, dass der Herr ihn rief.

»Und du kommst immer auf dasselbe zurück, Tichon!«, begann Artamonow. »Da, sieh nur Jakow: Der Mann ist auf einen Gedanken gestoßen und ist, wie ein Wolf, in die Falle geraten. Ebenso wie dein Bruder. Weißt du schon von Ilja, Nikita?«

»Ich habe es gehört.«

»Ja. Ich habe ihn fortgejagt. Er hat ein fremdes Ross bestiegen und ist weggaloppiert. Wohin aber? Nicht ein jeder kann wie er auf den Reichtum verzichten und auf unbekannte Weise leben ...«

»Alexej, der Knecht Gottes, hat ja auch ...«, erinnerte Nikita leise.

Pjotr Artamonow erhob die Hand zur Schläfe, schwieg eine Weile und ging in den Garten, indem er zu Jakow sagte:

»Bringe mir die Decke und die Kissen in die Laube, vielleicht finde ich dort Schlaf.«

Seine schwere, weiße Gestalt, das zerzauste Kopfhaar und das dunkelbraune, verschwollene Gesicht ließen ihn beinahe furchtbar erscheinen.

»Du hättest nicht von Maschinen sprechen sollen, Nikita«, sagte er, im Hof stehen bleibend. »Was verstehst du von Maschinen? Es ist deine Sache, von Gott zu sprechen. Die Maschinen schaden nicht ...«

Tichon unterbrach ihn unehrerbietig und eigensinnig:

»Die Maschinen verteuern das Leben und machen Lärm.«

Pjotr Artamonow wehrte mit der Hand ab und ging langsam in den Garten. Jakow, der mit den Kissen vor ihm ging, dachte aber zornig und traurig:

»Das sind nun meine Verwandten: mein Vater und mein Onkel! Wozu brauche ich sie aber? Sie können mir nicht helfen.«

Der Vater forderte seinen Bruder nicht auf, bei ihm zu wohnen. Der Mönch richtete sich im Hause von Tante Olga auf dem Boden ein und sagte ihr zuvor:

»Ich werde hier eine Weile bleiben, ich gehe bald weg ...«

Er lebte hier fast ohne sich bemerkbar zu machen und kam nicht in die unteren Räume, wenn er nicht gerufen wurde. Er scharrte im Garten herum, schnitt die trockenen Baumzweige ab, kroch wie eine Schildkröte auf der Erde herum und jätete Unkraut. Er wurde runzlig, sein Körper vertrocknete, und er sprach mit den Leuten so, als erzählte er ihnen wichtige Geheimnisse. Er besuchte ungern die Kirche und schützte Unwohlsein vor, er betete auch zu Hause wenig, liebte es nicht, über Gott zu sprechen, und wich solchen Gesprächen eigensinnig aus.

Jakow sah, dass der Mönch sich mit Olga sehr anfreundete; auch die schweigsame Wera Popowa achtete ihn sehr, und selbst Miron verzog das Gesicht nicht, wenn er den Onkel von seinen Wanderungen und von den Menschen erzählen hörte, obwohl er nach dem Tode des Vaters noch hochmütiger und trockener geworden war, im Werk schaltete und waltete, als wäre er der Älteste, und Jakow wie einen Angestellten anschrie.

Der Mönch betrachtete Natalias rotes, verschwommenes Gesicht ebenso freundlich wie alles und alle, sprach mit ihr aber weniger als mit den andern. Sie hatte allmählich selbst das Sprechen verlernt und atmete nur noch. Ihre stumpfen Augen waren unbeweglich, und nur ab und zu flammte in ihrem trüben Blick die Sorge um die Gesundheit ihres Mannes, die Furcht vor Miron und die liebevolle Freude beim Anblick des rundlichen, soliden Jakow auf. Mit Tichon war der Mönch nicht ganz einig, sie brummten einander an, und wenn sie auch nicht stritten, gingen sie doch wie zwei Blinde aneinander vorbei.

Die eckige, schwarze Gestalt des Onkels warf auf Jakows Leben noch einen Schatten: Der Anblick des Mönchs rief in ihm bange Ahnungen hervor, sein dunkles, abgezehrtes Gesicht ließ an den Tod denken. Jakow Artamonow betrachtete alles, was im Hause vorging, vom Standpunkt der Sorge um sich selbst, die immer mehr anwuchs, es entstand aber auch zu Hause immer mehr und immer neue Unruhe. Als in Liebessachen erfahrener Mann fühlte er, dass Polina gleichgültiger gegen ihn wurde, und der kaltblütige Leutnant Mawrin bestätigte Jakows Verdacht. Bei den Begegnungen mit ihm berührte der Leutnant die Mütze verächtlich nur mit einem Finger und kniff die Augen zu, als betrachtete er etwas Entferntes und sehr Kleines, während er vorher liebenswürdiger und höflicher gewesen war, und, wenn er sich im Kasino bei Jakow Geld zum Kartenspielen geliehen oder ihn um die Stundung einer Schuld gebeten hatte, zu ihm mehr als einmal anerkennend gesagt hatte: »Artamonow, Sie haben die Figur eines Artilleristen«, oder sonst etwas Angenehmes. Jakow hatte die etwas grobe Gutmütigkeit dieses wie aus Gummi geformten Offiziers geschmeichelt, der die ganze Stadt durch seine Unempfindlichkeit gegen Kälte, durch seine Geschicklichkeit, seine Kraft und seinen ihm zweifellos eigenen großen Mut in Erstaunen setzte. Er sah mit seinen runden, versteinerten Augen in die Gesichter der Menschen und sprach, etwas heiser, im Kommandoton:

»Ich bin ein kaltblütiger Mensch und kann Übertreibungen nicht leiden.«

Als Mawrin beim Kartenspiel mit dem Postmeister Dronow, einem kranken, aber giftigen, klugen Alten, den alle in der Stadt fürchteten, in Streit geriet, sagte er ihm:

»Ich will ja nicht übertreiben, aber Sie sind ein alter Dummkopf!«

Da Jakow Artamonow in dem Leutnant seinen Nebenbuhler vermutete, befürchtete er einen Zusammenstoß mit ihm. Er dachte jedoch nicht daran, Polina an Mawrin abzutreten. Diese Frau wurde für ihn immer anziehender. Er hatte sie aber schon mehr als einmal gewarnt:

»Pass auf, wenn ich zwischen dir und Mawrin irgendetwas bemerke, verlasse ich dich!«

Gleichzeitig wuchs auch die Unruhe, die der Jäger Noskow in ihm hervorrief. Er lauerte Jakow in der Vorstadt an der Watarakschabrücke auf, er wuchs plötzlich aus dem Erdboden heraus, blickte in seine Mütze und verlangte hartnäckig Geld, wie etwas ihm Gebührendes.

Es war etwas Seltsames und Unheimliches in dem Umstand, dass der Jäger stets an ein und derselben Stelle erschien und aus den Brennnesseln und Kletten und dem dichten Unkrautgestrüpp unter den beiden krummen Weiden hervortrat. Vor zwei Jahren hatte an dieser Stelle das Haus des Gärtners Panfil gestanden; den Gärtner hatte jemand ermordet und das Haus angezündet. Die Weiden waren halb verbrannt, und die mit Kohle und Asche vermengte Erde war von Klötzchenspielern festgestampft worden; inmitten der Trümmer des Ziegelfundaments stand ein Ofen und ragte ein Schornstein in die Höhe; in klaren Nächten flimmerte dicht über dem Schornstein auf dem Himmel ein grünlicher Stern. Noskow trat, in den Brennnesseln raschelnd, ohne Hast hinter dem Schornstein hervor, nahm langsam die Mütze ab und murmelte:

»Ich werde es Ihnen vergelten. Bei Ihnen taucht wieder eine Bande auf ...«

»Diese Banden gehen mich nichts an«, antwortete Jakow erbost und hörte aus Noskows Antwort unverblümte Unverschämtheit heraus:

»Sie organisieren das natürlich nicht, die Sache geht Sie aber doch an.«

»Schade, dass ich ihn damals nicht erschossen habe«, bedauerte Jakow zum zehntenmal, gab dem Spion Geld und sagte:

»Pass auf, sei vorsichtiger!«

»Ich weiß schon!«

»Verwickle mich nicht in diese Dinge.«

»Wozu denn? Sie können ruhig sein.«

»Ja, er hält mich bestimmt für einen Dummkopf ...«

Obwohl Jakow Artamonow einsah, dass Noskow ein nützlicher Mensch war, hatte er doch die Überzeugung, dass der krummbeinige Kerl mit dem flachen Gesicht sich an ihm für den Schuss rächen musste. Er strebte nur das an. Er würde ihn verängstigen oder mit dem ihm von Jakow selbst gegebenen Geld Arbeiter bestechen und ihn ermorden lassen. Es kam Jakow schon so vor, als ob die Arbeiter ihn in letzter Zeit aufmerksamer und erboster betrachteten.

Miron behauptete immer öfter, die Arbeiter revoltierten nicht, um ihre Lage zu verbessern, sondern weil ihnen von außen her der ganz sinnlose und wahnsinnige Gedanke eingeflößt werde, sie müssten von den Banken, den Fabriken und überhaupt von der ganzen Wirtschaft des Landes Besitz ergreifen. Wenn er das sagte, streckte er sich und richtete sich auf, schritt mit seinen langen Beinen durch das Zimmer, drehte den Hals und steckte den Finger in den Kragen, obwohl er einen dünnen Hals hatte und der Hemdkragen weit genug war.

»Das ist schon nicht mehr Sozialismus, sondern der Teufel weiß was! Und ein Anhänger dieser Idee ist dein leiblicher Bruder. Unsere Regierung, die aus alten Krähen besteht ...«

Jakow verstand wohl, dass Miron das alles nur deshalb sagte, um seine Zuhörer und sich selbst von seinem Recht auf einen Sitz in der Reichsduma zu überzeugen, und doch ließen die zornigen Reden des Vetters in Jakow einen Bodensatz von Furcht zurück, indem sie das Bewusstsein seiner persönlichen Schutzlosigkeit inmitten von Hunderten von Arbeitern verstärkten. Er erlebte sogar etwas, das einem Anfall von Panik nahe kam. Eines Morgens weckte ihn Geheul und Geschrei auf dem Fabrikhof. Als er den Kopf vom Kissen erhob, erblickte er an der weißen glatten Wand des Magazins einen wild dahinstürmenden Haufen von Schatten. Sie hüpften, schwangen die Arme und schienen das ganze Gebäude über die Erde zu schleifen. Er war plötzlich ganz in Schweiß gebadet und schrie in Gedanken lautlos auf:

»Eine Revolte!«

Dieser Strom von Schatten, die aus irgendeinem Grunde furchtbarer als Menschen waren, verschwand bald, und Jakow wusste nun, dass sich am Fabriktor die an einem Montag übliche Rauferei abgespielt hatte. Nach den Feiertagen wurde fast immer gerauft, sein Gedächtnis bewahrte jedoch dieses unheimliche Huschen der dunklen, unheimlichen Flecken. Überhaupt wurde das ganze Leben derart unruhig, dass schon der Anblick einer Zeitung unangenehm war, und man gar nicht darin lesen mochte. Das Einfache und Klare verschwand, von überallher drang Unangenehmes herein, und neue Menschen tauchten auf.

Schwester Tatjana brachte plötzlich aus Worgorod einen Bräutigam mit, einen dürren, rötlichen, kleinen Mann mit einer Ingenieurmütze. Er war behänd, leichtfüßig und sehr lustig; er war um zwei Jahre jünger als Tatjana und, so wie sie, nannten alle im Hause ihn sofort Mitja. Er spielte Gitarre und sang Lieder. Eines davon, das er besonders oft vortrug, erschien Jakow für die Schwester beleidigend und empörte die Mutter sehr.

»Mein Weib ist im Grab.
Hab
Die Gnade, Herr, lass sie gewiss
Ins Paradies!«

Die Schwester war aber nicht gekränkt; dieser Mensch belustigte sie ebenso wie alle, und selbst die Mutter sagte oft gerührt zu ihm:

»Ach, du Zeisig, du singst ja wie ein Bajazzo!«

Mitja konnte, wie eine Taube, unendlich viel essen. Pjotr Artamonow betrachtete ihn mit erstaunten Augen wie ein Traumbild, blinzelte und fragte:

»Bei deinen Charaktereigenschaften müsstest du trinken. Trinkst du?«

»Ich kann es wohl«, antwortete der Schwiegersohn und bewies beim Abendbrot, dass er auch gehörig zu trinken verstand. Er war überall gewesen, an der Wolga und im Ural, in der Krim und im Kaukasus, er kannte eine unendliche Menge amüsanter Verschen, Erzählungen und komischer Sprüche; er schien aus irgendeinem fröhlichen, sorglosen Lande hergekommen zu sein.

»Das Leben ist eine schöne Frau«, sagte er und geriet auf einmal in den sich ununterbrochen drehenden Kreis der Arbeit hinein. Er gefiel den Arbeitern, die Jugend lachte, die alten Weiber nickten fröhlich mit den Köpfen, und beim Anhören seiner vor Lachen sprühenden Rede leckte sich sogar Miron mit der Zunge das Lächeln von den dünnen Lippen. Da geht er mit Miron über den Fabrikhof zum fünften Werkgebäude hin, das sich, als fünfter Finger der roten Ziegelsteintatze, soeben in die Erde festgekrallt hat; es ist noch rings von Gerüsten umsponnen, auf deren Brettern sich die Schreiner geschäftig bewegen; ihre silbernen Äxte glänzen, auch das Glas und Gold von Mirons Brille funkelt, er streckt die Hand wie ein General auf einem alten Fünfkopekenstück aus; Mitja nickt und schwingt auch die Arme, als werfe er etwas auf die Erde.

Jakow betrachtete sie vom Kontorfenster aus. Der Schwager gefällt auch ihm, man wird mit ihm heiter und vergisst so manches Bedrückende. Jakow beneidet den Mann sogar um seinen Charakter, empfindet ihm gegenüber jedoch ein seltsames Misstrauen: Dieser Mensch scheint nicht für lange da zu sein, etwa nur bis morgen, dann wird er sich aber als Schauspieler oder Friseur entpuppen oder wird ebenso plötzlich verschwinden, wie er aufgetaucht ist. Er besaß noch eine gute Eigenschaft; er schien nicht habgierig zu sein und fragte nicht, wie viel Mitgift Tatjana bekäme; doch konnte dahinter auch irgendeine List von Tatjana stecken. Wenn der Vater nüchtern war, brummte er aber:

»Für so einen Fuchsroten habe ich also gearbeitet ...«

Auch Miron verheiratete sich.

»Erlaubt, dass ich euch meine Frau vorstelle«, sagte er, als er aus Moskau zurückgekehrt war, und schob eine blauäugige, rundliche Puppe mit einem lockigen, zur Seite geneigten Köpfchen, vor sich her. Seine Frau hatte das Ausmaß eines Spielzeugs; doch war sie besonders präzis ausgeführt, was sie in Jakows Augen nicht als eine wirkliche Frau erscheinen ließ, sondern ihr eine Ähnlichkeit mit dem Figürchen auf Onkel Alexejs Lieblingsuhr verlieh, dessen Kopf abgeschlagen und etwas schief wieder aufgesetzt worden war. Die Uhr stand auf einem Spiegeltisch und die Statuette wandte sich von den Leuten ab und sah in den Spiegel. Miron erklärte, seine Frau hieße Anna und wäre achtzehn Jahre alt, er verschwieg jedoch, dass er als Mitgift eine Viertelmillion erhalten hatte und dass sie die einzige Tochter eines Papierfabrikanten war.

»So heiratet man«, brummte der Vater und betrachtete Jakow mit roten Augen. »Du gibst dich aber mit Gott weiß wem ab. Und Ilja hat man aus dem Leben hinausgefegt, als wäre er Kehricht.«

Dem Vater machte das Gehen Mühe, er wiegte den schwammigen, schlaffen Körper schwer hin und her. Es schien Jakow, dass dieser Körper den Vater ärgerte, und dass er die bedrückende Hässlichkeit seiner greisenhaften Nacktheit absichtlich den Menschen zur Schau stellte. Er stolzierte in Unterwäsche, im offenen Schlafrock, in Pantoffeln an den bloßen Füßen und mit aufgedunsener nackter Brust herum, genauso wie er vor der Tochter Jelena erschienen war, um sie zu ärgern. Manchmal kam er ins Kontor, saß dort lange und störte Jakow mit seinen Klagen, er hätte seine ganze Kraft dem Werk und den Kindern geopfert und hätte sein ganzes Leben im steinernen Joch der Arbeit, im Nebel der Sorgen zugebracht, ohne irgendwelche Freuden zu genießen.

Jakow hörte schweigend zu, da er sah, dass diese Klagen den Vater erleichterten und ihn in den eigenen Augen bis zum Umfang eines Glockenturmes auftrieben, den die Sonne des Morgens früher als die Häuser der Menschen bemerkt und von dem sie zuletzt Abschied nimmt, bevor sie in die Nacht versinkt. Diesen Klagen entnahm aber Jakow die Lehre, es wäre sinnlos, so zu leben, wie der Vater gelebt hatte.

Und er sah immer, dass, nachdem der Vater sich an den Klagen gesättigt hatte, er von einem heißen Jucken und dem unruhigen Wunsch befallen wurde, die Menschen zu beleidigen und zu verhöhnen. Er ging zu seiner alten Frau, die am Gartenfenster saß, die unbrauchbaren Hände auf den Knien hielt und die leeren Augen auf einen Punkt richtete; er setzte sich neben sie und begann sie zu ärgern:

»Woran denkst du? Du bist dick, und doch sieht man dich nicht, die Kinder sehen dich nicht. Tatjana spricht mit der Köchin freundlicher als mit dir. Jelena hat dich wohl vergessen? Sie kommt ja nie, sie scheint sich einen neuen Geliebten zugelegt zu haben! Und wo ist Ilja?«

Es war aber langweilig, der Frau zuzusetzen, ihr blaurotes Gesicht schwitzte gleich Tränen, die nicht nur ihren Augen, sondern allen Poren der straff gespannten Haut ihrer Wangen und dem aufgeschwemmten Doppelkinn zu entströmen und sogar irgendwo hinter den Ohren hervorzusickern schienen.

»Nun, du gehst ja ganz aus den Fugen«, brummte der Alte angewidert und ging, indem er sie wie lästigen Rauch abwehrte. Nein, sie war nicht kurzweilig.

Jakow ärgerte er nicht. Doch es kam dem Sohn so vor, als ob der Vater ihn mit beleidigendem Bedauern betrachtete. Manchmal seufzte er:

»Ach, du mit deinen leeren Augen ...«

Miron war für Spott unnahbar, der Vater ging ihm sichtlich und ängstlich aus dem Wege; das fand Jakow begreiflich. Miron wurde sowohl im Werk wie im Hause von allen gefürchtet, von der Mutter und seiner Porzellanfrau angefangen bis zu Grischka, dem Jungen, der die Eingangstür für die Herrschaft zu öffnen hatte. Wenn Miron über den Hof ging, schien sein langer Schatten ringsherum Stille zu erzeugen.

Es war auch kein Vergnügen, sich über den rothaarigen Schwiegersohn lustig zu machen, er verstand es selbst, über sich zu lachen, und zog es offenbar vor, sich selbst zu schlagen, bevor ein anderer es tat. Die schwangere Tatjana war stark aufgedunsen und blies mit wichtiger Miene die Lippen auf; sie lag nach dem Essen und las drei Bücher auf einmal; dann ging sie spazieren, und ihr Mann lief wie ein Pudel neben ihr her.

Pjotr Artamonow ließ das Pferd einspannen und fuhr in die Stadt, um sich an Nikita und Tichon heranzumachen. Jakow hatte ihm dabei mehr als einmal zugehört.

»Nun, du Student in der Kapuze, du hast Gott verloren?«, nahm er den Mönch vor.

Nikita bewegte den Buckel, fuhr sich mit den Handflächen fest über die spitzen Knie und sagte leise und klagend:

»Ach, das ist unrecht von dir ...«

»Wieso unrecht? Du trägst nicht den richtigen Hut. Dieser Hut passt nicht zu dir. Deine ganze Kleidung passt nicht zu dir. Was für ein Mönch bist du denn?«

»Das geht nur meine Seele an!«

»Du schnupfst Tabak. Nein, du hast verspielt und hast dich geirrt. Du hättest seinerzeit ein armes Mädchen, eine Waise heiraten sollen, sie hätte dir aus Dankbarkeit Kinder geboren, und du wärst jetzt, ebenso wie ich, Großvater. Du hast dir aber etwas anderes erlaubt, – weißt du's noch?«

Der Mönch kroch wie eine ungeheure Schildkröte langsam fort, und Pjotr Artamonow begab sich zu Olga und erzählte ihr von Alexejs Gelagen und von der Messe in Nishni. Doch auch das belustigte ihn nicht, die kleine Alte war seit dem Tode ihres Mannes von dauernder Unstetigkeit befallen; sie lief in einem fort hin und her, rückte an den Möbeln herum, stellte alle Gegenstände von einer Stelle an die andere und sah aus dem Fenster. Sie hielt beim Gehen den Kopf unbeweglich, und obwohl auf ihrer Nase die Brille mit den dicken Augengläsern prangte, musste sie sich doch durch Tasten behelfen, wobei sie mit dem Stock auf der Erde herumstieß und die rechte Hand vorstreckte. Sie beantwortete lächelnd die boshaften Erzählungen des Alten:

»Du kannst sagen, was du willst. An Alexej, wie ich ihn kannte, wird nichts Böses haften bleiben, man kann auch nichts Gutes mehr hinzufügen.«

»Er hat richtig von dir gesagt: Die sieht nur mit einem Auge.«

»Ich sehe mit beiden fast nichts«, sagte Olga. »Ich sehe gar nichts, gestern habe ich aus Blindheit seinen Lieblingsbecher aus Porzellan zerschlagen.«

Pjotr Artamonow versuchte Tichon Wialow zu ärgern, – doch auch das ging schwer. Tichon wurde nicht böse, er räusperte sich, blickte zur Seite und antwortete kurz und ruhig.

»Du lebst recht lange«, sagte Artamonow. Tichon antwortete vernünftig:

»Manche leben noch länger.«

»Wozu hast du aber gelebt, wie? Sage es mir nur!«

»Alle leben.«

»Richtig. Aber nicht ein jeder fegt sein ganzes Leben lang den Hof und räumt Kehricht weg ...«

Tichon hatte seine eigenen Gedanken.

»Wenn man einmal geboren wurde, muss man auch bis zum Tode leben«, sagte er. Artamonow fuhr aber fort, ohne auf ihn zu hören:

»Du hast dein ganzes Leben mit dem Besen verbracht. Du hast weder Weib noch Kinder und hast nie Sorgen gehabt. Wie kommt das? Schon mein Vater hat dir einen anderen Posten angeboten; du wolltest aber nicht, du hast es abgelehnt. Was soll dieser Eigensinn bei dir?«

»Du kommst zu spät mit deiner Frage, Pjotr Iljitsch«, antwortete Tichon und sah zur Seite.

Artamonow setzte ihm zornig zu:

»Sieh dich einmal um, wie viele Leute während deines Lebens reich geworden sind. Alle haben nach einer Erleichterung für sich gestrebt und haben Geld gespart ...«

»Sie haben gespart und gespart und sich mit dem Teufel gepaart«, sagte Tichon mit besonderer Betonung des A.

Jakow hatte erwartet, dass der Vater in Zorn geraten und Tichon beschimpfen würde, der Alte schwieg aber eine Weile, murmelte etwas Unverständliches und trat von Tichon weg, der zwar verblichen, kahlköpfig und lehmfarbig geworden war, aber den Angriffen des Alten widerstand; er war körperlich noch ebenso kräftig, hatte sich sogar einen gewissen Anstand angeeignet und sprach in einem wichtigen, belehrenden Ton; es schien Jakow, dass Tichon in seinen Worten und seinem Benehmen mehr von einem Prinzipal hatte als der Vater.

Jakow selbst sah immer deutlicher, dass er inmitten seiner Verwandten und in dem Hause überflüssig erschien, in dem der einzige angenehme Mensch ein Fremder, Mitja Longinow war. Mitja erschien ihm weder dumm noch klug; er entglitt allen diesen Wertungen und unterschied sich von allen übrigen. Seine Bedeutung wurde auch durch Mirons Verhalten bestätigt; der hartherzige, herrschsüchtige Miron, der über alle das Kommando führte, lebte mit Mitja in Eintracht, und wenn er auch oft mit ihm stritt, tat er es doch mit Vorsicht und verzankte sich nie mit ihm. Im Hause erschallte von früh bis spät vielstimmiges Rufen:

»Mitja!«, schrie Tatjana.

»Wo ist Mitja?«, fragte die Mutter und selbst der Vater brummte, sich zum Fenster hinausbeugend:

»Mitja, es ist Zeit, Mittag zu essen!«

Mitja lief wie ein Fuchs durch die Fabrik und verwischte geschickt mit dem buschigen Schwanz komischer Worte und lustiger Scherze Mirons beleidigende Strenge den Arbeitern und Beamten gegenüber. Er nannte die Arbeiter »Freunde«.

»Freundchen, das ist nicht so!«, sagte er zu dem bärtigen, ehrwürdigen Vorarbeiter der Schreiner, zog ein rotes Lederbüchelchen und einen Bleistift aus der Tasche, zeichnete etwas auf das Brett und sagte:

»Siehst du? Ist das nicht so? Und dann so, und wieder so! Stimmt das?«

»Es stimmt schon«, gab der Vorarbeiter zu. »Wir machen aber alles nach alter Weise, wie wir es gewohnt sind ...«

»Nein, mein Lieber, man muss sich an das Neue gewöhnen, es ist vorteilhafter.«

Der Vorarbeiter stimmte zu:

»Richtig!«

Mitja erinnerte in seinem flotten Spiel mit der Arbeit an Onkel Alexej, man merkte ihm aber nicht die Gier nach Besitz an; seine lustigen Possen ähnelten denen des Schreiners Serafim, was auch vom Vater bemerkt wurde. Einmal beim Abendbrot, als Mitja die ärgerliche Stimmung bei Tisch zerstreute und aufhob, brummte der Vater lächelnd:

»Wir hatten auch einen Tröster: Serafim … Jawohl!«

Jakow hörte einmal Mitja zu Miron sagen, als dieser wie gewöhnlich einen Zusammenstoß mit dem Vater gehabt hatte:

»Das ist eine Verbindung des Furchtbaren und Widerwärtigen mit dem Jämmerlichen, so eine echt russische Chemie!«

Und dann tröstete er sogleich:

»Das macht aber nichts! Das wird bald vergehen und vom Leben überholt werden. Wir reinigen uns ...«

An einem Feiertag, beim Abendtee im Garten, klagte der Vater:

»Ich habe ohne Feiertage gelebt!«

Der Schwiegersohn ließ sogleich eine Rakete aufsteigen, die alle mit dem Goldstaub flotter Worte überschüttete:

»Daran sind *Sie* schuld und sonst niemand! Der Mensch setzt die Feiertage selbst für sich fest. Das Leben ist eine schöne Frau, es verlangt nach Geschenken, Zerstreuungen, nach allerlei Spiel. Man muss mit Genuss leben! Man kann jeden Tag etwas finden, woran man sich erfreut.«

Er sprach lange und geschickt, als spielte er auf einer Flöte, und alle bei Tisch verstummten; es geschah immer, dass die Menschen, die ihm zuhörten, einzuschlafen schienen. Auch Jakow stand im Banne seiner Worte, er fühlte darin etwas Echtes und Wahres, und doch wollte er Mitja fragen:

»Warum hast du aber ein so hässliches, dummes Mädchen geheiratet?«

Jakow sah in seinem Verhältnis zu seiner Frau etwas Unaufrichtiges, allzu Liebenswürdiges, eine zu sehr betonte Fürsorge; es kam Jakow vor, als ob auch die Schwester dieses Unaufrichtige fühlte. Sie war traurig, schweigsam und leicht reizbar und unterhielt sich viel häufiger und lebhafter mit Miron als mit ihrem lustigen Mann über Politik. Sonst konnte sie über nichts sprechen. Manchmal glaubte Jakow aber,

Mitja Longinow wäre nicht aus einem fröhlichen, sorglosen Lande hergekommen, sondern aus einer öden, dunklen Grube herausgesprungen und wäre auf neue, ihm unbekannte Menschen gestoßen; vor Freude, dass er endlich so weit war, tanzte er nun vor ihnen herum und belustigte sie, als wäre er durch ihren Überfluss gerührt und durch etwas überrascht. In diesem Staunen glaubte Jakow etwas Einfältiges zu bemerken: so staunt ein Junge in einem Spielwarengeschäft, – doch ist dies einer, der sogleich klug zu unterscheiden versteht, welches Spielzeug das beste ist.

Unter allen Menschen im Hause und in der Fabrik gab es zwei, die Tatjanas Mann in ausgesprochener Weise nicht mochten: Onkel Nikita und Tichon Wialow. Tichon beantwortete Jakows Frage, wie ihm Mitja gefiele, ruhig folgendermaßen:

»Er ist unverlässlich.«

»Weshalb?«

»Er ist eine Fliege. Setzt sich auf jeden Unrat.«

Jakow fragte den Alten lange und hartnäckig aus, der konnte es ihm aber nicht verständlich machen:

»Du siehst ja selbst, Jakow Petrowitsch«, sagte er. »Du siehst, dass der Mensch sich allerhand Schnörkel ausdenkt.«

Der Mönch sagte beinahe dasselbe:

»Er wirbelt Staub auf«, meinte er seufzend, »ich habe viele solche Phrasenmacher gesehen. Sie verwirren das Volk. Sie bleiben auch selbst in ihren Worten stecken. Wenn man zu ihm von Bergen spricht, meint er, es wäre vom Verbergen die Rede … Ja, ja.«

Es war seltsam zu hören, wie dieser sanfte Krüppel ärgerlich und fast mit einer ihm sonst gar nicht eigenen Bosheit sprach. Und noch überraschender war die Einstimmigkeit zwischen Tichon und dem Onkel bei der Einschätzung von Tatjanas Mann; die Alten waren sonst nicht einig und lebten in offener, stummer Feindschaft, sprachen fast nicht miteinander und gingen sich aus dem Wege. Darin erblickte Jakow wieder die ihm so lästige menschliche Dummheit: Wie konnten Menschen uneinig sein, die vielleicht schon morgen der Tod niedermähte?

Onkel Nikita lag im Sterben. Es schien Jakow, dass der Vater es eifrig beschleunigte, da er den Mönch bei jeder Bewegung durch Vorwürfe quälte und bedrückte.

»Ich habe mein ganzes Leben wie ein Stier unter den Leuten verbracht, und du lebst wie ein Kater. Alle bemühen sich, es so einzurichten, dass du es wärmer und weicher hast und scheinen gar nicht zu sehen, dass du bucklig bist. Mich halten alle für böse, – bin ich das aber? Ich habe das ganze Leben ...«

Der Mönch zog den Kopf in den Buckel ein und bat hüstelnd:

»Ärgere dich nicht.«

Das Gefühl des Widerwillens gegen den Vater und gegen dessen entblößte, wie aus Seife geformte, mit dem Schimmel grauer Haare bedeckte Brust verdarb Jakow auch das Leben. Dieses Gefühl war schwer zu verbergen und zu verheimlichen. Er musste sich ab und zu daran erinnern:

»Er ist mein Vater. Er hat mich gezeugt.«

Doch das verschönte den Vater nicht und löschte den Widerwillen gegen ihn nicht aus, darin lag sogar etwas Verletzendes und Erniedrigendes. Der Vater fuhr fast täglich in die Stadt, um das Sterben des Mönchs zu beobachten. Pjotr Artamonow kletterte mit Mühe schnaufend auf den Boden, setzte sich an das Bett des Mönchs und richtete seine roten, entzündeten Augen auf ihn. Nikita schwieg hüstelnd und heftete seinen bleiernen Blick auf die Zimmerdecke; seine Hände waren unruhig geworden, er zupfte immer an der Kutte herum und schien von ihr etwas Unsichtbares zu entfernen. Manchmal erhob er sich und geriet vor Husten außer Atem.

»Du gehst ganz aus dem Leim?«, fragte der Bruder.

Nikita kroch ans Fenster, indem er sich mit den Händen an die Schultern des Bruders, an die Bettwand und an die Stuhllehnen klammerte. Die Kutte hing an ihm wie ein Segel an einem zerbrochenen Mast; er setzte sich ans Fenster und sah mit offenem Mund in den Garten und in die Ferne, nach dem an zornig gesträubte Borsten erinnernden Wald.

»Nun, ruh dich aus«, sagte Pjotr und zupfte sich am schwammigen Ohrläppchen. Dann ging er hinunter und teilte Olga mit:

»Er geht ganz aus dem Leim. Jetzt dauert es nicht mehr lange ...«

Es kam ein dicker Mönch, Vater Mardari, und redete zu, Nikita ins Kloster zu schaffen, – er sollte nach irgendeinem Statut gerade dort sterben und unbedingt dort beerdigt werden. Der Bucklige überredete aber Olga:

»Bringt mich später dorthin, wenn ich tot bin.« Und er bat dreimal kläglich:

»Lasst den Sargdeckel etwas höher machen, damit er nicht drückt. Vergesst es nicht!«

Er starb vier Tage vor Kriegsausbruch und bat am Vorabend seines Todes das Kloster zu benachrichtigen:

»Sie sollen mich jetzt holen kommen. Bis zu ihrer Ankunft werde ich gestorben sein.«

Am Morgen des Todestages half Jakow dem Vater auf den Boden zu steigen; der Vater bekreuzte sich und starrte das dunkle, aschfahle Gesicht mit den halb geschlossenen Augen und dem eingefallenen Mund an. Nikita sagte unnatürlich laut:

»Verzeih mir.«

»Nun, lass das! Was denn?«

»Meine Frechheit ...«

»Verzeih du mir«, sagte der Ältere. »Ich habe hier manchmal mit dir gescherzt ...«

»Gott verdammt den Scherz nicht«, versicherte der Mönch flüsternd, und Pjotr fragte nach einem Schweigen:

»Und wie ist dir jetzt? Wohin willst du?«

»Ich habe vergessen«, begann der Mönch eilig, den Bruder unterbrechend. »Jakow, sage Tichon, dass er den kleinen Ahorn bei der Laube absägen soll, er gedeiht doch nicht, nein ...«

Jakow konnte es nicht ertragen, diese übertrieben klare Stimme zu hören und die, wie die Kante einer Kiste, unmenschlich hochstehenden Brustknochen zu sehen. An diesem Haufen regungsloser Knochen, die mit etwas Schwarzem bedeckt waren, und an den ein Messingkreuz haltenden Händen war überhaupt nichts Menschliches mehr. Der Onkel tat ihm leid, – er überlegte aber trotzdem, weshalb die Alten und überhaupt die Verwandten so vor aller Augen sterben mussten?

Der Vater wartete ab, ob der Bruder noch etwas sagen würde, und ging dann an Jakows Arm, mit schweigend gesenktem Kopf weg. Unten sagte er:

»Er stirbt ...«

»So?«, fragte Miron, der am Tisch saß und seinen halben Körper mit einem ungeheuren Zeitungsblatt bedeckt hatte. Als er fragte, wandte er die Augen nicht weg, warf aber dann die Zeitung auf den Tisch und sagte zu seiner Frau in der Ecke:

»Ich hatte recht. Lies das!«

Seine rundliche Frau rollte an den Tisch heran, und die am Fenster sitzende Mutter fragte erschrocken:

»Ist es möglich, Miron, ist es möglich, dass Krieg ausbricht?«

»Jetzt kommt der zweite Artamonow dran«, erinnerte Pjotr laut.

»Sie lügen natürlich«, sagte Miron zu seiner Frau und zu Jakow, der auch den Kopf neigte, die alarmierenden Telegramme las und überlegte, womit das alles ihn bedrohte. Pjotr Artamonow fuhr mit der Hand durch die Luft und ging auf den Hof. Die Sonne hatte dort die Kieselsteine derart durchglüht, dass ihre Wärme durch die weichen Sohlen der Samtstiefel drang. Aus dem Fenster prasselten Mirons trockene, belehrende Worte herab; Jakow, der mit der Zeitung in den Händen am Fenster stand, sah, wie der Vater jemandem mit seiner blauroten Faust drohte.

Am dritten Tag kamen am frühen Morgen die Mönche. Es waren ihrer sieben, die alle von verschiedenem Wuchs und Umfang waren, doch erschienen sie Jakow alle gleich, wie Neugeborene. Nur einer davon, der größte, der mager war, einen sehr dichten Bart und eine weder für einen Mönch, noch für das Vorgefallene passende, laute und fröhliche Stimme besaß und mit einem großen schwarzen Kreuz an der Spitze der anderen schritt, schien gar kein Gesicht zu haben. Er war kahlköpfig, seine Nase verschwamm mit den Wangen, und er hatte außer zwei kleinen, schwarzen Gruben zwischen Glatze und Bart nichts von Gesicht aufzuweisen. Er hob im Schreiten die Füße so langsam, als wäre er blind; er sang mit drei Stimmen:

»Heiliger Gott«, tief, beinahe mit Bassstimme; »heiliger, starker«, höher mit Tenorstimme, und »heiliger, unsterblicher, sei uns gnädig!« so durchdringend, dass die Straßenjungen vorliefen und voll Staunen nach seinem Bart, dem Sitz des unsichtbaren, dreistimmigen Mundes sahen.

Als der Leichenzug aus der Straße auf den Platz kam, war dieser von Städtern, Reservisten, Soldaten des Leutnants Mawrin, einigen wenigen Vertretern der Obrigkeit und der Geistlichkeit im Mittelpunkt der Menge, dicht besetzt. Der kaltblütige Leutnant stand feierlich wie ein Monument an der Spitze seiner Soldaten, von der Sonne beleuchtet; die kegelförmigen Popen und Diakone erinnerten an goldene Bildsäulen; sie vergingen und zerschmolzen in der Sonne; das Leuchten ihrer Gewänder bestrahlte auch den Leutnant Mawrin; vor dem Altar sprang ein dicker Offizier mit einem wie aus Blech geformten Kopf herum und schwang die Mütze.

Der Mönch mit den drei Stimmen erhob das schwarze Kreuz, blieb vor der Menschenwand stehen und sagte im Basston:

»Macht Platz!«

Die Leute wichen aber nicht vor ihm, sondern vor dem großen, fuchsroten Pferd des Unterisprawniks Ekke zurück. Der ritt, mit dem weißen Handschuh herumfuchtelnd, auf den Mönch zu, ließ das Pferd quer in der Straße halten und schrie vorwurfsvoll und beleidigt:

»W-wohin? Was fällt Ihnen ein, sehen Sie denn nicht? Zurück!«

Der Mönch erhob das Kreuz und stimmte an:

»Heiliger Go-o ...«

»Hurra!«, schrie der Offizier, und das ganze Volk auf dem Platz brüllte wie mit tausend Stimmen:

»Hur-rra-aa ...«

Und Ekke schrie auch, sich in den Steigbügeln aufrichtend:

»Pjotr Iljitsch, haben Sie die Güte, durch das Gässchen zu gehen! Machen Sie den Umweg! Miron Alexejewitsch, ich bitte Sie! Hier herrscht solche Begeisterung und Sie ... Das geht doch nicht!«

Pjotr Artamonow, der am Kopfende des Sarges stand, von seiner Frau und Jakow gestützt, blickte von unten her in Ekkes hölzernes Gesicht und sagte düster zu den Mönchen, die den Sarg trugen:

»Macht kehrt, Väter ...«

Und fügte schluchzend hinzu:

»Es scheint, dass ich zum letzten Mal verfügen darf ...«

Das alles kam Jakow unpassend und sogar etwas lächerlich vor. Als man aber in das Gässchen einbog, in dem Polina wohnte, sah er sie dem Leichenzug rasch entgegenschreiten. Sie ging in einem weißen Kleid, unter einem rosa Schirm, und bekreuzte eilig die hochgewölbte, straff bespannte Brust.

»Sie geht Mawrin bewundern«, kombinierte er sogleich und geriet durch den Staub und den Ärger außer Atem. Die Mönche gingen schneller, der Schwarzbärtige sang leiser und nachdenklicher, während der Sängerchor ganz verstummte. Außerhalb der Stadt, vor dem Schlachthaustor stand eine seltsame, mit schwarzem Tuch bedeckte Fuhre, vor die zwei scheckige Pferde gespannt waren; der Sarg wurde auf diese Fuhre gestellt, und es begann die Totenmesse, während aus der Straße, wie aus einer Trompete, das feierliche Gebrüll der Blechinstrumente drang. Die Musik spielte »Gott beschütze den Zaren«, es läuteten die Glocken dreier Kirchen, und mit Staub und Dunst zugleich flutete das tosende »R–rr–a–aa!« herein.

Jakow glaubte das Kommando des Leutnants Mawrin zu hören:

»R–richt euch!«

Nach der Seelenmesse musste man zur Tante fahren, lange beim Leichenschmaus sitzen und das ärgerliche Brummen des Vaters anhören.

»Welcher Dummkopf hat angeordnet, dass die Pferde vor dem Schlachthaus halten sollten, he?«

»Die Polizei, die Polizei«, beruhigte Mitja und erklärte: »Wissen Sie, das passte ihr nicht: nationale Begeisterung und dabei ein Leichenwagen! Das ist nicht in Einklang zu bringen ...«

Miron leckte sich ein Lächeln von den Lippen und sagte zum Arzt Jakowlew, der sich an schweren, unangenehmen Tagen besonders bemerkbar machte:

»Und wie, wenn wir uns alle einig mit unseren Leibern draufstürzten, wie Mitka im ›Fürst Serebriany‹[5] … Schließlich und endlich wird alles in der Welt doch durch das Zahlenverhältnis entschieden ...«

»Nein, durch die Technik«, entgegnete der Arzt.

»Die Technik? Nun ja … Aber ...«

Erst um die zehnte Abendstunde konnte Jakow dieser sich langweilig hinziehenden Unterhaltung entfliehen. Er lief zu Polina, von einer Unruhe erfüllt, wie er sie bis zu dieser Stunde noch nicht empfunden hatte, und in der Vorahnung eines außergewöhnlichen Ereignisses.

»Ach ...«, sagte Polinas Köchin, als Jakow vom Hof aus in die Küche trat, – sagte es und ließ sich dabei schwer auf die Ofenbank sinken.

»Gemeine Kupplerin!«, schrie Jakow sie an, blieb vor der ins Zimmer führenden Tür stehen und lauschte den deutlich vernehmlichen Soldatenschritten und der bekannten militärischen Stimme:

»Wir müssen also überlegen, ob so oder nicht? – Überlegen Sie sich's also!«

»Er sagt Sie zu ihr«, stellte Jakow fest. »Vielleicht ist noch gar nichts geschehen?«

Als er aber die Tür öffnete und auf der Schwelle stehen blieb, gewann er sofort die Überzeugung, dass schon alles geschehen war. Der kaltblütige Leutnant stand mit streng gefurchten Brauen mitten im Zimmer,

5 historischer Roman von Graf Alexej Tolstoi

sein Uniformrock war aufgeknöpft, er hielt die Hände in den Taschen, unter dem Rock sahen die Hosenträger hervor, die an der einen Seite nicht am Hosenknopf befestigt waren. Polina saß mit gekreuzten Beinen auf der Chaiselongue, der Strumpf war auf dem einen Fuß wie eine Schraube heruntergerutscht, ihre lebhaften Augen waren außergewöhnlich rund, und das vom Blut durchströmte Gesicht rötete sich immer mehr.

»N-nun?«, fragte der kaltblütige Leutnant und bestätigte durch seine Frage endgültig alle Verdächtigungen Jakows. Der machte einen Schritt nach vorwärts, warf den Hut auf einen Stuhl und sagte mit einer ihm fremden, versagenden Stimme:

»Ich komme vom Begräbnis … von der Leichenfeier …«

»So-o?«, antwortete der Leutnant fragend, im Tone des Hausherrn. Polina zog derart an ihrer Zigarette, dass sie knisterte, und sagte, – nicht schuldbewusst, sondern nachlässig – indem sie den Rauch ausblies:

»Ippolit Sergejewitsch redet mir zu, Krankenschwester zu werden …«

»Krankenschwester? So?«, sagte Jakow lächelnd. Jetzt machte der kaltblütige Leutnant einen Schritt zu ihm hin und fragte mit Betonung:

»Was bedeutet dieses Lächeln? Bitte nicht zu vergessen: Ich liebe k-keine Übertreibungen! Ich dulde sie nicht!«

In diesen zwei, drei Minuten fühlte Jakow sich von heißer Kränkung und von Zorn durchströmt; das verging und hinterließ in ihm das niederdrückende und beinahe traurige Bewusstsein, dass diese kleine Frau für ihn ebenso notwendig war wie irgendein Teil seines Körpers, und dass er es nicht zulassen konnte, dass man sie von ihm losriss. Diese Gewissheit weckte von Neuem seinen Zorn; es überlief ihn kalt, er erhob sich und steckte die Hände in die Taschen:

»Komm mir nicht nahe!«, warnte er den Leutnant und fühlte, wie seine Augen derart aus den Höhlen traten, dass sie schmerzten.

»W-warum denn?«, fragte der Leutnant und machte noch einen Schritt. Seine widerwärtige Manier, einzelne Laute der Worte zu verdoppeln, hatte Jakow stets missfallen, – in diesem Augenblick brachte sie ihn aber zur Raserei. Er wollte die Hand aus der Tasche ziehen und schrie:

»Ich schlag dich tot!«

Leutnant Mawrin packte ihn bei der Hand und presste sie in qualvoller Weise am Gelenk zusammen, der Revolver gab einen dumpfen Schuss in die Tasche ab, worauf Jakows Arm mit scharfem Schmerz im Ellbogen zu zerbrechen schien und die Hand aus der Tasche gerissen wurde. Der Leutnant nahm ihm den Revolver aus den Fingern, warf ihn auf einen Sessel und sagte:

»Missglückt!«

»Jascha, Jascha!«, hörte Artamonow laut flüstern. »Ippolit Sergejewitsch! Meine Herren! Seid ihr verrückt? Wozu das? Das ist ja ein Skandal! Wozu das?«

»N–nun?«, sagte dröhnend laut der kaltblütige Leutnant, indem er Jakow beim Bart packte, ihn nach unten zog und ihn auf diese Weise zwang, sich vor ihm zu verneigen. »Bitte um Verzeihung, du Dummkopf!«

Bei jedem Wort, die langen in zwei Hälften teilend, zog er den Bart nach unten und ließ ihn durch einen leichten Schlag auf das Kinn wieder hochgehen.

»Ach, welche Schande, ach!«, flüsterte Polina und packte den Leutnant beim Ellbogen.

Jakow konnte die rechte Hand nicht bewegen, er stieß aber, mit fest aufeinander gepressten Zähnen, den Leutnant mit der Linken weg; er stöhnte und über seine Wangen rannen Tränen der Erniedrigung.

»Wage nicht mich anzurühren!«, brüllte der Leutnant, stieß ihn weg und setzte ihn auf den Sessel, auf dem der Revolver lag.

Da erstarrte Jakow, die Hände vor dem Gesicht und die Tränen verbergend, in einer halben Ohnmacht und hörte, durch das Dröhnen im Kopf hindurch, kaum noch Polinas Geschrei.

»Mein Gott, wie unfein ist das! Und das tun Sie, Sie! Ein derartiger Skandal! Weswegen?«

»Scheren Sie sich zum Teufel, Fräulein!«, sagte der Leutnant mit eherner Stimme. »Da haben Sie einen Rubel für das Vergnügen, d–das genügt! Ich vertrage keine Übertreibungen, Sie sind aber etwas ganz Gewöhnliches ...«

Der Leutnant stampfte mit seinen schweren Fußtritten auf den Fußboden, schlug die Tür zu, verschwand, und es blieb nur das leise Klirren des Zylinders der Hängelampe und Polinas kurzes Aufkreischen. Jakow erhob sich auf die schlaffen Füße, die sich unter ihm bogen, sein ganzer Körper zitterte wie vor Frost; mitten im Zimmer unter der Lampe stand Polina mit offenem Munde; sie stöhnte heiser, indem sie auf den schmutzigen Schein in ihrer Hand blickte.

»Du Aas!«, sagte Jakow. »Warum hast du das getan? Und dabei hast du noch gesagt … Totschlagen sollte man dich …« Sie sah ihn an, warf den Schein auf die Erde und sagte heiser und erstaunt, in gedehntem Tonfall:

»So ein Schuft …«

Sie sank auf den Sessel, beugte sich herab und fasste sich mit den Händen am Kopf; Jakow schlug sie aber mit der Faust auf die Schulter und rief:

»Lass mich! Gib den Revolver her …!«

Sie fragte unbeweglich und noch ebenso erstaunt:

»Du liebst mich also?«

»Ich hasse dich!«

»Du lügst! Du liebst mich jetzt!«

Sie sprang so schnell auf ihn hinauf, dass Jakow sie nicht mehr zurückstoßen konnte; sie umfasste seinen Hals und flüsterte mit wilder Hartnäckigkeit, indem sie ihn mit beißenden Küssen versengte und ihm heiß in die Augen und in den Mund atmete:

»Du lügst, du liebst mich, du liebst mich! Und ich dich auch! Ach, du mein Weicher, mein Salziger …«

»Salziger«, das von ihr bevorzugte Kosewort wurde von ihr nur in Augenblicken außerordentlich heftiger Erregung ausgesprochen und berauschte Jakow so sehr, dass er in einen Zustand süßer, zärtlicher Tollheit geriet. Das geschah auch in diesem Augenblick; er drückte, kniff und küsste sie und murmelte atemlos:

»Du Ekel! Du Nichtsnutzige! Du weißt ja …«

Eine Stunde später saß er auf der Chaiselongue, sie lag auf seinen Knien; er wiegte sie und dachte erstaunt:

»Wie schnell das alles gegangen ist …!«

Und sie sprach ermüdet:

»Ich war erbittert und wollte dich verlassen. Du beschäftigst dich immerzu mit den Deinigen, beerdigst sie, – und ich langweile mich. Und dann wusste ich nicht, ob du mich liebst? Jetzt wirst du mich mehr lieben, denn du wirst eifersüchtig sein. Wenn die Eifersucht wach wird …«

»Wenn man von hier weg könnte«, sagte Jakow müde.

»Ja. Nach Paris! Ich kann Französisch.«

Sie zündeten kein Licht an; im Zimmer war es dunkel und schwül. Auf der Straße schrien die Reservisten und die Frauen, trotz der späten Stunde, – es war schon nach Mitternacht.

»Jetzt kann man nicht ins Ausland reisen, dort ist Krieg«, erinnerte sich Jakow. »Es ist Krieg, der Teufel hole sie ...«

Sie begann von Neuem:

»Ohne Eifersucht lieben nur Hunde. Sieh dich doch um: Alle Dramen, alle Romane – alles geschieht aus Eifersucht ...«

Jakow lächelte und zuckte zusammen:

»Der Revolver hat gut geschossen, die Kugel hätte mich ins Bein treffen können, es hat aber nur die Hose ein kleines Loch abbekommen.«

Polina steckte den Finger in das Loch und sagte plötzlich aufschluchzend, mit stillem, aber grimmigem Zorn:

»Ach wie schade, dass du nicht mehr auf ihn schießen konntest! Du hättest seinen steifen Gummibauch treffen sollen!«

»Schweig!«, sagte Jakow, sie fest schüttelnd. Sie fuhr aber fort, ebenso grimmig durch die Zähne zu zischen:

»Der Schuft! Wie er mich beschimpft hat! Wie ihr alle seid ... Ihr versteht alle nichts von Frauen!«

Sie schob die verschwollenen Lippen hoch, zeigte ihre fest aufeinander gepressten Fuchszähne und fügte hinzu:

»Wenn eine Frau untreu wird, bedeutet das noch lange nicht, dass sie nicht mehr liebt!«

»Schweig, sage ich!«, schrie Jakow und drückte sie so, dass sie aufstöhnte.

»Oh, jetzt fühle ich, dass du mich liebst! Jascha, mein Salziger ...«

Er verließ sie beim Morgengrauen mit dem leichten Gang eines Menschen, der fühlt, dass er in einem gefährlichen Spiel etwas Wertvolles gewonnen hat. Der stille Feiertag, der in seiner Seele herrschte, wurde noch dadurch erhöht, dass, als er beim Weggehen Polina um den von ihr versteckten Revolver bat, und sie ihn nicht ausfolgen wollte, er sich genötigt sah, ihr zu sagen, er fürchte sich ohne Revolver zu gehen, und ihr den Vorfall mit Noskow zu erzählen. Polinas Erschrecken freute ihn sehr, und ihre Aufregung überzeugte ihn davon, dass er ihr tatsächlich teuer war und von ihr geliebt wurde. Sie ächzte, rang die Hände und begann ihm vorzuwerfen:

»Warum hast du mir nichts davon gesagt?«

Sie überlegte beunruhigt:

»Das ist natürlich sehr interessant – ein Detektiv! Zum Beispiel Sherlock Holmes, – hast du das gelesen? Bei uns sind aber gewiss auch die Detektive Schufte?«

»Natürlich«, bestätigte Jakow.

Als sie ihm den Revolver gab, wollte sie sich vergewissern, ob er gut schoss und überredete Jakow, in die Ofentür zu schießen; Jakow musste sich mit dem Bauch auf die Erde legen; auch sie legte sich hin; Jakow schoss, der Ofen wehte sie zornig mit Asche an, Polina schrie auf, rollte zur Seite, hob dann die Hand und sagte leise:

»Sieh mal!«

In dem gestrichenen Fußbodenbrett befand sich ein kleines, schiefes, in die Tiefe gehendes Loch.

»Wenn man bedenkt, dass der Tod sich dahinein versteckt hat«, sagte Polina seufzend und zog die fein gezeichneten Brauen zusammen.

Und noch nie hatte Jakow sie so anziehend gesehen und ihre Nähe so gefühlt. Als er von Noskow erzählte, blickten ihre Augen kindlich erstaunt, und in ihrem spitzen Backfischgesicht war gar nichts Böses mehr.

»Sie ist sich keiner Schuld bewusst«, dachte Jakow erstaunt, und das war ihm angenehm.

Beim Hinausbegleiten sagte sie, Jakows Bart streichelnd:

»Ach, Jascha, Jascha! So steht es also! Nun wird es ernst? Ach, mein Gott … Aber dieser Schuft!«

Sie presste die Finger zur Faust zusammen, schüttelte sie empört und klagte:

»Ach Gott, wie viele Schufte gibt es doch!«

Plötzlich packte sie aber Jakows Hand, zog sinnend die Stirne kraus und sagte leise:

»Warte, warte! Hier ist ein Fräulein, ach, natürlich!« Sie begann zu strahlen, bekreuzte Jakow und ließ ihn hinaus.

»Geh, mein Salziger!«

Es war ein kühler, tauiger Morgen; der dem Tagesanbruch vorangehende Wind seufzte, der grünlich-perlfarbene Himmel atmete den Duft von Äpfeln aus.

»Sie hat natürlich nur vor Zorn Unzucht getrieben. Ich muss sie heiraten, sowie der Vater tot ist«, dachte er großmütig, und ihm fielen gleich die komischen Worte des Trösters Serafim ein:

»Jedes Mädchen greift beim Ertrinken nach einem Strohhalm. Bei der Gelegenheit muss man sie fangen!«

Ihn beunruhigte der Gedanke an den kaltblütigen Leutnant, der gar nicht an einen Strohhalm erinnerte; der war wütend und würde ihm wahrscheinlich Unannehmlichkeiten machen. Doch musste der ja in den Krieg ziehen. Jakow dachte jetzt sogar an Noskow mit mehr Ruhe, wenn er sich auch misstrauisch umblickte, scharf horchte und den Revolvergriff in der Tasche presste, – am häufigsten lauerte Noskow ihm gerade in diesen Stunden auf. Als aber zwei Wochen vergingen, wurde Artamonow von Neuem von der Furcht vor dem Jäger wie von einer atemberaubenden Rauchwolke erfasst. Als Jakow am Sonntag den von Woroponow gekauften schlagbaren Wald besichtigte, erblickte er Noskow, der sich gerade, mit Fallen behängt und mit einem Sack auf dem Rücken, durch das Dickicht zwängte.

»Das ist für Sie eine glückliche Begegnung«, sagte er näher kommend und nahm die Mütze ab. Er trug sie auf Soldatenart, den oberen Rand auf die Augenbrauen herabgezogen, und fasste sie beim Grüßen nicht am Schirm, sondern am Teller.

Ohne auf seine seltsame Begrüßung, in der eine Drohung verborgen war, zu antworten, presste Jakow die Zähne zusammen und packte krampfhaft den Revolver in der Tasche. Auch Noskow schwieg eine Weile, stocherte mit dem Finger im Mützenfutter herum und sah Jakow nicht an.

»Nun?«, fragte Artamonow. Noskow hob seine Hundeaugen, glättete sein in die Höhe stehendes, struppiges Haar und sagte mit Betonung:

»Ihre Liebste, das heißt Pelagia Andrejewna, die Polina, hat die Bekanntschaft der Tochter des Popen Sladkopewzew gemacht. Sagen Sie ihr, sie soll das sein lassen.«

»Weshalb?«

»Es wäre besser ...«

Und der Jäger fügte rasch hinzu, nachdem er eine Weile dem Glockengeläute in der Stadt gelauscht hatte:

»Ich gebe Ihnen den Rat, weil ich Ihnen von Herzen Gutes wünsche. Schenken Sie mir jetzt ...«

Er sah auf den Himmel und rechnete:

»Fünfunddreißig Rubelchen.«

»Ich sollte den Hund niederknallen!«, dachte Jakow Artamonow, indem er das Geld vorzählte.

Der Jäger nahm die Scheine, drehte sich auf den krummen Beinen um, sodass das Eisen der Fallen klirrte, und kroch, ohne die Mütze aufzusetzen, ins Dickicht. Jakow fühlte, dass dieser Mensch ihm noch unangenehmer geworden war und ihn noch mehr bedrückte.

»Noskow!«, rief er halblaut, und als dieser, halb von den Tatzen der Tannen versteckt, stehen blieb, riet Jakow ihm:

»Du solltest das lieber lassen!«

»Weshalb?«, fragte Noskow, den Kopf versteckend, und Artamonow glaubte in Noskows leeren Augen etwas Ängstliches oder Böses aufleuchten zu sehen.

»Es ist eine gefährliche Sache«, erklärte Jakow.

»Man muss es verstehen«, sagte Noskow, und seine Augen erloschen. »Für jemanden, der es nicht versteht, ist alles gefährlich.«

»Wie du willst.«

»Sie sprechen gegen Ihren eigenen Nutzen.«

»Welcher Nutzen kann denn aus dem Hass entspringen?«, murmelte Jakow und bedauerte, dass er sich mit dem Spion in ein Gespräch eingelassen hatte.

»Dieser Idiot räsoniert noch ...«

Noskow sagte aber in belehrendem Ton:

»Ohne das kann man nicht leben. Jeder hat seinen Hass und seine Not. Auf Wiedersehen!«

Er wandte Jakow den Rücken und brach in das dichte Tannengrün ein. Jakow lauschte, wie er mit den stachligen Zweigen raschelte, und wie die dürren Äste knackten, und ging schnell nach der Lichtung, wo ihn das vor eine Droschke eingespannte Pferd erwartete. Er fuhr rasch in die Stadt zu Polina.

»So ein Schuft!«, dachte Polina mit fast freudigem Staunen. »Er hat schon erfahren, dass sie zu mir kommt? Da soll doch einer sagen!«

»Warum machst du solche Bekanntschaften?«, warf ihr Jakow böse vor. Sie begann aber ebenfalls böse zu schnattern und zupfte an dem gelben Mullschal auf ihrer Brust herum.

»Erstens geschieht es zu deinem Nutzen! Und zweitens: Soll ich mir denn Hunde, Katzen oder Mawrin halten? Ich sitze allein da, wie im Gefängnis, und habe niemanden, mit dem ich auf die Straße gehen könnte. Sie ist aber interessant, sie gibt mir Romane und Zeitschriften, sie beschäftigt sich mit Politik und erzählt mir alles. Wir waren zusammen auf dem Gymnasium der Popowa – später haben wir uns verzankt ...«

Sie stieß ihn mit dem Finger in die Schulter und sprach immer gereizter:

»Du bildest dir wohl ein, es wäre leicht, so als heimliche Geliebte zu leben? Die Sladkopewzewa sagt, eine Geliebte ist wie eine Gummigalosche, – man braucht sie, wenn es schmutzig ist. So ist es! Sie hat einen Roman mit einem Arzt, und sie verheimlichen das nicht. Du versteckst mich aber wie ein Geschwür, du schämst dich, als ob ich krumm oder bucklig wäre, und ich bin doch wirklich kein Krüppel ...«

»Warte«, sagte Jakow. »Ich werde dich schon heiraten! Ich meine das ernst, obwohl du ein Schwein bist ...«

»Es ist noch die Frage, wer von uns schweinischer ist«, rief sie aus und lachte kindlich, indem sie wiederholte: »Schwein, gemein, meine Zunge verheddert sich! Mein Salziger! ... Mein Lieber! Du bist nicht habgierig! Ein anderer würde schweigen; dieser Spion ist dir ja nützlich ...«

Jakow verließ sie, wie immer, beruhigt. Sieben Tage später teilte ihm der kleine, pockennarbige, krummnasige Rechnungsführer Jelagin mit, dass, als die Weber beim Morgengrauen mit dem Zugnetz fischten, der Weber Mordwinow beim Versuch, den ertrinkenden Jäger Noskow zu retten, selbst beinahe ertrunken wäre und nun im Krankenhaus liege. Jakow hörte den näselnden Bericht an und saß mit ausgestreckten Beinen da, um seine zitternden Hände tiefer in die Taschen stecken zu können.

»Man hat ihn ertränkt«, dachte er und stellte sich den gutmütigen Mordwinow, einen Menschen mit einem weichen Frauengesicht vor; er konnte nicht glauben, dass dieser Mann imstande wäre, jemanden umzubringen.

»Ein glücklicher Zufall«, dachte er mit einem Seufzer der Erleichterung. Auch Polina gab zu, dass es ein glücklicher Zufall sei.

»So ist es natürlich besser«, sagte sie, ernst die Stirne runzelnd, »denn wenn man ihn irgendwie anders ermordet hätte, würde es Lärm geben.«

Sie bedauerte das aber:

»Es wäre interessanter gewesen, ihn zu fangen, zur Reue zu zwingen und dann aufzuhängen oder zu erschießen. Hast du gelesen ...«

»Du sprichst Unsinn, Polka«, unterbrach sie Jakow.

Es vergingen einige stille Tage, Jakow fuhr nach Worgorod und kehrte wieder zurück. Miron sagte mit einem besorgten Stirnrunzeln:

»Wir kommen in eine schmutzige Geschichte hinein: Nach einer Verordnung aus der Gouvernementsstadt führt Ekke eine Untersuchung darüber, unter welchen Umständen dieser Jäger ertrunken ist. Er hat Mordwinow, Kirjakow und den Heizer Krotow – diesen Hanswurst – verhaftet, alle, die mit dem Jäger gefischt haben. Mordwinow hat ein zerkratztes Gesicht und ein eingerissenes Ohr. Man vermutet wohl etwas Politisches … Natürlich nicht in dem eingerissenen Ohr …«

Er blieb am Klavier stehen, ließ seine Brille am Finger baumeln und blickte mit zugekniffenen Augen in die Ecke. Er erinnerte in dem zerknitterten Schwedenrock, in den rötlichen Beinkleidern und den bis ans Knie reichenden staubigen Schaftstiefeln an einen Maschinenmeister; seine knochigen, glatt rasierten Wangen und der gestutzte Schnurrbart hatten etwas Militärisches; sein wenig bewegliches Gesicht veränderte sich fast gar nicht, was und wie er auch sprechen mochte.

»Eine idiotische Zeit!«, sagte er nachdenklich. »Jetzt sind wir in einen neuen Krieg hineingeraten. Wir führen ihn, wie immer, um die Augen von unserer eigenen Dummheit abzulenken; wir haben nicht die Kraft und verstehen es nicht, gegen die Dummheit anzukämpfen. Alle unsere Aufgaben liegen aber vorläufig im Innern des Reiches. In einem Bauernlande träumt die Arbeiterpartei vom Ergreifen der Macht! In den Reihen dieser Partei befindet sich der Kaufmannssohn Ilja Artamonow, der Angehörige eines Standes, der dazu berufen ist, die große Aufgabe der industriellen und technischen Europäisierung des Landes durchzuführen! Eine Sinnlosigkeit folgt der anderen! Verrat an den Standesinteressen müsste als Kriminalverbrechen bestraft werden! Im Grunde genommen ist es Staatsverrat! … Ich verstehe vielleicht noch einen Intellektuellen, wie Gorizwetow, der an nichts gebunden ist, der nicht weiß, wo er hin soll, weil er talentlos und arbeitsunfähig ist und nichts als sprechen und lesen kann. Ich finde überhaupt, dass in Russland revolutionäre Betätigung die einzige Beschäftigung für unbegabte Menschen ist …«

Es schien Jakow, dass Miron beim Sprechen ein mit Menschen gefülltes Zimmer vor sich sah; er kniff die Augen immer mehr zu und schloss sie endlich ganz. Jakow hörte seiner Rede nicht mehr zu und dachte an seine eigenen Angelegenheiten – zu was für Ergebnissen würde die Untersuchung über Noskows Tod führen, und inwiefern würde sie ihn selbst berühren?

Mirons schwangere Frau, die einer Kommode ähnlich sah, trat ein; sie betrachtete ihn und sagte mit müder Stimme:

»Geh, kleide dich um!«

Miron setzte gehorsam die Brille auf die Nase und ging.

Etwa nach einem Monat wurden alle Verhafteten freigelassen. Miron sagte zu Jakow streng und mit einer Stimme, die keinen Widerspruch duldete:

»Entlasse sie alle!«

Jakow hatte sich schon längst, und ohne es selbst zu merken, daran gewöhnt, sich dem trockenen Kommando seines Vetters zu unterwerfen. Das war bequem und enthob ihn der Verantwortung in Bezug auf die Fabrikangelegenheiten. Er sagte aber trotzdem:

»Wir müssen den Heizer behalten.«

»Weshalb?«

»Er ist lustig und arbeitet hier schon lange. Er amüsiert die Leute.«

»So? Nun, dann behalten wir ihn vielleicht.«

Miron leckte sich die Lippen und sagte:

»Solche Hanswurste sind wirklich ganz nützlich.«

Eine Zeit lang schien Jakow alles gut zu gehen. Der Krieg hatte die Menschen niedergedrückt, alle wurden nachdenklicher und stiller. Er war es aber gewohnt, Unannehmlichkeiten zu ertragen, ahnte, dass sie für ihn noch nicht zu Ende waren und erwartete dunkel neue. Er hatte nicht sehr lange zu warten. In der Stadt erschien wieder Nesterenko mit einer großen Dame am Arm, die Wera Popowa ähnlich sah. Als er Jakow auf der Straße traf, sah er ihn schon von Weitem durchdringend an, als er aber näher kam, grüßte er und fragte:

»Können Sie in einer Stunde zu mir kommen? Ich bin bei meinem Schwiegervater. Wissen Sie, meine Frau liegt im Sterben. Ich möchte Sie also bitten – klingeln Sie nicht am Haupteingang, das würde die Kranke stören, gehen Sie über den Hof. Auf Wiedersehen!«

Es war eine schwere und unnatürlich lange Stunde, und als Jakow Artamonow sich in dem mit Bücherschränken angefüllten Zimmer müde auf einen Stuhl setzte, sagte Nesterenko leise und auf irgendetwas lauschend:

»Nun, man hat unseren Freund kalt gemacht. Das ist nicht zu bezweifeln, wenn es auch nicht bewiesen werden konnte. Es ist geschickt gemacht, das muss man anerkennen. Jetzt handelt es sich um Folgendes: Die Dame Ihres Herzens, Polina Nasarowa, ist mit Fräulein Sladkopewzewa bekannt, die dieser Tage in Worgorod verhaftet wurde. Ist sie mit ihr bekannt?«

»Ich weiß nicht«, sagte Jakow und geriet auf einmal in Schweiß. Der Gendarm hielt aber die Hand gegen die Nase, betrachtete seine Nägel und sagte sehr ruhig:

»Sie wissen es!«

»Ich glaube, sie ist mit ihr bekannt.«

»Das ist es eben.«

»Was will er nur?«, überlegte Jakow und betrachtete mit gerunzelter Stirn das graue, rot geäderte, flache Gesicht mit der breiten Nase und die trüben Augen, denen schwer lastende Langeweile und scharfer Schnapsdunst zu entströmen schien.

»Ich spreche mit Ihnen nicht amtlich, sondern als guter Bekannter, der auf Ihr Wohl bedacht ist und dem Ihre geschäftlichen Interessen nahe gehen«, vernahm Jakow die etwas heisere Stimme. »Es handelt sich um Folgendes, mein teurer … Schütze!« Der Gendarm schmunzelte, schwieg eine Weile und erklärte:

»Ich sage – Schütze, weil mir noch ein Fall bekannt ist, bei dem Ihnen der Gebrauch der Schießwaffe missglückt ist. Ja, sehen Sie also: Fräulein Sladkopewzewa ist mit der Nasarowa, der Dame Ihres Herzens, bekannt. Nun überlegen Sie: Niemand außer uns beiden konnte über die Art der Tätigkeit des Jägers Noskow unterrichtet sein. Ich schließe mich aus dieser Kette der Bekanntschaften aus. Noskow war nicht dumm, aber schlapp und ...«

Nesterenko blickte seufzend unter den Tisch:

»Nichts ist ewig. Jetzt bleiben also Sie übrig ...«

Es schien Jakow Artamonow, dass aus dem Munde des Offiziers nicht Worte, sondern feine, unsichtbare Schlingen hervorkamen, die sich ihm um den Hals legten und ihn so fest würgten, dass ihm die Brust erkaltete und das Herz stehen blieb. Alles ringsum wogte und heulte wie im Wintersturm. Nesterenko sprach aber absichtlich langsam:

»Ich glaube, ich bin fast überzeugt, dass Sie sich einmal eine gewisse Unvorsichtigkeit beim Sprechen erlaubt haben, nicht wahr? Denken Sie mal nach!«

»Nein«, sagte Jakow leise, da er befürchtete, seine Stimme könnte ihn verraten.

»Stimmt das auch?«, fragte der Offizier und fuhr sich mit den roten Fingern über den Schnurrbart.

»Nein«, wiederholte Jakow kopfschüttelnd.

»Seltsam. Sehr seltsam. Es lässt sich aber wiedergutmachen. Es steht so: Noskow muss durch einen eben solchen für Sie nützlichen Menschen ersetzt werden. Bei Ihnen wird ein gewisser Minajew erscheinen. Sie werden ihn aufnehmen, nicht wahr?«

»Gut«, sagte Jakow.

»Das ist alles. Damit ist die Sache erledigt. Ich bitte Sie, seien Sie vorsichtig. Sagen Sie den Damen nichts! Kein Sterbenswörtchen. Verstehen Sie?«

»Er spricht wie zu einem Jungen, wie zu einem Dummkopf«, dachte Jakow.

Dann erzählte der Gendarm von dem bald bevorstehenden herbstlichen Wanderflug der Vögel, vom Krieg und der Krankheit seiner Frau, die jetzt von seiner Schwester gepflegt wurde.

»Wir müssen aber auf noch Ärgeres gefasst sein«, sagte Nesterenko, fasste sich beim Schnurrbart und hob ihn zu den dicken Ohrläppchen empor, wobei die Oberlippe mitging und die gelben Zähne entblößte.

»Ich muss fliehen«, dachte Jakow. »Er wird mich in etwas verwickeln. Ich muss fort!«

»Der Teufel hole euch alle«, dachte er, längs des Okaufers hinschreitend. »Wozu brauche ich euch? Wozu?«

Ein feiner, den Herbst ankündigender Regen netzte träge die Erde und kräuselte das gelbe Flusswasser; die widerwärtig warme Luft enthielt etwas, das Jakow Artamonows Niedergeschlagenheit noch mehr vertiefte. War es denn in der Tat unmöglich, ruhig und einfach, ohne alle diese unnötigen, sinnlosen Aufregungen zu leben?

Doch die Monate folgten aufeinander wie die Fuhren eines Wagenzuges im winterlichen Schneegestöber, und waren schwer und reich mit außerordentlichen Aufregungen beladen.

Sachar, einer von den Morosows, kehrte mit dem Georgskreuz auf der Brust und mit einem kahlen, verbrannten Kopf voll roter Geschwüre aus dem Kriege zurück; das eine Ohr fehlte, an Stelle der rechten Augenbraue befand sich eine rote Narbe, unter der sich ein zerquetschtes, totes Auge versteckte, während das zweite streng und aufmerksam blickte. Er freundete sich gleich mit dem Heizer Krotow an, und Serafims lahmer Schüler spielte und sang:

»Der Regen fällt, ich muss im Kot,
Im Schützengraben liegen

Und helfen, ach, ich Idiot,
Europa bei den Siegen!«

Jakow fragte Morosow:

»Nun, Sachar, führen wir schlecht Krieg?«

»Wir haben nichts, um ihn gut zu führen«, erwiderte der Weber. Er hatte eine frech bellende Stimme, und in seinen Worten erklang dieselbe tollkühne Schamlosigkeit wie in dem Liedchen des Heizers.

»Wir haben keinen Herrn, Jakow Petrowitsch«, sagte er seinem Prinzipal ins Gesicht. »Bei uns wirtschaften lauter Spitzbuben.«

Dieser Mensch und Waska, der Heizer, machten sich ebenso bemerkbar wie angezündete Laternen im Dunkel der Herbstnacht.

Als Tatjanas lustiger Mann ein Beinkleid mit einem lächerlich weiten Hosenboden von derselben Farbe wie Sachars morscher Soldatenmantel, anzog, sah ihn der Heizer an und sang:

»Seht doch diese Höschen bloß!
Jeder sucht sich selbst sein Heil:
Dem einen wächst der Kopf recht groß,
Dem andern nur sein Hinterteil!«

Zu Jakows Erstaunen war der Schwager über diesen Spott nicht beleidigt, sondern lachte laut und spornte den Heizer sichtlich zu weiterem Mutwillen an. Auch die Arbeiter lachten. Die ganze Fabrik begann zu grölen, als Sachar Morosow ein zottiges Hündchen auf den Hof mitbrachte, das einen buschigen, unternehmend auf den Rücken geringelten Schwanz hatte, an dessen Ende mit Bast ein baumelndes weißes Georgskreuz festgebunden war. Miron duldete diesen Unfug nicht, Sachar wurde von der Polizei verhaftet, und das Hündchen kam zu Tichon Wialow.

Durch die Straßen der Stadt gingen lahme, blinde, armlose und auf verschiedene Art verstümmelte Menschen in Soldatenmänteln, und alles ringsum nahm die Eiterfärbung ihrer Kleidung an. Die verunstalteten, verkrüppelten Soldaten wurden von den städtischen Damen spazieren geführt, die die magere, dünne, an eine Besenstange erinnernde Wera Popowa kommandierte. Sie wollte auch Polina heranziehen, die schüttelte aber den Kopf, schrie und klagte:

»Ach nein, ich kann nicht! Das ist widerwärtig! Sieh einmal, Jakow, sie sind alle jung, gesund und dabei verkrüppelt. Und wie sie riechen! Ich kann nicht! Höre, lass uns wegfahren!«

»Wohin?«, fragte Jakow niedergeschlagen, als er sah, dass seine Liebste immer reizbarer wurde, furchtbar viel rauchte und bitteren Brandgeruch ausatmete. Und überhaupt wurden alle Frauen in der Stadt, und besonders in der Fabrik, immer erbitterter; sie murrten, fauchten und klagten über das teure Leben, ihre Männer verlangten pfeifend Erhöhung der Löhne, arbeiteten aber immer schlechter. Die Siedlung lärmte und brüllte des Abends auf eine neue Weise, laut und zornig.

Unter den Arbeitern tauchte der gesetzte Schlosser Minajew auf, ein etwa dreißigjähriger, schwarzer und wie ein Jude großnasiger Mann; Jakow ging ihm ängstlich aus dem Wege und vermied es, den Blicken des Schlossers zu begegnen, der die Menschen mit seinen dunklen Augen so ansah, als hätte er etwas vergessen und könnte sich dessen nicht erinnern.

Der Vater schob sich als schmutzige Ruine durch den Hof und bewegte mit Mühe die kranken Beine. Jetzt hing auf seinen breiten Schultern ein schäbiger Reisepelz; er hielt die Leute an und fragte streng:

»Wohin gehst du?«

Und wenn man ihm antwortete, winkte er mit der Hand und murmelte:

»Nun, geh nur. Ihr Müßiggänger! Ihr Wanzen, ihr lebt von meinem Blut!«

Sein violettes, aufgedunsenes Gesicht zitterte voll Ekel, und die Unterlippe hing herunter; man musste sich seinetwegen vor den Leuten schämen. Schwester Tatjana raschelte den ganzen Tag mit ihren Zeitungen und war über etwas so erschreckt, dass sie immer rote Ohren hatte. Miron flog wie ein Vogel in der Gouvernementsstadt, in Moskau und in Petersburg herum; bei seiner Rückkehr stampfte er mit den breiten Absätzen seiner amerikanischen Stiefel herum und erzählte schadenfroh von dem betrunkenen, liederlichen Bauern, der sich wie ein Blutegel an den Zaren angesaugt hatte.

»Ich glaube nicht daran, dass es einen solchen Bauern wirklich gibt!«, sagte eigensinnig die halb blinde Olga, die neben der Schwiegertochter auf dem Sofa saß, wo deren zweijähriger Sohn Platon herumrutschte und schrie. »Man hat es absichtlich erfunden, um ein Beispiel zu haben ...«

»Das ist merkwürdig!«, verkündete Tatjanas lustiger Mann. »Das ist staunenswert! Das Dorf rächt sich! Nicht wahr?«

Er rieb sich freudig die fetten, rothaarigen Hände. Er allein erwartete mit Sicherheit irgendein Fest.

»Mein Gott!«, rief Tatjana ärgerlich aus. »Was freut dich! Ich verstehe es nicht!«

Mitja öffnete erstaunt den Mund und prophezeite:

»Wie? Du verstehst es nicht? Verstehe es doch! Das Dorf rächt sich für all das, was es erduldet hat! Es hat sich in der Person jenes Bauern ein zerstörendes Gift geschaffen ...«

»Erlauben Sie!«, sagte Miron, das Gesicht verziehend. »Sie haben noch vor Kurzem ganz anders gesprochen ...«

Aber Mitja flüsterte eindringlich, beinahe außer sich, und verschluckte sich an den Worten:

»Das ist ein Symbol und kein gewöhnlicher Bauer! Die da haben vor drei Jahren das dreihundertjährige Jubiläum ihrer Macht gefeiert, und nun ...«

»Unsinn«, sagte Miron schroff, Doktor Jakowlew lächelte wie immer; Jakow Artamonow aber dachte daran, was wohl wäre, wenn diese Worte zu dem Gendarmen Nesterenko dringen würden ...

»Wozu sagt ihr das alles?«, fragte er. »Was kommt dabei heraus?«

Und er redete gut zu:

»Hört auf!«

Er bemerkte, dass auch Miron ungewöhnlich zerstreut und aufgeregt war, und das verstimmte Jakow ganz besonders. Letzten Endes blieb unter all den Menschen nur Mitja der alte; er drehte sich noch immer wie ein Kreisel, sprühte von Scherzen, spielte des Abends Gitarre und sang:

»Meine Frau ist im Grab ...«

Tatjana gefielen aber seine Lieder nicht mehr.

»Pfui, wie ich das satt habe!«, sagte sie und ging zu den Kindern.

Mitja verstand es, die Arbeiter geschickt zu beruhigen; er riet Miron, in den Dörfern Mehl, Grütze, Erbsen und Kartoffeln aufzukaufen und zum Selbstkostenpreis, nur Transport und Fehlgewicht anrechnend, an die Arbeiter abzulassen. Den Arbeitern gefiel das, und es wurde Jakow klar, dass die Fabrik dem lustigen Menschen mehr als Miron glaubte, und er sah, dass Miron immer häufiger mit Tatjanas Mann stritt ...

»Sie wollen den Mantel nach dem Wind drehen?«, fragte Miron mit Betonung und offenem Ärger. Mitja erwiderte aber lächelnd:

»Der Wille des Volkes ist … das Recht des Volkes ...«

»Ich frage: Wer sind Sie eigentlich?«, schrie Miron.

»Ihr habt genug gebrüllt«, brummte Pjotr Artamonow, aber Jakow sah in den trüben Augen des Vaters Funken des Vergnügens aufflammen; es macht dem Alten Freude, zu sehen, wie der Schwiegersohn und der Neffe streiten, er schmunzelt, wenn er Tatjanas gereiztes Kreischen hört, und wenn die Mutter schüchtern bittet:

»Schenke mir noch ein Tässchen ein, Tatjana ...«

Alle neuen Ereignisse waren aufregend und tauchten irgendwie, plötzlich und ohne Zusammenhang mit dem Vorhergehenden auf. Plötzlich erkältete sich die gänzlich erblindete Tante Olga und starb nach achtundvierzig Stunden; einige Tage nach ihrem Tode waren die Stadt und das Werk wie vom Donner gerührt: Der Zar hatte auf den Thron verzichtet ...

»Was soll denn jetzt werden? Kommt nun die Republik?«, fragte Jakow den Vetter, der die Nase freudig in die Zeitung gesteckt hatte.

»Natürlich kommt die Republik!«, antwortete Miron über den Tisch gebeugt. Er stützte sich mit den Handflächen so fest auf das ausgebreitete Zeitungsblatt, dass das Papier sich spannte und plötzlich mit einem Knall platzte. Jakow hielt das für ein böses Vorzeichen, Miron richtete sich aber auf, mit einem ganz ungewöhnlichen Gesicht, und sagte mit einer fremden, lauten, aber freundlichen Stimme:

»Jetzt beginnt die Gesundung und Erneuerung Russlands – jawohl!«

Und er hob die Arme hoch, als wollte er Jakow umarmen, ließ aber gleich darauf den einen Arm sinken und schob sich mit dem zweiten, den er eine Weile ausgestreckt gehalten hatte, den Kneifer zurecht, dann streckte er wieder den Arm aus, sah dabei einem Semaphor ähnlich und erklärte, er würde gleich morgen Abend nach Moskau reisen.

Mitja fuchtelte auch wie ein erfrorener Droschenkutscher mit den Armen und schrie:

»Jetzt wird alles ausgezeichnet gehen; jetzt wird das Volk endlich sein mächtiges Wort sprechen, das schon längst in seiner Seele gereift ist!«

Miron stritt nicht mehr mit ihm, er leckte sich mit einem nachdenklichen Lächeln die Lippen, und Jakow sah, dass es tatsächlich so war: Alles ging ausgezeichnet, alle freuten sich. Mitja erzählte auf der Treppe den auf dem Hof versammelten Arbeitern, was in Petersburg vorging, die Arbeiter schrien hurra, packten dann Mitja an Armen und Beinen und begannen ihn in die Luft zu schleudern. Mitja kauerte sich zu einem Knäuel und zu einem großen Ball zusammen und flog sehr hoch hinauf, während Miron, der auch hochgeschleudert wurde, in der Luft zu zerbrechen schien, als würden ihm Arme und Beine abgerissen. Mitja wurde von einem Haufen alter Arbeiter umringt und der riesengroße, sehnige Weber Gerasim Woinow schrie ihm ins Gesicht:

»Mitri Pawlow, du bist ein umgänglicher Mensch, ein umgänglicher Mensch, hast du verstanden? Kinder, ein Hurra für ihn!«

Man schrie hurra, und der Heizer Waska ließ seinen kahlen Schädel erglänzen, tanzte und brüllte wie ein Betrunkener:

»Ach, die Leute saßen so weit
Von des Zaren Throne!
Doch als sie ihm nahten mit der Zeit,
Da trug eine Krähe die Krone!«

»Nur weiter, Waska!«, spornte man ihn an.

Auch Jakow sollte hochgeschleudert werden, er lief aber davon und versteckte sich im Hause, da er überzeugt war, dass die Arbeiter ihn nicht wieder auffangen würden und er sich auf der Erde totfallen würde. Als er abends im Kontor saß, hörte er auf dem Hof vor dem Fenster Tichons Stimme:

»Warum hast du mir den Hund weggenommen? Verkaufe ihn mir! Ich werde aus ihm etwas Anständiges machen.«

»Ach, Alter, ist denn jetzt die rechte Zeit, um Hunde zu erziehen?«, erwiderte Sachar Morosow.

»Was willst du mit ihm anfangen? Verkauf ihn mir, nimm einen Rubel. Nun?«

»Lass mich in Ruhe.«

Jakow sah aus dem Fenster und fragte:

»Was sagst du zu dem Zaren, Tichon?«

»Ja«, antwortete der Alte, sah um die Ecke des Hauses und pfiff leise: »Man hat den Zaren gestürzt!«

Tichon bückte sich, zog den Schaft des Stiefels hoch und sprach in die Erde hinein:

»Nun sind sie nicht mehr zu halten. Das hatten Antons Worte zu bedeuten: ›Der Reisewagen hat ein Rad verloren!‹ ...«

Er richtete sich auf und bog um die Ecke des Hauses, indem er halblaut rief:

»Tulun, Tulun ...«

Fröhliche Wochen folgten wie im Reigen aufeinander; Miron, Tatjana, der Arzt, alle Leute wurden zueinander freundlicher; es erschienen unbekannte Leute aus der Stadt und holten den Schlosser Minajew fort. Dann kam ein sonniger, heißer Frühling.

»Höre, Salziger«, sagte Polina, »ich verstehe doch nicht, wie das ist? Der Zar weigert sich zu regieren, man hat alle Soldaten verstümmelt oder getötet; man hat die Polizei verjagt, es kommandieren irgendwelche Zivilpersonen herum, – wie soll man jetzt leben? Jeder Teufel wird tun, was er will und Shitejkin wird mich bestimmt nicht in Ruhe lassen. Sowohl er, wie alle anderen, die mir den Hof machten und die ich abwies … Ich will und kann jetzt, wo alle gleich sind, nicht mehr hier bleiben, ich muss irgendwo leben, wo mich niemand kennt! Und dann: Wenn man die Revolution schon gemacht hat und die Freiheit erlangt hat, ist es doch natürlich deswegen geschehen, damit jeder so lebt, wie es ihm gefällt!«

Polina sprach immer beharrlicher und weitschweifiger. Jakow fühlte in ihren Worten etwas Unwiderlegbares und beruhigte sie:

»Warte noch ein wenig. Wenn sich alles etwas gelegt haben wird, dann ...«

Er glaubte aber nicht mehr daran, dass die Aufregung ringsum sich legen würde, er sah, wie der Lärm in der Fabrik mit jedem Tage dichter emporwallte und drohender wurde. Ein Mensch, der sich an die Furcht gewöhnt hat, wird immer einen Grund dafür finden; Jakow erschreckte jetzt der verbrannte Schädel von Sachar Morosow, Sachar ging wie ein kleiner Zar herum, die Arbeiter folgten ihm, wie die Hammel dem Schäferhund, und Mitja flog wie eine zahme Elster um ihn herum. Morosow hatte tatsächlich eine Ähnlichkeit mit einem großen Hund, der auf den Hinterbeinen gehen kann. Die verbrannte Haut auf seinem Schädel war wohl gesprungen, und er umwickelte sich manchmal den Kopf mit Tatjanas Frottierhandtuch, das ihm Mitja gab, wie mit einem Turban; der ungeheure Kopf, der Sachar beschwerte, ließ ihn kleiner erscheinen; er schritt ebenso wichtig wie der dicke Unterisprawnik Ekke einher, hielt seine Daumen hinter dem Gürtel der abgetragenen Soldatenhose, bewegte die übrigen Finger wie ein Fisch seine Flossen und schrie:

»Genossen, haltet Ordnung!«

Er hielt über drei Burschen wegen eines Leinwanddiebstahls Gericht. Er fragte die Diebe so laut, dass man es auf dem ganzen Hof hörte:

»Versteht ihr, bei wem ihr gestohlen habt?«

Und er antwortete selbst:

»Ihr habt bei euch, bei uns allen gestohlen! Darf man denn jetzt noch stehlen, ihr Hundsfotte?«

Er befahl die Diebe durchzuprügeln, und zwei Arbeiter peitschten sie mit Genuss mit Weidenruten durch, während der Heizer Waska wie außer sich sang und dazu tanzte:

»So wird das Gesindel bei uns jetzt traktiert!
Der Richter will's so, der gerechte ...«

Er blieb stecken, murmelte irgendetwas, fuhr mit den Händen herum und schrie plötzlich:

»Beschütze, o Herr, deine Knechte!«

Mitja rief:

»Bravo–o!«

Mitja lief in grauen Hosen und mit einer in den Nacken geschobenen Ledermütze herum, auf seinem rötlichen Gesicht glänzte der Schweiß, und aus den Augen strahlte grünlich berauschte Freude. Gestern Nacht hatte er sich ernstlich mit seiner Frau gezankt; Jakow hatte im Garten aus ihrem Zimmer erst lautes Geflüster und dann Tatjanas nicht mehr zurückgehaltenes Geschrei gehört:

»Sie sind ein Clown! Sie sind ein ehrloser Mensch! Ihre Überzeugungen? Bettler haben keine Überzeugungen. Das ist alles erlogen! Vor einem Monat waren deine Überzeugungen ... Genug! Morgen fahre ich in die Stadt zu meiner Schwester ... Ja, ich nehme die Kinder mit ...«

Das überraschte Jakow nicht, er hatte schon längst gesehen, dass der rothaarige Mitja zu einem immer widerwärtigeren Menschen wurde. Jakow war nur erstaunt und sogar ein wenig stolz, dass er als erster die

Unzuverlässigkeit des Rothaarigen erkannt hatte. Und jetzt murrte selbst die Mutter, die Mitja noch vor Kurzem ebenso wie einen ihrer Hähne geliebt hatte:

»Was ist es denn bloß, man kann ja mit ihm gar nicht mehr auskommen, als wäre er ein Judenjunge! Und da soll man sie noch füttern …!«

Mitja schrie:

»Alles ist ausgezeichnet! Das Leben ist eine schöne Frau mit einem klugen Kopf! Man muss aber die Fabeln vom friedlichen Zusammenleben der Wölfe und der Schafe vergessen, Tatjana Petrowna! Das kommt zu spät!«

Miron fragte ihn erbost und trocken:

»Und was werden Sie erklären?«

»Was das Leben mir eingeben wird! Jawohl! Nun, und was weiter?«

Tatjana und Miron gingen so vorsichtig um Mitja herum, als wäre er mit Ruß beschmutzt. Und nach einigen Tagen übersiedelte Mitja in die Stadt und nahm seine ganze Habe: drei große Bücherbündel und einen Korb mit Wäsche mit.

Jakow beobachtete überall ein sinnloses Durcheinander wie bei einem Feuer; alle Menschen waren vom Dunst offenkundiger Dummheit umfangen, und nichts verhieß diesen wahnsinnigen Tagen ein nahes Ende.

»Nun«, sagte er zu Polina, »ich habe mich entschlossen: Wir wollen fort! Zuerst nach Moskau, und dann wollen wir weiter überlegen ...«

»Endlich!«, freute sie sich, umarmte und küsste ihn.

Der Juliabend erfüllte den Garten mit rötlichem Dunkel und ließ den schweren Geruch der vom Regen durchnässten und von der Sonne erwärmten Erde durch die Fenster dringen. Es war schön, aber traurig.

Jakow löste Polinas feuchte, heiße Hände von seinem Hals und sagte sinnend:

»Deck' dir die Brust zu … Überhaupt – zieh dich an! Wir müssen ernster sein.«

Sie sprang von seinen Knien auf die Erde, war in zwei Sätzen beim Bett, hüllte sich in den Schlafrock und setzte sich mit sachlicher Miene neben ihn.

»Siehst du«, begann Jakow und rieb sich den Bart auf der Wange so fest, dass die Haare knisterten, »wir müssen uns alles überlegen und einen Ort und ein Land aussuchen, wo es ruhig ist. Wo man nichts zu verstehen und wo man nicht über fremde Angelegenheiten nachzudenken braucht. Das ist es!«

»Gewiss!«, sagte Polina.

»Wir müssen alles vorsichtig einrichten. Miron sagt, die Züge sind von flüchtigen Soldaten überfüllt. Wir müssen uns arm stellen ...«

»Nimm möglichst viel Geld mit.«

»Nun ja, gewiss. Ich will es so einrichten, dass bei mir zu Hause niemand weiß, wohin ich fahre. Ich will so tun, als ob ich nach Worgorod reise, – verstehst du?«

»Warum müssen wir das verheimlichen?«, fragte Polina erstaunt und misstrauisch.

Er wusste selbst nicht, warum; dieser Gedanke war ihm eben erst gekommen; er fühlte aber, dass er richtig war.

»Ja, weißt du, der Vater und Miron kämen mit Fragen ... Das alles ist überflüssig. Das Geld befindet sich in Moskau, ich kann mir viel gutes Geld verschaffen.«

»Aber nur recht bald!«, bat Polina. »Du siehst, ich kann so nicht weiterleben. Alles ist teuer, und man bekommt nichts. Er wird auch gewiss zu Plünderungen kommen, denn wie sollen die Leute leben?«

Sie sah sich nach der Tür um und flüsterte:

»Die Köchin war zum Beispiel früher gutmütig, und jetzt ist sie frech und wie betrunken. Sie kann mich im Schlaf erstechen. Warum sollte sie es auch nicht tun, wenn alles so verworren ist? Gestern hörte ich, dass sie mit jemandem flüsterte. Mein Gott, dachte ich, jetzt kommt es! Ich öffne leise die Tür und sehe, dass sie auf den Knien liegt und brüllt! Entsetzlich!«

»Warte«, unterbrach Jakow den raschen Strom ihres aufgeregten Geflüsters. »Zuerst reise ich ab ...«

»Nein«, sagte sie laut und schlug sich mit ihrer kleinen Faust aufs Knie. »Zuerst fahre ich! Du gibst mir Geld und ...«

»Traust du mir denn nicht?«, fragte er gekränkt und zornig und erhielt die bestimmte Antwort:

»Ich traue dir nicht. Ich bin ehrlich und sage geradeheraus: Nein! Wie kann man denn jetzt noch etwas glauben, wenn alle den Zaren verraten haben und alles verraten? Glaubst du denn jemandem?«

Sie sprach überzeugt, und noch überzeugender wirkte ihre Brust in den Falten des zurückgeschlagenen Schlafrocks. Jakow Artamonow gab ihr nach: Es wurde beschlossen, dass sie gleich morgen ihre Vorbereitungen treffen und nach Worgorod reisen sollte, wo sie ihn erwarten würde.

Schon am nächsten Tag begann Jakow über Schmerzen im Magen und Kopf zu klagen, was durchaus wahrscheinlich klang; in den letzten Monaten war er sehr abgemagert, war schlaff und zerstreut geworden, und seine regenbogenfarbigen Augen hatten sich getrübt. Und acht Tage später fuhr er auf der Chaussee von der Stadt zur Eisenbahnstation; langsam kam er vorwärts, der Wagen fuhr am Rande der zerfahrenen Straße. Zwischen tiefen, vertrockneten, von Rissen durchzogenen Räderspuren ragten lockere Steine in die Höhe. Hinter ihm blieb ein ebenso zerfahrenes und zerwühltes Leben zurück, und vor ihm leuchtete aus einer sanften Vertiefung im Mittelpunkt der dunstigen Wolken als weißlicher Fleck die tote Sonne hervor.

Als Miron Artamonow einen Monat später aus Moskau zurückkehrte, sagte er, den Kopf senkend und seine Handfläche betrachtend, zu Tatjana:

»Ich muss dir etwas Trauriges mitteilen. In Moskau erschien bei mir jene vulgäre Person, mit der Jakow ein Verhältnis hatte, und erzählte mir, irgendwelche Menschen, – nun, was für Menschen gibt es denn jetzt? – hätten ihn verprügelt und aus dem Waggon hinausgeworfen ...«

»Nein!«, schrie Tatjana auf und versuchte vom Stuhl aufzustehen.

»... während der Zug in Bewegung war. Er starb nach zwei Tagen und wurde von ihr auf einem Dorffriedhof nahe der Station Petuschki beerdigt.«

Tatjana presste sich schweigend das Taschentuch an die Augen, ihre spitzen Schultern bebten, und das schwarze Kleid floss an ihnen herab, als beginne diese magere Frau mit dem langen Hals sich aufzulösen.

Miron schob sich den Kneifer zurecht, seine Finger knackten, er rieb sich die Hände, hörte dem Läuten der einsamen, die Abendmesse ankündigenden Glocke zu und sagte dann, durch das Zimmer schreitend:

»Was soll das Weinen? Er war, unter uns gesagt, ein gänzlich unnützer Mensch. Und er war bis zur Unanständigkeit dumm, verzeih! Es ist natürlich bedauerlich. Ja.«

»Mein Gott!«, sagte Tatjana, mit den geröteten Lidern blinzelnd, und Strich sich mit dem angefeuchteten Finger über die Augenbrauen.

»Dieses flotte Fräulein«, fuhr Miron fort, die Hände in die Taschen steckend, »mimt ziemlich ungeschickt die trauernde Witwe; sie ist aber so schick gekleidet, dass es klar ist: Sie hat Jakow ausgeraubt. Sie sagt, sie hätte an uns nach hier geschrieben!«

Tatjana schüttelte verneinend den Kopf.

»Nein? Das dachte ich mir. Ich meine, wir dürfen den Eltern nichts davon sagen; sie mögen glauben, dass Jakow noch lebt. Nicht wahr?«

»Ja, das wäre besser«, stimmte Tatjana zu.

»Der Onkel scheint übrigens nichts mehr zu verstehen, aber Jakows Mutter würde sich totweinen.«

Tatjana wiegte den Kopf und sagte:

»Bald gehen wir alle zugrunde.«

»Vielleicht, – wenn wir hier bleiben. Ich schicke aber unverzüglich meine Frau und die Kinder von hier fort. Ich rate auch dir, zu verschwinden ohne abzuwarten, bis Sachar Morosow … Also: Wir sagen den Alten nichts davon. Nun, entschuldige mich, ich muss nach Hause, meine Frau ist unwohl ...« Er schüttelte mit seinen langen Fingern die Hand seiner Cousine und ging mit den Worten:

»Es ist jetzt unglaublich schwer zu reisen, die Straßen sind in einem furchtbaren Zustand!«

Pjotr Artamonow lebte wie im Halbschlummer und versank langsam in immer tieferen Schlaf. Er verbrachte die Nacht und einen großen Teil des Tages im Bett, die übrige Zeit saß er im Lehnstuhl am Fenster; vor dem Fenster war blaue Leere, die manchmal durch Wolken bekleckst wurde; im Spiegel erschien das Bild eines dicken Alten, mit einem aufgedunsenen Gesicht, mit verschwommenen Augen und den Büscheln eines grauen Bartes. Artamonow betrachtete sein Gesicht und lachte:

»Ein schönes Insekt!«

Seine Frau kam, beugte sich über ihn, zupfte ihn und greinte:

»Du musst fort, du musst in ärztliche Behandlung ...«

»Geh«, sagte Artamonow träge. »Geh, du Stute! Ich habe dich satt. Gib Ruhe ...«

Und wenn er allein blieb, lauschte er dem Feiertagslärm der Leute auf dem Hof, im Garten, überall. Das Werk schwieg aber.

Sein altgewohnter Gesellschafter, der betrogene Mann, der Artamonow durch die Nadelstiche seiner Gedanken belebt hatte, war verschwunden und gestorben. Und er hatte gut daran getan, – das Denken fiel dem Alten schwer, er hatte auch keine Lust mehr dazu, er hatte auch schon längst begriffen, dass das Denken zwecklos war, weil man doch nichts verstehen konnte. Wohin waren alle verschwunden: Jakow, Tatjana, der Schwiegersohn?

Manchmal fragte er seine Frau:

»Ist Ilja zurückgekehrt?«

»Nein.«
»Noch nicht?«
»Nein.«
»Und Jakow?«
»Auch Jakow nicht.«
»So. Sie amüsieren sich. Und Miron saugt die Fabrik aus.«
»Denk nicht dran!«, riet Natalia.
»Geh!«
Sie ging in eine Ecke, saß dort und betrachtete mit trüben Augen den gewesenen Menschen, an den sie ihr ganzes Leben vergeudet hatte. Ihr Kopf zitterte, ihre Hände bewegten sich unsicher, als wären sie verrenkt; sie war abgemagert und wie eine Talgkerze zerschmolzen.

Ab und zu, aber immer häufiger, wurde Pjotr Artamonow durch einen unverständlichen Trubel im Hause geweckt; es erschienen fremde Menschen, er betrachtete sie und bemühte sich, ihre lauten, irren Reden zu verstehen, er hörte das Wehklagen seiner Frau:

»Mein Gott, was ist denn das? Warum denn? Er ist doch der Herr, wir sind die Besitzer! Lasst mich ihn wegbringen, er muss in Behandlung, er muss in die Stadt! Ja, lasst mich ihn doch wegbringen ...«

»Sie will mich verstecken. Warum will sie mich aber verstecken?«, überlegte Pjotr Artamonow. »Sie ist dumm. Sie war ihr ganzes Leben dumm. Jakow ist ihr nachgeraten. Und die andern alle. Ilja ist aber mir ähnlich. Wenn er zurückkehrt, wird er alles in Ordnung bringen ...«

Es regnete, es schneite, der Frost knisterte, der Schneesturm heult und pfiff ...

Artamonow wurde aus diesem Zustand des Halbschlafs und des Halbwachseins durch ein scharfes Hungergefühl aufgerüttelt. Er sah sich im Garten, in der Laube; durch die Scheiben und zwischen den nassen Zweigen schimmerte ein rötlicher, seltsam naher Himmel, der hier gleich hinter den Bäumen herabzuhängen schien, sodass man ihn mit der Hand berühren konnte.

»Ich will essen«, sagte Artamonow. Er erhielt keine Antwort.

Ein bläulicher, feuchter Nebel erfüllte den Garten; vor der Laube standen zwei Pferde, ein graues und ein dunkles, die sich gegenseitig die Köpfe auf den Hals gelegt hatten; auf der Bank hinter ihnen saß ein Mensch in einem weißen Hemd und entwirrte ein großes Knäuel von Stricken.

»Natalia, hörst du? Gib mir was zu essen!«

Wenn er früher aus der Bewusstlosigkeit erwacht war und seine Frau gerufen hatte, war sie sogleich erschienen. Sie befand sich immer irgendwo in der Nähe, – heute war sie aber nicht da.

»Ist denn das möglich?«, dachte Artamonow, und in seinem Kopf wurde es klarer. »Oder ist sie krank?«

Er hob den Kopf, an der Badehaustür glänzte etwas zwischen den Sträuchern; dann stellte es sich heraus, dass es ein Gewehr mit einem Bajonett hinter dem Rücken eines grünlichen Soldaten war, der vom Gesträuch kaum zu unterscheiden war. Auf dem Hof schrie jemand:

»Was fällt euch ein, Genossen, macht ihr einen Scherz? Werden denn Pferde so gehalten? So hält man Schweine! Und warum ist das Heu nicht fortgeräumt und ist nass geworden? Willst du ins Badehaus, hinter Schloss und Riegel?«

Der Mensch im weißen Hemd warf die Stricke von den Knien auf die Pferde hinab, erhob sich und sprach halblaut, in der Richtung zu dem Soldaten:

»Er ist vom Himmel erschienen, der Teufel trag ihn von hinnen!«

»Es gibt jetzt mehr Kommandierende als früher«, antwortete der Soldat.

»Und wer ernennt sie, diese Teufel?«

»Sie sich selbst. Jetzt geschieht alles von selbst, Brüderchen, wie im Märchen einer alten Großmutter.«

Der Mann ging auf die Pferde zu und fasste sie bei der Mähne. Artamonow schrie so laut er konnte:

»He, du, ruf mal meine Frau!«

»Schweig, Alter!«, antwortete der andere. »Da sieh nur einer an, der will seine Frau ...«

Die Pferde waren wieder fort. Artamonow fuhr sich mit der Hand über Gesicht und Bart, tastete mit den kalten Fingern nach dem Ohr und sah sich um. Er lag an der fensterlosen, unverglasten Wand der Laube, unter dem Apfelbaum, von dem die roten Äpfel in Büscheln, wie Ebereschenbeeren herabhingen; es lag sich hart; er war mit seinem schäbigen Fuchspelz zugedeckt und hatte eine dicke Winterjacke an. Es war ihm aber nicht heiß. Er konnte nicht begreifen, warum er hier war? Vielleicht war im Hause großes Reinemachen vor den Feiertagen? Was für ein Feiertag war es aber? Warum waren die Pferde im Garten und die Soldaten beim Badehaus? Und wer brüllte auf dem Hof:

»Sie sind ein dämlicher Bengel, Genosse! Was? Die Leute sind müde? Es ist zu früh, um müde zu werden! Wenn diese Dummköpfe nicht wären ...«

In der Ferne wurde irgendwo geschrien, aber das Schreien betäubte und rief Kopfsausen hervor. Und dann schien er keine Füße mehr zu haben; seine Beine bewegten sich von den Knien abwärts nicht. Den Apfelbaum an der Wand hatte der Maler Wanka Lukin gemalt, – ein Dieb, der die Kirche bestohlen hatte und im Gefängnis gestorben war.

In die Laube kam jemand herein, der sehr breit war und eine zottige Mütze trug; er brachte einen kalten Schatten und starken Teergeruch mit herein.

»Ist das Tichon?«

»Ja, gewiss ...«

Auch Tichons brummige Antwort klang betäubend laut. Der alte Hausknecht streckte die Hände aus und schien über dem knarrenden Fußboden zu schweben.

»Wer brüllt da?«

»Sacharka Morosow.«

»Und warum ist der Soldat da?«

»Es ist Krieg.«

Nach einem Schweigen fragte Artamonow:

»Ist der Feind bis hierher gekommen?«

»Das ist ein Krieg gegen dich, Pjotr Iljitsch ...«

Pjotr sagte streng:

»Scherze nicht, alter Dummkopf, ich bin nicht dein Genosse!«

Er vernahm die ruhige Antwort:

»Das ist der letzte Krieg! Wir wollen nie wieder Krieg! Jetzt sind alle Menschen Genossen. Für einen Dummkopf bin ich aber wirklich schon zu alt.«

Es war klar, dass Tichon ihn verhöhnte. Jetzt setzte er sich, ohne Umstände und ohne die Mütze abzunehmen, zu den Füßen des Herrn hin. Auf dem Hof wurde mit heiserer, sich überschlagender Stimme kommandiert:

»Und nach acht Uhr abends haben keinerlei Gestalten mehr auf den Straßen zu erscheinen!«

»Wo ist meine Frau?«, fragte Artamonow.

»Sie ist Brot suchen gegangen.«

»Wieso – suchen?«

»Ja, wie denn sonst? Brot ist kein Ziegelstein, es liegt nicht auf der Erde herum.«

Das Dunkel im Garten wurde immer dichter und blauer. Neben dem Badehaus gähnte und heulte der Soldat – er war jetzt ganz unsichtbar, nur das Bajonett glänzte wie ein Fisch im Wasser. Artamonow wollte Tichon so manches fragen, er schwieg aber; Tichons Worte waren ja doch nicht zu verstehen. Überdies gerieten die Fragen durcheinander und verwirrten sich, und man konnte nicht daraus klug werden, welche die wichtigste war. Und er hatte großen Hunger.

Tichon brummte:

»Der Dummkopf hat früher als alle anderen die Wahrheit begriffen. So hat sich alles gewendet. Ich sagte: Alle kommen ins Zuchthaus, und so ist es auch gekommen. Alle sind wie Staub mit einem Lappen weggewischt worden. Wie Hobelspäne weggefegt. So ist es, Pjotr Iljitsch. Jawohl. Der Teufel hat gehobelt und du hast mit geholfen. Und wozu war das alles? Man hat gesündigt und gesündigt, – die Sünden sind ohne Zahl! Ich habe immer zugeschaut und habe mich gewundert! Wann kommt das Ende? Jetzt ist euer Ende angebrochen. Nun lastet die Vergeltung schwer wie Blei auf euch … ›Der Reisewagen hat ein Rad verloren‹ ...«

»Er redet irre«, entschied Artamonow, fragte aber dennnoch:

»Warum bin ich hier?«

»Man hat dich aus dem Hause gejagt.«

»Und Miron?«

»Alle ...«

»Und … Jakow?«

»Er ist längst nicht mehr da.«

»Wo ist Ilja?«

»Man sagt, er sei mit jenen zusammen. Darum bist du wohl noch am Leben, weil er mit ihnen ist, denn sonst ...«

»Er redet irre«, entschied Pjotr Artamonow mit Bestimmtheit, verstummte und dachte: »Der Alte ist schwachsinnig geworden. Es war auch zu erwarten.«

Über den Himmel waren kleine, trübe Sterne verstreut, die es früher gar nicht gegeben zu haben schien. Und es waren ihrer auch nicht so viele gewesen.

Tichon griff nach der Mütze, drückte sie mit den Händen zusammen und brummte wieder:

»Nun habt ihr das Aufstoßen bekommen von eurer listigen Dummheit. Den Bettlern ist leichter zumute.«

Plötzlich fragte er mit veränderter Stimme:

»Erinnerst du dich noch an den Jungen des Kontoristen?«

»Nun – und wenn?«

Pjotr Artamonow war sich nicht ganz klar darüber, ob diese unerwartete Frage ihn erschreckt oder nur überrascht hatte. Er verstand aber sogleich alles, als Tichon sagte:

»Du hast ihn getötet wie Sachar das Hündchen. Wozu hast du ihn getötet?«

Artamonow wusste nun Bescheid: Tichon hatte ihn endlich doch angezeigt, und nun war er, trotz seiner Krankheit, verhaftet worden. Das erschreckte ihn jedoch nicht allzu sehr, sondern empörte ihn eher durch seine unmenschliche Dummheit. Er stützte sich auf die Ellbogen, hob den Kopf und begann leise, vorwurfsvoll und spöttisch zu sprechen, wobei er Bitterkeit auf der Zunge und Trockenheit im Munde fühlte:

»Du lügst! Es gibt für jedes Vergehen eine Frist, nach welcher es verjährt ist. Du hast aber alle Fristen verstreichen lassen. Ja! Und du bist verrückt geworden. Du hast vergessen, was du gesehen und was du damals selbst gesagt hast ...«

»Was habe ich denn gesagt?«, unterbrach ihn der Alte. »Ich habe es natürlich nicht gesehen, aber ich habe es verstanden! Ich habe das gesagt, um zu sehen, was du tun würdest. Ich habe dir was vorgelogen, und du warst froh und hast dich an die Lüge geklammert. Ich habe dir immer zugesehen und habe gewartet und gewartet … Ihr seid alle so. Alexej Iljitsch hat seinen Schwiegervater, den Trunkenbold, angestiftet, Barskis Schenke anzuzünden; dein Vater hat das durchschaut und hat es so eingerichtet, dass man den Betrunkenen totgeschlagen hat. Nikita Iljitsch wusste es, er kam durch seinen Verstand auf alles. Er hätte darüber schweigen sollen, er hat es mir aber aus Zorn über dich erzählt. Ich sagte: ›Du bist ein Mönch, du musst alles vergessen, ich werde es aber im Gedächtnis bewahren.‹ Ihr habt ihn durch euer Tun eingeschüchtert. Ihr habt ihn in die Schlinge getrieben und dann ins Kloster geschickt: Bete für uns! Er fürchtete sich aber, für euch zu beten, – er wagte es nicht! Und darum hat er Gott verloren ...«

Es schien, als könnte Tichon so bis ans Ende aller Zeiten weiterreden. Er sprach leise, sinnend und scheinbar ohne Zorn. Er war jetzt in dem dichten, heißen Dunkel des späten Abends fast unsichtbar. Seine ungehobelte Rede, die an das nächtliche Rascheln von Küchenschaben erinnerte, erschreckte Artamonow nicht, bedrückte ihn aber durch ihre Schwere und ließ ihn vor Staunen verstummen. Er kam immer mehr zu der Überzeugung, dass dieser unbegreifliche Mensch wahnsinnig geworden war. Jetzt seufzte er lange, als werfe er eine Last von seinen Schultern und fuhr fort, ebenso eintönig das Vergangene und nun Überflüssige aufzuwühlen:

»Ihr Artamonows habt auch mir meinen Glauben genommen. Nikita Iljitsch hat mich euretwegen vom Wege abgebracht und mich gottlos gemacht ... Ihr kennt weder Gott noch den Teufel. Es ist nur Trug, dass Heiligenbilder in eurem Hause hängen. – Was habt ihr aber stattdessen? Daraus kann man nicht klug werden! Etwas scheint doch da zu sein. Ihr seid Betrüger. Ihr habt vom Betrug gelebt. Jetzt ist das alles zu sehen: Man hat euch entblößt, entkleidet ...«

Artamonow bewegte mit Mühe seinen Körper und ließ die furchtbar schweren Füße auf die Erde hinab, die Sohlenhaut fühlte aber den Fußboden nicht, und es schien dem Alten, die Füße hätten sich losgelöst und wären fortgegangen, während er in der Luft hängen geblieben war. Das erschreckte ihn, und er packte Tichon mit den Händen an der Schulter.

»Wohin?«, fragte Tichon, seine Hände rau abschüttelnd. »Rühr mich nicht an! Du hast keine Kraft mehr, du wirst mich nicht erwürgen. Dein Vater hatte Kraft genug, doch hat er damit nur geprahlt. Ich sage, ihr habt mir den Glauben genommen, ich weiß jetzt gar nicht, wie ich sterben soll. Ich habe mich in euch vergafft, ihr Teufel ...«

Artamonow wurde immer hungriger, und ihm flößten seine Füße große Angst ein.

»Ist es denn möglich, dass ich sterbe? Ich bin noch keine fünfundsiebzig Jahre alt. O Gott ...«

Er versuchte sich wieder hinzulegen, ihm fehlte aber die Kraft, die Beine zu heben. Da befahl er Tichon:

»Hilf mir, hebe meine Beine auf!«

Tichon legte die toten Beine seines vormaligen Herrn auf die Bank, spuckte aus und setzte sich wieder, mit der Hand in der Mütze herumstochernd. In seinen Fingern glänzte etwas. Artamonow sah genau hin: Es war eine Nadel, Tichon nähte in der Dunkelheit an seiner Mütze und bestätigte dadurch seinen Wahnsinn. Über ihm huschte ein grauer

Nachtfalter herum. Im Garten zogen sich drei gelbe Lichtstreifen durch die Luft hin. Eine Stimme sprach aus großer Entfernung, aber deutlich:

»Genossen, es gibt und wird für uns keine Umkehr geben ...«

Tichon übertönte diese Stimme:

»Und dann dein Vater; er hat meinen Bruder umgebracht.«

»Du lügst«, sagte Artamonow unwillkürlich, fragte aber sogleich: »Wann?«

»Jetzt willst du auf einmal wissen, wann es war ...«

»Was lügst du in einem fort, Wahnsinniger?«, empörte sich Artamonow plötzlich und fühlte, wie der Hunger ihn aussaugte und ausdörrte. »Was willst du? Bist du mein Gewissen, mein Richter? Warum hast du über dreißig Jahre geschwiegen?«

»Ich habe eben geschwiegen. Das bedeutet, dass ich nachgedacht habe!«

»Du hast Bosheit in dir angesammelt? Ach ... Nun, geh und mach bei der Polizei Anzeige.«

»Es gibt keine Polizei mehr!«

»Sag dort: Er hat mich mein ganzes Leben ernährt, richtet ihn! Du hast mich ja schon angezeigt! Was willst du noch, nun? Drücke mich an die Wand, schüchtere mich ein, verlange Geld, nun?«

»Du hast kein Geld. Du hast nichts. Und es war auch nichts mehr da. Auf die Richter pfeife ich aber. Ich bin mein eigener Richter.«

»Womit drohst du also, Irrsinniger?«

Tichon schien aber gar nicht zu drohen, Artamonow fühlte das dunkel. Tichon brummte:

»Nun ist für alle Kaine das Ende gekommen. Warum hat man meinen Bruder umgebracht?«

»Das von deinem Bruder ist erlogen!«

Die beiden Alten sprachen schneller und unterbrachen einander.

»Ich lüge? Ich war damals bei ihm ...«

»Bei wem?«

»Bei meinem Bruder. Ich bin davongelaufen, als dein Vater ihn kaltmachte. Dein Vater hat ihn verbluten lassen. Wozu war das Blut nötig?«

»Du kommst zu spät ...«

»Nun also, – jetzt hat man euch umgestoßen und zu Boden geworfen, und du bist schutzlos. Ich halte mich aber abseits, wie bisher ...«

»Du bist wahnsinnig ...«

Artamonow fühlte, dass der vormalige Erdarbeiter ihn in eine Ecke, in eine Grube trieb, wo alles ununterscheidbar, unverständlich und furchtbar war. Er wiederholte beharrlich:

»Du kommst zu spät. Du lügst, du hast keinen Bruder gehabt. Solche Menschen wie du haben gar nichts ...«

»Sie haben ein Gewissen.«

»Du selbst hast mir meinen Sohn Ilja irregemacht!«

»Ihr Artamonows habt mich irregemacht, und Nikita Iljitsch hat die Wunde noch vertieft!«

»Er sagt aber, du hättest ihm das getan!«

»Wie oft wollte ich deinen Vater umbringen! Ich hätte ihm mit dem Spaten eins über den Kopf versetzt … Ihr seid schlau ...«

»Du selbst ...«

»Ihr habt euch den Serafim angeschafft. Auch er hat mich wirr gemacht: Er tat niemandem etwas zuleide und lebte doch sündhaft. Wie geht denn das? Überall waren Ränke ...«

»Wer da? W–wohin?«, schrie jemand zornig und laut in der Dunkelheit. »Hat man euch Gesindel nicht gesagt, ihr sollt euch nach acht Uhr nicht mehr zeigen?«

Tichon erhob sich, ging zur Tür und versank in der Dunkelheit. Der durch Aufregung, Hunger und Müdigkeit zermürbte Artamonow sah durch die drei Streifen öligen Lichtes im Garten etwas Breites und Schweres vorübergleiten. Er schloss die Augen und erwartete nun etwas endgültig Furchtbares.

»Hast du etwas?«, fragte Tichon jemanden.

»Das ist alles!«

Das war die Stimme seiner Frau! Wo war sie gewesen, warum hatte sie ihn mit diesem Alten alleingelassen?

Artamonow öffnete die Augen, erhob sich auf den Ellenbogen und blickte auf die durch zwei schwarze Gestalten versperrte Türe. Ihm fiel plötzlich ein, wie er sein ganzes Leben darüber nachgedacht hatte, wer sich an ihm vergangen hatte, und wer die Schuld daran trug, dass sein Leben so bedrückend wirr, so von Betrug gesättigt war? Und jetzt eben war ihm alles klar geworden!

Seine Frau kam auf ihn zu, beugte sich nieder und flüsterte:

»Nun, Gott sei Dank ...«

»Tichon, hier ist der Mensch, der an allem schuld ist!«, sagte Artamonow bestimmt und seufzte erleichtert auf. »Sie war habgierig, sie hat mich beeinflusst, jawohl!«

Er brüllte triumphierend:

»Ihretwegen ist auch Bruder Nikita zugrunde gegangen. Du weißt es ja selbst, ja ...«

Artamonow geriet außer Atem. Es war so seltsam, dass seine Frau gar nicht beleidigt war, nicht erschrak, nicht weinte. Sie streichelte mit zitternder Hand sein Kopfhaar und flüsterte ängstlich, aber liebevoll:

»Still, schrei' nicht! Hier sind alle so böse ...«

»Gib mir zu essen ...«

Sie steckte ihm eine Gurke und ein schweres Stück Brot in die Hand; die Gurke war warm und das Brot klebte wie Teig an den Fingern.

Artamonow wunderte sich:

»Was soll das? Ist das für mich? Das ist alles?«

»Sei still, um Christi willen!«, flüsterte Natalia. »Es gibt doch nichts! Und dann, die Soldaten ...«

»Das gibst du mir – für alles? Für all die Angst, für das ganze Leben?«

Er wog das Brot auf der Hand, murmelte etwas und ahnte, dass etwas unerträglich, tödlich Kränkendes geschehen war, woran nicht einmal Natalia die Schuld trug.

Er schleuderte das Brot zur Tür hin und sagte mit dumpfer, aber fester Stimme:

»Ich will nichts!«

Tichon hob das Brot auf, brummte und blies darauf; Natalia versuchte das Stück ihrem Mann wieder in die Hand zu stecken und flüsterte:

»Iss, iss! Sei nicht böse ...«

Artamonow stieß ihre Hand zurück, schloss fest die Augen und wiederholte mit grimmiger Wut durch die Zähne:

»Ich will nicht. Geh weg!«

Lightning Source UK Ltd.
Milton Keynes UK
UKHW020630200921
390772UK00011B/251